O Lwyfan i Lwyfan

O Lwyfan i Lwyfan

Hunangofiant

Peter Hughes Griffiths

y Lolfa

*Cyflwynaf y llyfr hwn er cof am
fy nhad a'm mam, John a Margaret Griffiths,
fy chwaer Beti a'i gŵr Graham
a'm hen ffrind annwyl, Gwynfor Jones*

Argraffiad cyntaf: 2010

Dymuna'r cyhoeddwyr gydnabod cymorth ariannol
Cyngor Llyfrau Cymru

Cynllun y clawr: Y Lolfa
Rhif Llyfr Rhyngwladol: 978 1 84771 280 6

Cyhoeddwyd, rhwymwyd ac argraffwyd yng Nghymru
gan Y Lolfa Cyf., Talybont, Ceredigion SY24 5HE
gwefan www.ylolfa.com
e-bost ylolfa@ylolfa.com
ffôn 01970 832 304
ffacs 832 782

Llwyfan Llwynbedw

ROEDD EISTEDDFOD YN CAEL ei chynnal yng Nghapel Soar, Penboyr, ar 15 Mawrth 1940 a llawer o bobl yn mynd a dod heibio i Lwynbedw, y tŷ ar fin y ffordd rhwng pentre Dre-fach Felindre a Chwmpengraig yn Sir Gaerfyrddin. Clywai Mam y siarad a'r chwerthin o'i hystafell wely a hithau wrthi'n fy ngeni i, ac am ddeg o'r gloch y noson honno y des i i'r byd.

'Eisteddfodwr bach arall i chi, Magi Griffiths,' oedd geiriau cynta Nyrs Luke wrth Mam gan y gwyddai hi'n dda fod fy chwaer, a oedd ddeng mlynedd yn hŷn na fi, yn gystadleuydd brwd mewn eisteddfodau ar hyd a lled y wlad. Wedi'r cwbl, roedd y medalau a'r cwpanau a lwyddodd i'w hennill am ganu ac adrodd yn amlwg iawn yn y parlwr lawr y stâr.

Ymhen ychydig funudau rhedodd Beti lan y grisiau i weld ei brawd bach newydd a Nhad ar ei hôl, a'r ddwy gymdoges, May Phillips a Minnie Evans, hefyd.

'Gobeithio na fydd deng mlynedd rhwng hwn a'r un nesa, Magi,' oedd sylw cellweirus May.

'Fe fydd hi'n rhwydd cofio mai noson Steddfod Soar oedd hi pan ga'th hwn ei eni, Jack,' meddai Minnie hithau, gan droi at Nhad.

Enw
Bore trannoeth roedd rhaid dechrau meddwl am enw ar gyfer y newydd-ddyfodiad wyth pwys. Ond fe gafwyd anghytundeb o'r dechrau. Roedd Nhad am fy ngalw i'n Gordon am mai Gordon Richards oedd pencampwr jocis rasys ceffylau'r cyfnod, ac yntau'n ddyn ceffylau brwd.

Pan briododd Mam a Nhad, yn ifanc iawn, eu cartre cynta oedd Pantyrathro Lodge, y tŷ sydd ar y ffordd gul sy'n arwain o'r briffordd i westy Pantyrathro yn Llangain ger Llansteffan. *Stable boy* yn stablau plasty Pantyrathro oedd Nhad yn gofalu ar ôl ceffylau hela'r meistr, Jack Richards, a Mam yn forwyn ar fferm Waunfwlchan yn ymyl. Dotiai Nhad ar geffylau ac, er na roddai fet ar geffyl ond adeg rasys y Derby a'r Grand National, roedd ei ddiddordeb mewn ceffylau'n dal ar ôl symud i ardal Dre-fach Felindre i fyw. Byddai'n cael pleser o ddilyn hynt a helynt y jocis a'r ceffylau rasys, a gan mai Gordon Richards oedd y seren, i Nhad y peth mwyaf anrhydeddus fyddai galw ei fab bychan newydd yn Gordon.

Ond chafodd e mo'i ffordd. Mam a fy chwaer a orfu, a chwarae teg iddo, fe dderbyniodd Nhad farn y mwyafrif. Gan fod Hughes, sef cyfenw Mam, eisoes yn ail enw fy chwaer Beti, doedd dim amdani ond cynnwys hwnnw hefyd yn ail enw'r crwt bach sgrechlyd newydd. Fy nhad aeth i'm cofrestru i Gastellnewydd Emlyn ar ôl i Mam ei siarsio drosodd a throsodd gyda'r geiriau bygythiol, 'Peidiwch chi â mentro dod nôl 'ma wedi rhoi Gordon yn enw ar y crwt. Peter yw e fod, a dim byd arall.'

Fe'm cofrestrwyd, ac fe'm bedyddiwyd maes o law yng Nghapel y Methodistiaid, Closygraig, Drefelin, yn Peter Hughes Griffiths, mab i John a Margaret Griffiths, Llwynbedw, Felindre, Llandysul. Yn lwcus i fi, ni fu unrhyw drafodaeth ynglŷn â'r posibilrwydd o fy enwi'n Julius Caesar er mai ar 15 Mawrth y cafodd ef ei lofruddio.

"Na ni 'te,' meddai Anti May Phillips, 'pan fyddwch chi'n mynd â Beti Bedw rownd y steddfode 'ma i gystadlu, fe allwch chi fynd â Peter Bedw gyda chi i ganu ac adrodd. Bydd ishe cwpwrt arall arnoch chi wedyn i gadw'r holl gwpane.' A do, fe enillais i 'nghwpan cynta pan oeddwn ond yn dri mis oed! Yn naturiol, dw i ddim yn cofio dim am hynny. Mae'r cwpan arian hwnnw ar ffurf cwpan te yn dal i gael lle amlwg yn ein tŷ ni, ac arno mae'r geiriau 'Peter Hughes Griffiths – Second Prize – Felindre Baby Show – June 1940.'

Ond tra bod Beti fy chwaer yn parhau i eisteddfota ac i ganu mewn cyngherddau lleol, nid oedd ei brawd bach, Peter Bedw, yn cael fawr iawn o hwyl arni. Doedd dim rhyfedd i Mam ddatgan yn glir wrth Mrs J R Jones, Trecoed, hyfforddwraig Beti a holl gantorion y fro, 'Mae Beti'n gliper am berfformio a chystadlu, ond sa i'n gwbod beth ddaw o'r crwt. Do's dim siâp arno fe!'

Yn ddeunaw oed fe aeth Beti bant i Gaerdydd i gael ei hyfforddi i fod yn nyrs yn yr Ysbyty Brenhinol yno a dod yn staff nyrs a sister maes o law, gan adael ei dawn o berfformio ar lwyfan yn llwyr. Wyth oed oeddwn i pan aeth Beti i Gaerdydd i nyrsio ac, o hynny ymlaen, fi oedd yr unig blentyn ar yr aelwyd ac eithrio'r adegau pan ddeuai hi adre ar wyliau.

Maes o law roedd Mam yn hynod falch fy mod i yng nghanol y pethe ac awgrymai'n garedig mai *late developer* oeddwn i a bod llawer mwy o *stick* ynof i nag yn fy chwaer.

Yr Ail Ryfel Byd

Do, fe'm ganwyd i ganol holl helbulon a gofidiau'r Ail Ryfel Byd. Gan fod Phyllis, nith i Jack Richards, Pantyrathro, wedi priodi â Roy Jones, Dangribyn, Felindre, fe symudodd Mam, Nhad a Beti o Pantyrathro Lodge, Llangain, i fyw i Lwynbedw, Felindre, i redeg y fferm fechan ac i fod yn *chauffeur* i Dr Ben Jones a oedd wedi ymddeol ar ôl bod yn feddyg yn Harley Street, Llundain, ac yn awr wedi dod nôl i'w hen ardal i fyw. Yn fuan ar ôl cyrraedd Felindre, wrth gwrs, fe'm ganwyd i.

Wrth sgwrsio bydd rhywun yn gofyn yn aml, 'Beth yw eich atgofion cynta oll chi?' Wel, fe alla i nodi'r atgof hwnnw'n gwbl glir. Yng nghanol pentre Felindre roedd gweithdy Glaniwmor, ac ar ben yr adeilad hwnnw roedd y seiren ryfel. Rwy'n brith gofio clywed honno'n ein rhybuddio i gadw'r blacowt a gofalu nad oedd y llygedyn lleia o olau i'w weld yn unman pan fyddai awyrennau'r Almaen yn hymian uwchben yn nüwch y nos. Ond pan ganodd y seiren yn ddi-stop ganol dydd golau'r diwrnod hwnnw yn 1945, gwyddai pawb fod y rhyfel ar ben. Rhedodd pawb allan o'u tai i gofleidio'i gilydd a datgan eu llawenydd. Cofiaf hynny'n glir: Bryn a Minnie a'u plant, Gareth ac Olive, drws nesa; Dan a May Phillips a'u merch, Nanna, y cymdogion eraill; ynghyd â Mam a Nhad, Margaret a Jack Griffiths, a Beti, fy chwaer, a finne'n grwt bach pump oed yn eu canol.

Am fod Nhad yn ffermio nid oedd rhaid iddo fynd i'r rhyfel, ond roedd e'n aelod ffyddlon o'r Dre-fach Felindre Home Guard, ac rwy'n ei gofio yn ei ddillad caci yn mynd i ymarfer bob bore Sul ac yn mynd â choes brwsh gyda fe. Yn ôl Nhad dim ond un dryll go iawn oedd gan y platŵn lleol felly ymarfer gyda choesau brwshys yn lle drylliau y bydden nhw. Diolch i'r nefoedd na ddisgynnodd yr un awyren Almaenig ar rostir Llangeler ac na ddaeth yr un Almaenwr ar gyfyl y lle. Dyna oedd *Dad's Army* go iawn.

Yr Iancs

O fewn hanner canllath i'n tŷ ni ar fin y pentre roedd ffatri wlân fawr y Dyffryn. Oherwydd y rhyfel fe'i meddiannwyd gan y Swyddfa Ryfel ac fe gliriwyd y peiriannau a'i throi'n wersyll milwrol i'r Americanwyr, a fyddai'n dod yno i gael saib a chyfle i orffwys cyn mynd yn ôl i faes y gad. Bydden ni'r plant yn chwarae o gwmpas y ffatri a dyna pryd y dysgais fy ymadrodd Saesneg ac Americanaidd cynta, 'Any gum, chum?' Dyna pryd y tyfodd y syniad yn fy mhen fod pob Americanwr yn cnoi gwm, a chwarae teg i'r bechgyn, fe ofalon nhw ein bod ni'n cael ein gwala o'r gwm cnoi meddal a melys hwnnw yng nghanol dogni llym cyfnod y rhyfel. Hyd heddiw, i fi, does dim byd all guro gwm cnoi'r Americanwyr.

Ond i dadau a mamau merched ifanc gorllewin Sir Gaerfyrddin a de Sir Aberteifi ar y pryd roedd llawer mwy o berygl ym mhresenoldeb cannoedd o Americanwyr ifanc cyfeillgar a nwydus nag oedd i holl fyddin yr Almaen mewn mannau eraill ar draws Ewrop. Byddai dawnsfeydd yn cael eu cynnal yn y gwersyll ryw ddwywaith yr wythnos, a lle diflas iawn yw dawns heb ferched! I ateb y broblem honno, roedd croeso agored yn rhad ac am ddim i unrhyw ferch ymuno yn y dawnsio a chael cyfle i dreulio noson ym mreichiau mwy nag un Americanwr. Byddai'r merched yn tyrru yno o bell ac agos ac yn mwynhau mwy na chnoi gwm, mae'n siŵr! A phwy sy'n amau'r holl storïau a fu'n hedfan trwy'r broydd am flynyddoedd wedyn am y *baby boom* anarferol a fu yn y rhan hon o Gymru?

Yn fuan wedi i'r rhyfel ddod i ben, fe ailgydiwyd yn y gweithgareddau cymdeithasol lleol, ac yn eu plith ailddechrau cynnal carnifal y pentre. Dau frawd ifanc a dau gymeriad direidus iawn oedd Griff a Ceri James, Waungilwen. Fe gymeron nhw ran yn y carnifal cynta hwnnw wedi'r rhyfel. Gwisgodd Ceri fel merch ifanc smart gan wthio pram a Griff, ei frawd, i mewn ynddo yn gorwedd fel babi â dwmi yn ei geg. Ar flaen y pram mewn geiriau breision roedd arwydd â'r geiriau 'WHAT THE YANKS LEFT BEHIND'.

'Milgi Milgi'

Mae cof plentyn gen i o'r *coming home concerts* yn cael eu cynnal ym mhob pentre er mwyn estyn croeso adre yn fyw ac iach i'r bechgyn ifanc a fu'n ymladd yn y rhyfel. Talentau lleol fyddai'n cyflwyno'r rhan fwya o'r eitemau mewn nosweithiau o'r fath, a llawer ohonyn nhw'n newydd ac yn wreiddiol. Yn fy llyfr *Hiwmor Sir Gâr* rwy'n sôn sut y cyfansoddwyd ac y canwyd y gân ysgafn 'Milgi Milgi' am y tro cynta mewn un o'r cyngherddau hyn yn y Rhos, Llangeler, a'r gred gyffredinol yw mai Benji Triolbach a'i cyfansoddodd.

Rwy wedi adrodd sawl un o'r storïau a glywais am hynt a helynt rhai o'r bechgyn lleol hynny yn yr Ail Ryfel Byd – storïau sy'n dal yn fyw ar lafar gwlad o hyd. Bechgyn ifanc diniwed a di-addysg oedd y rhan fwya o'r rhain. Yn ôl yr hanes, roedd Jim Troedrhiwgeler a Wil Tŷ Isha ar eu boliau yng nghanol y Sahara yn llusgo eu hunain ar *manoeuvres*, a'r gwres yn annioddefol. Yn sydyn dyma Jim yn troi at Wil.

'Ti'n gwbod pa ddiwrnod yw hi heddi, Wil?'

'Na dw i,' oedd ateb swta Wil.

'Mae'n ddydd Ffair Glame Castellnewydd Emlyn heddi.'

Cododd Wil ei ben ac edrych ar yr haul, ac medde fe, 'Ma nhw wedi bod yn lwcus o'r tywydd, ta beth!'

Gwlân

Doedd ffatri wlân y Dyffryn ond yn un o'r ugeiniau o ffatrïoedd gwlân eraill ym mhlwyfi Llangeler a Phenboyr, a go brin bod angen i fi helaethu am bwysigrwydd y diwydiant gwlân yn ardal fy magwraeth. *Hanes Plwyfi Llangeler a Phenboyr* gan Daniel Jones, a gyhoeddwyd yn 1899, oedd y trydydd llyfr a argraffwyd gan J D Lewis, Gomerian Press, Llandysul (Gwasg Gomer erbyn hyn), ac ynddo ceir cofnod manwl o hanes yr ardal ac oes aur y diwydiant gwlân.

'Nid oes yn awr ddau blwyf yng Nghymru yn troi allan gymaint o wlanenni Cymreig â'r plwyfi hyn,' yw brawddeg gynta Daniel Jones yn y bennod 'Y Gwaith Gwlân' yn y llyfr hwnnw, ac wrth sôn am rai o'r ffatrïoedd cynta a godwyd ar lannau'r afonydd Bargod, Esgair a Brân mae'n cyfeirio at fan fy ngeni innau: 'Adeiladwyd y ffatri nesa yn Llwynbedw gan John Lewis ac yno y gosodwyd y "billy" cynta i fyny.'

Cofnodwyd a chyhoeddwyd hanes y diwydiant gwlân hwn yn ystod y ganrif ddiwetha yn fanwl iawn gan y diweddar Dr Geraint Jenkins, cyn-geidwad Amgueddfa Werin Sain Ffagan, ac mae ein dyled yn fawr iddo. Heddiw mae Amgueddfa Wlân Cymru yng nghanol pentre Dre-fach Felindre yn arddangos holl orffennol y diwydiant, a thua diwedd y bwrlwm hwnnw y ces i fy nghodi ym mhedwardegau'r ganrif ddiwetha. Does dim rhyfedd fod yr hen gân werin 'Brethyn Cartref' a ysgrifennwyd gan Crwys yn 1913 yn dal i gael ei chanu ar yr alaw 'Hob y Deri Dando'.

Chi sy'n cofio Newyrth Dafydd,
Patriarch y Felindre,
Rych chi'n cofio'n burion hefyd
Am ei frethyn cartre.
Aeth ei got yn hen heb golli
Dim o'i gra'n.
Roedd hi'n llwyd pan gas ei phannu
Brethyn gwlân y defaid mân,
Dyna fel y gwisgai'r oes o'r bla'n.
Brethyn gwlân y defaid mân,
Dyna fel y gwisgai'r oes o'r bla'n.

Samuel Owens

Yn wynebu clos Llwynbedw, a'r afon Esgair yn llifo heibio'n
gyflym, roedd tri thŷ mewn un rhes. Ein tŷ ni, wedyn Bronllys
drws nesa ac yna Llwynbedw arall ar y pen. Yn byw mewn
un ystafell ar lawr ucha'r tŷ hwnnw roedd un o feirdd gorau'r
ardal ar y pryd. Hen lanc mewn tipyn o oed erbyn hynny
oedd Samuel Owens. Mam fyddai'n gofalu amdano, ac yn
llaw Mam fe awn yno i edrych amdano am nad oedd ganddo
deulu. Roedd e'n greadur swil iawn, iawn, a dyna pam,
mae'n siŵr, na lwyddodd i gael gwraig yn ystod ei fywyd.
Cyfaddefodd fwy nag unwaith wrth Mam y dylsai fod wedi
gofyn i Rachel Isaac, Bancyfelin yn ymyl, am ei serch a'i llaw,
ond bod ei swildod yn drech nag e. Hen ferch oedd hithau
hefyd, yn fodryb i Norah Isaac ac yn byw yn yr hen gartre.
Roedd Mam a Rachel yn dipyn o ffrindiau er y gwahaniaeth
mewn oedran, a'r ddwy yn llawn hwyl a sbri bob amser.
Yr hyn sy'n rhyfedd yw i'r ddwy fod yn ffrindiau agos am
flynyddoedd lawer heb wybod eu bod yn ail gyfnitherod i'w
gilydd. Wrth baratoi hanes y teulu ychydig cyn marw Norah
y llwyddais i ganfod hynny.

Byddai Norah yn gofyn i fi yn aml, pan fyddem yng

nghwmni cyfeillion, i adrodd hanes y digwyddiad rhyfedd rhwng Samuel Owens a'i fodryb, Rachel Isaac. Mae'r hanesyn yn berffaith wir.

Roedd yr hen Sam Owens yn llythrennol ar ei wely angau yn ei ystafell fechan gyda Mam a May Phillips yn ei wylad am yn ail.

'Hoffen i wneud un peth cyn mynd o'r hen fyd 'ma,' oedd geiriau Sam wrth Mam yn ei wendid olaf.

'Ie,' meddai Mam, 'a beth yw hwnnw?'

'Hoffen i briodi Rachel Isaac.'

'O!' meddai Mam, 'falle y gallwn ni drefnu hynny,' heb sylweddoli'n llawn beth fyddai'r canlyniadau.

Anfonwyd am Rachel ac ymhen dim fe gyrhaeddodd hi yn ei brat â'i bag bach du dan ei chesail gan gredu bod yr hen Sam wedi ein gadael a bod angen 'ei droi e heibio', gan mai hi fyddai'n gwneud y gwaith hwnnw yn yr ardal.

'Na,' meddai Mam wedi iddi gyrraedd ymyl y gwely. 'Ma fe am 'ych priodi chi cyn bo fe'n mynd!'

'Wel, pam lai,' oedd ei hateb cellweirus hithau gan roi winc ar Mam.

A chyda Rachel a Mam ar eu penliniau wrth wely angau yr hen lanc Sam Owens, a'r ddwy yn cydio yn ei law, aeth Mam ati i'w priodi. Tynnodd Mam ei modrwy ac fe'i rhoddodd ar fys Rachel gan gydio yn llaw Sam.

'A nawr rwy'n eich cyhoeddi'n ŵr a gwraig. Amen,' datganodd Mam a'r ddwy yn tybio bod yr hen Sam bellach wedi croesi i'r byd arall.

Ond dyma lais yn dod o'r gwely angau. 'A ninne nawr yn ŵr a gwraig, dere miwn i'r gwely ata i, Rachel!'

Rhedodd y ddwy mas o'r stafell am na allen nhw reoli eu chwerthin – peth anarferol iawn i ddigwydd pan mae rhywun yn marw. Ar ôl dod dros y pwl, dyma'r ddwy'n mynd nôl, ond roedd yr hen Sam wedi mynd a'u gadael, ac yno y gorweddai gyda rhyw olwg llawn boddhad ar ei wyneb.

Gweithred nesa Rachel, ei wraig (!), oedd ei droi e heibio.

Mae copi o ewyllys wreiddiol Samuel Owens gen i o hyd yn ei ysgrifen ei hunan ar ddarn o bapur: 'Gadawaf y cyfan o fy eiddo yn *share alike* rhwng Beti a Peter, Llwynbedw.'

Gan nad oedd perthnasau ganddo gorfod i Mam a'r cymdogion fynd ati i werthu ei holl eiddo er mwyn talu am ei gladdu ym mynwent Eglwys Castellnewydd Emlyn. Ond fe gadwodd Mam un o'i gadeiriau eisteddfodol ac mae'r gadair fawr hardd honno gyda'r geiriau 'Eisteddfod Gadeiriol Soar 1910' wedi eu cerfio'n glir arni yn dal i gael lle anrhydeddus yn ein cartre ni. Yn ystod 2010 fe drefnes noson bwrpasol yn ein tŷ ni i ddathlu'r achlysur arbennig fod y gadair yn gant oed.

Mae gen i gasgliad o holl farddoniaeth Sam Owens a ymddangosodd yn y papur lleol, y *Tivy-Side*, pan oedd e'n barddoni. Mae'n enghraifft o fardd gwlad ar ei orau.

Fe'i claddwyd mewn bedd di-nod yn nhalcen yr eglwys heb unrhyw fath o gofnod. Fe es i ati yn nechrau'r nawdegau i drefnu'r digwyddiad 'Cofio Dau Fardd' yn y pentre ac yn Neuadd y Ddraig Goch. Yn ystod y dydd fe osodwyd plac coffa ar wal Pendre yng nghanol y pentre i gofio am D S Jones, Llanfarian, neu Dai Pendre i'w ffrindiau, bardd cadeiriol ddegau o weithiau drosodd ac awdur y gyfrol *Hud yr Hydref*. Fe osodwyd arysgrif ychwanegol ar garreg fedd tad a mam Sam Owens ym mynwent Eglwys Castellnewydd Emlyn i gofio amdano. Roedd Sam Owens yn rhan o'm magwraeth gynnar a phwy a ŵyr faint fu ei ddylanwad arna i. Ni all neb fesur hynny, ond o leia mae ei gadair fawr eisteddfodol yn rhan o ddodrefn parhaol ein cartre ac rwy'n siŵr y byddai'r hen Sam wrth ei fodd pe bai'n gweld bod sawl cadair eisteddfodol arall yn cadw cwmni i'w gadair e yng nghartre crwt bach Llwynbedw.

Yng nghanol y cae o flaen Llwynbedw mae ffynnon ddŵr arbennig iawn yr arferai'r hen bobl ddod i yfed o'i dŵr iachusol. Fel hyn y canodd Samuel Owens iddi:

Ffynnon Beca

Mae swynion byw i'm calon

O gylch y ffynnon fechan,

Fe deimlais ganwaith wir fwynhad

Uwchben ei ffrydlif arian.

Darpariaeth fendigedig yw

Osododd Duw yn natur,

A sicr fod ei dyfroedd glân

Yn falm i lawer dolur.

Ar daen mae'i chlodydd yn ddiball,

Mae'n enwog hwnt ag yma,

Mynega llawer gwridgoch wedd

Rinweddau Ffynnon Beca.

Torfeydd sy'n dod o bellter gwlad

Bob haf i ddrachtio'n helaeth;

Mor bur, mor syml ac mor rhad

Yw'r hyfryd feddyginiaeth.

Ysgol Penboyr

Mae'n beth rhyfedd iawn i'w ddweud, ond fe ddechreuodd Mam a fi yn Ysgol Gynradd Penboyr ar yr un diwrnod. Fi fel disgybl yn nosbarth babanod Miss Davies, neu Maggie Tŷ Gwyn fel roedd pawb yn ei galw, a Mam fel cogyddes gynta'r ysgol pan gychwynnwyd ar y gwasanaeth cinio ysgol ar ddiwedd yr Ail Ryfel Byd. Yn y cyfnod hwnnw roedd gan bron pob athrawes babanod y ddelwedd o fod yn *battle axe*. Un felly oedd Maggie Tŷ Gwyn, ac roedd ar y plant i gyd lond bola o'i hofon. Hi oedd â'r cyfrifoldeb o ddysgu'r newydd-ddyfodiaid bach sut i eistedd yn llonydd ac i beidio â siarad o gwbl yn y dosbarth, ac yn bwysicach fyth eu dysgu i fwyta popeth amser cinio.

Daeth y broblem honno i'r amlwg yn fuan iawn yn fy hanes i am fod Mam yn gwybod yn iawn fod yn gas gan ei chrwt bach hi bannas a chabej. Un diwrnod, a ninnau'r plant wrth y byrddau cinio a Maggie Tŷ Gwyn fel rhyw iâr fawr yn gofalu am ei chywion yn bwyta, dyma Mam yn dod â'r pannas o gwmpas ac yn gosod llwyaid go dda ar blât pawb. Yn naturiol, ni roddodd Mam bannas ar fy mhlât i, ond wedi iddi gyrraedd pen y bwrdd dyma'r *battle axe* yn gweiddi,

'Mrs Griffiths, ry'ch chi wedi anghofio rhoi pannas i'r crwt bach sy fan hyn,' gan bwyntio ata i.

'Ond dyw e ddim yn lico pannas, Miss Davies,' atebodd Mam.

'O! Fe ddaw e i'w lico nhw,' oedd ei hateb siarp. 'Rhowch lwyed iddo fe, ac fe watsha i fod e'n ei fyta fe i gyd!'

Mae'r effaith seicolegol a gafodd y llwyaid honno o bannas yn dal yn fyw yn y cof ac rwy'n eu hosgoi byth oddi ar hynny.

'Bytwch 'ych cabej, David Tom,' gwaeddodd Maggie Tŷ Gwyn ar fy ffrind ysgol, Dai Twm Griffiths, wrth i ni gael cinio un diwrnod.

'Sa i'n lico cabej, Miss,' oedd ei ateb.

'Bytwch nhw. Bydde plant bach Affrica yn ddigon balch o'ch cabej chi, David Tom, achos ma nhw'n starfo. Bytwch nhw!'

Mae'n siŵr fod Defi Tom wedi dweud am y cabej wrth ei dad a'i fam ar ôl mynd adre achos, y diwrnod wedyn, dyma fe'n dod ag amlen reit fawr i'r ysgol a'i rhoi ar ddesg ei athrawes.

'Beth yw hon?' taranodd Maggie Tŷ Gwyn.

'Nhad sy'n gweud,' meddai Defi Tom mewn llais tawel, 'achos bo fi ddim yn lico cabej, a bod plant bach yn Affrica yn starfo, falle gallech chi bosto 'nghabej i iddyn nhw o hyn mas!'

Mae'n stori gwbl wir, er mod i wedi ei chlywed gan eraill ar hyd y blynyddoedd. Ond, am yr unig dro hyd y galla i gofio, daeth gwên ar wyneb Maggie Tŷ Gwyn, athrawes babanod Ysgol Penboyr. Roedd hi'n adnabod tad Defi Tom yn dda a thrwy hynny'n gallu gwerthfawrogi'r jôc.

Mrs Griffiths y Cwc

Bydd cenedlaethau o blant Ysgol Penboyr ym mhentre Dre-fach Felindre'n cofio'n dda am Mam fel Mrs Griffiths y cwc. Fe fu Mam yn bwydo'r plant yn yr ysgol am ugain mlynedd a mwy ac mae pawb yn dal i gofio am ei bwyd blasus. Fel y dywedodd Einsleigh Blaenbran wrtha i'n ddiweddar:

'Roedd hyd yn oed pwdin peips a phwdin llys brogaid dy fam yn ffein,' gan gyfeirio wrth gwrs at ei phwdinau tapioca a sego. Yna ychwanegodd, 'Roedd cael cymysgu'r blob jam yn y semolina a'i droi a wedyn ei fyta yn rhywbeth nad anghofia i fyth. Sa i'n cofio pryd fytes i semolina na phwdin peips na llys brogaid ddiwetha. Dyw plant heddi ddim yn gwbod beth ma nhw wedi'i golli!'

Mae Dyfrig ac Eifion Pensarn wastad yn dweud wrtha i mai Mam oedd y cwc gorau yn y byd:

'A chofia di,' meddai Eifion, 'roedd hi'n gwneud yn siŵr fod pob plentyn yn cael llond bola amser cinio mewn cyfnod o dlodi mawr ar ôl y rhyfel. 'Na pam mae plant Ysgol Penboyr i gyd mor gryf achos fe geso nhw eu bwydo mor dda gyda dy fam. Edrych ar Dyfrig a fi, mae'r ddau ohonon ni dros chwe throedfedd!'

Athrawon

Ysgol Eglwys oedd Ysgol Penboyr, sy'n dal felly, wedi ei lleoli yng nghanol pentre Dre-fach Felindre yn ymyl Eglwys Sant Barnabas. Mae'r ysgol wedi ei henwi ar ôl eglwys y plwy, sef Eglwys Penboyr, sydd mewn lle digon anghysbell rhyw ddwy filltir o'r pentre ei hun. Cymraeg oedd cyfrwng yr addysg, heblaw am Fathemateg am wn i, gan mai yn Saesneg y dysgais fy nhablau a fy symiau i gyd, ac yn Saesneg rwy'n dal i feddwl yn benna yn fathemategol.

Bob amser chwarae byddai'r prifathro B D Rees yn mynd i'r gegin at Mam i gael mwgyn a dished o de a byddai'r lle'n llawn o fwg a drewdod Woodbines. Dyna'r unig le yn yr adeilad y gallai fynd o'i ddosbarth i gael ei ffag, ac yn gyson bydde fe'n siarad â'r plant ar yr iard â ffag yn ei geg. Pan ddaeth athro newydd ifanc o Lanpumsaint i'n dysgu, fe gafodd B D Rees gwmni parod i ymuno ag e yn y gegin bob amser chwarae. Roedd John Phillips yn smociwr trwm hefyd, er mai Player's bydde fe'n eu smocio. Oherwydd ei fod fel Sacheus yn 'fychan o gorffolaeth', cafodd ei fedyddio'n Phillips Bach gyda ni'r plant, ond roedd e'n athro ifanc llawn brwdfrydedd ac yn Gymro ardderchog. Seiliodd ef ein haddysg ar Gymru a'r iaith Gymraeg, ar ei hanes a'i chwedlau. Dysgodd ni am farddoniaeth ein gwlad, ac mae'r darnau hynny'n dal yn y cof. Ysbrydolodd ni i ddarllen llyfrau Cymraeg a Saesneg a gallaf ddweud, fel eraill o'm cenhedlaeth i yn Ysgol Penboyr, mai John Phillips a gyneuodd y tân ynon ni i garu pob agwedd ar fywyd ein gwlad.

Ar ôl i Meinir, fy ngwraig, a finne symud i fyw i Gaerfyrddin yn 1972 daeth hi'n amser i'r plant fynd i'r ysgol, a phwy oedd yn brifathro ar Ysgol Gymraeg y Dderwen yng Nghaerfyrddin ond John Phillips. A'r diwrnod cynta hwnnw pan es i â Llŷr y mab i Ysgol y Dderwen, geiriau John Phillips oedd, 'Wel, chi yw'r tad a'r mab cynta i fi eu dysgu yn ystod fy ngyrfa.'

Ar ôl ymddeol fe ddaeth John Phillips yn actor poblogaidd ar y teledu. Fe chwaraeodd ran D J Williams yn y ffilm enwog *Penyberth* a bu'n amlwg mewn cyfresi fel *Nyth Cacwn* gydag Ifan Gruffydd ac eraill.

Mae'r hanesyn am John Reynolds a'r teulu'n symud i fyw i Gaerfyrddin a'r ffaith fod John Phillips yn smociwr trwm yn werth ei adrodd. Ar ôl cyrraedd y dref, dyma John Reynolds yn galw yn Ysgol y Dderwen er mwyn trefnu i'w blant gael addysg Gymraeg. Roedd yr argraff gynta o weld rhes o gabanau ar wahân ar safle mwdlyd yn ddigon siomedig. Cnociodd ar ddrws y caban cynta a threfnodd yr athrawes ei bod yn anfon un o'r plant i chwilio am y prifathro. Ymhen amser pwy ddaeth ar draws y cae ond John Phillips, yn fychan ei gorffolaeth. Ar ôl sgwrs llawn croeso yno yn yr awyr agored, dywedodd y prifathro bod lle ar gael i'r plant yn Ysgol y Dderwen.

'Mae'n well i fi gael manylion y plant gyda chi,' meddai, ac aeth i'w boced a thynnodd allan becyn sigaréts. Tynnodd o'r pecyn yr un sigarét oedd ar ôl a rhwygodd ochr y pecyn. Tynnodd feiro o'i boced ucha a dweud, 'Nawr 'te, Mr Reynolds, beth yw enwau a dyddiadau geni'r tri phlentyn?' Ac yno, yn gwbl gartrefol, ar becyn sigaréts yr ysgrifennodd yr holl fanylion am y plant. Yn y cyfnod hwnnw ei becyn ffags oedd cyfrifiadur John Phillips!

Y Botel Stowt

Dim ond unwaith y flwyddyn y byddai Mam yn tyllu'r New Shop Inn, sef y dafarn leol. Tafarn John y Gwas fyddai pawb yn galw'r lle am fod John Evans, y perchennog, yn ysgrifennu colofn Gymraeg wythnosol yn y *Carmarthen Journal* o dan yr enw John y Gwas.

Roedd Mam yn llwyrymwrthodwraig, ond ychydig wythnosau cyn y Nadolig bob blwyddyn byddai'n galw yn nhafarn John y Gwas gan gario'r *Western Mail* o dan ei chesail. Pwrpas yr ymweliad prin hwnnw fyddai prynu potel o stowt ar gyfer gwneud ei phwdin Nadolig. Byddai Mam yn sleifio i mewn trwy ddrws y cefn, cael y botel stowt, ei rhowlio yn y *Western Mail*, ei rhoi o dan ei chesail a sleifio mas cyn gynted â phosibl. Doedd Mam ddim am i neb feddwl ei bod hi'n cario potel o stowt lawr trwy ganol y pentre, a phwrpas y *Western Mail* oedd cuddio'r gyfrinach honno.

Ond, y diwrnod hwn, a hithau ar ei ffordd adre, daeth wyneb yn wyneb â'r Parchedig Gwilym Rees, ei gweinidog yng Nghapel y Methodistiaid, Closygraig, a chymerodd yntau fantais ar y cyfle i gael sgwrs gydag un o'i aelodau mwya ffyddlon. Fe ddaeth pwl o euogrwydd dros Mam ac fe dyfodd ei nerfusrwydd wrth i'r sgwrs fynd ymlaen ac ymlaen, nes i'r botel stowt lithro'n ddiarwybod allan o dudalennau sgleiniog y *Western Mail* gan dorri'n deilchion ar y llawr a'r stowt yn tasgu dros sgidiau a throwsus ei pharchus weinidog, a'r lle'n drewi fel bragdy.

Druan o Mam! Gwyddai'r gweinidog yn dda fod Mam yn gryf yn erbyn y ddiod gadarn, ond mawr fu'r hwyl a'r tynnu coes ar hyd a lled y pentre am wythnosau bod Mrs Griffiths y cwc yn yfed ar y slei. Plwm pwdin di-stowt gawson ni'r Nadolig hwnnw!

Chwarae Pêl

Mae cof clir gen i ohonon ni'r bechgyn yn chwarae pêl-droed ar iard gefn yr ysgol amser chwarae yn ddieithriad bob dydd, os nad oedd hi'n bwrw glaw. Pêl *air bounce* oedd y bêl a'r weithred gynta ar ôl cyrraedd y cefn oedd dewis y ddau dîm. Yr un dull a ddefnyddien ni bob tro, sef penderfynu'n gynta ar y ddau gapten a'r rheiny'n dewis chwaraewyr i'w timau am yn ail. Bob tro, yn ddieithriad, Eric Vaynor fyddai'r olaf un i gael ei ddewis a hynny am ei fod yn wahanol. Un gwanllyd iawn oedd Eric, heb y gallu i redeg fawr ddim, a gan nad oedd camsefyll yn rhan o'n rheolau ni cyfrifoldeb Eric ym mhob gêm fyddai treulio'i amser yn sefyll o flaen golwr y gwrthwynebwyr a'i gwneud hi'n anodd i hwnnw ddal y bêl. Gan mai wal mynwent Eglwys Sant Barnabas oedd y tu ôl i un o'r goliau, a honno braidd yn isel, byddai'r bêl yn cael ei chicio'n aml dros y wal. Y rheol arall oedd mai cyfrifoldeb pwy bynnag a giciai'r bêl i'r fynwent oedd mynd i'w nôl. O ganlyniad fe dreuliais i lawer iawn o amser yn chwilio am y bêl ym mynwent Sant Barnabas a dod i adnabod yr enwau ar y cerrig beddau'n dda.

Ond gan mai pêl gymharol fechan oedd ein *air bounce*, datblygodd pawb o'r bechgyn yn Ysgol Penboyr eu sgiliau pêl-droed yn arbennig a graddio maes o law i chwarae i Bargod Rangers, sef tîm pêl-droed pentre Dre-fach Felindre. Heb os, dyna oedd nod pawb ohonon ni gan y bydden ni'n mynd i weld pob gêm y byddai'r tîm yn ei chwarae ar Llysnewydd Meadow yng Nghynghrair Sir Aberteifi yn erbyn timau fel Castellnewydd Emlyn, Llandysul, Aberteifi ac Aberaeron.

Ni lwyddod Eric Vaynor i chwarae dros Bargod Rangers erioed, ond bu ei gyfraniad yn fwy na neb arall yn hanes y clwb. Er ei wendid corfforol, fe dyfodd i fod yn ysgrifennydd, trysorydd, cadeirydd a rheolwr y clwb. Mewn gair, Eric fu'n rhedeg y tîm am flynyddoedd cyn, yn ystod ac ar ôl fy nghyfnod i fel chwaraewr, hyd at yr amser y bu Alun Ffred Jones, Gweinidog Diwylliant a Chwaraeon Llywodraeth Cynulliad Cymru, yn chwarae yn y gôl i dîm Bargod Rangers. Tybed oes peth o Eric Vaynor i'w weld yn y cymeriad Wali yn y gyfres gomedi ardderchog honno *C'mon Midffîld* y bu Alun Ffred yn gyfrifol amdani? 'Oes' yw ateb nifer ohonon ni fois Bargod Rangers.

Eric Vaynor oedd Bargod Rangers am ddegawdau, ac oni bai amdano fyddai'r clwb ddim wedi goroesi. Ac, er mor wanllyd oedd e'n gorfforol, ar ôl iddo dyfu rhyfeddod i bawb oedd gweld faint y medrai Eric ei yfed cyn ei fod yn torri ei syched! Yng ngeiriau bois y pentre, 'Fe allai Eric yfed unrhywun dan ford!' Y rhyfeddod arall yw i Eric gael cyhoeddusrwydd anghyffredin yn dilyn ei farwolaeth. Fe ddaeth torf anferth i'w angladd yn yr amlosgfa yn Arberth i dalu'r deyrnged olaf i berson anarferol ond arbennig iawn. Ddyddiau ar ôl hynny, fe sylweddolodd yr ymgymerwr angladdau ei fod e wedi gwneud camgymeriad a'i fod e wedi cymryd y corff anghywir o'r *mortuary* i'w amlosgi yn Arberth. Ymhen rhyw wythnos wedyn cynhaliwyd ail wasanaeth angladdol, i'r Eric iawn y tro hwn, yn yr amlosgfa. Mewn gair fe gafodd Eric Davies, Vaynor, Felindre, ddwy angladd. Heddwch i'w lwch.

Y *Scholarship*

Fy ngweithred olaf fel disgybl yn Ysgol Penboyr oedd sefyll y *scholarship* yng Nghastellnewydd Emlyn. Fe fues i'n rhyfeddol o lwcus gan mai un o'r testunau ar gyfer ysgrifennu traethawd oedd 'Awr y Plant'. Dyna oedd lwc, gan y byddwn i'n gwrando ar y rhaglen ardderchog hon ar y radio bob nos Lun am bump o'r gloch.

Fe gafodd pwy bynnag oedd yn marcio holl hanes campau Gari Tryfan ac Alecs a'i 'tawn i'n smecs' i'r manylyn lleia. O ganlyniad i'r arholiad hwnnw, oedd mor annheg yn addysgol, rhannwyd fi a fy ffrindiau ar ddiwedd blwyddyn ysgol 1951 gan orfodi rhai i fynd i Ysgol Fodern Henllan a finne ac Eric Tŷ Hen, Brian Rhianfa a Marion Brynmeiros a dau neu dri arall i Ysgol Ramadeg Llandysul.

Cartref Newydd

Penderfynodd Dr Ben Jones, Dangribyn, cyflogwr Nhad, i werthu fferm fechan Llwynbedw ac aeth ati i addasu hen ffatri wlân Dangribyn yn ddau dŷ. Ar ôl byw am gyfnod o ryw ddeunaw mis yn y plasty gyda'r hen ddoctor fe aethon ni i'n tŷ newydd gyferbyn â Glanesgair ymhellach i fyny'r cwm ac yn agosach eto i bentre bychan Cwmpengraig.

Cafodd Mam a Nhad y cyfrifoldeb gan yr hen ddoctor o roi enw ar ein cartre newydd. Ar ôl ymgynghori ag Ifan Lewis, ffrind o Gymro diwylliedig yn Nrefelin, penderfynwyd ar yr enw Llyfnant, yr un enw â'r dyffryn hardd hwnnw heb fod ymhell o Fachynlleth.

Yno, yn Llyfnant, yn fy nghartre newydd, a finne ond yn naw oed y cefais y *rheumatic fever* bondigrybwyll, a gorfod i fi orwedd yn fy ngwely am chwe wythnos o dan ofal yr enwog Dr Jenkins, Henllan. Daeth moddion Dr Jenkins yn rhan o chwedloniaeth llafar gwlad am fod pawb yn gwella o ba bynnag anhwylder ar ôl ei gymryd. Ychydig a wyddai'r cleifion mai dŵr oedd prif gynnwys pob potel o foddion Dr Jenkins ond ei fod yntau'n ychwanegu llond llwy o gemegyn cryf er mwyn rhoi lliw da ar y botel a chreu blas cas ofnadwy wrth ei gymryd. Meddyginiaeth seicoleg oedd prif ffordd yr hen ddoctor o wella pobol.

Roedd e wedi cael llond bol o gael ei alw i un tŷ yn y pentre. Gwyddai'r doctor, fel pawb arall, mai Ben Owen Bach oedd y pwdryn penna mas a'i fod yn arch-heipocondriac oedd yn hala diwrnodau yn ei wely ar y tro er mwyn osgoi mynd i'w waith. Yn dilyn llenwi papur doctor am yr wythfed tro daeth yr alwad arno unwaith eto i fynd i weld Ben Owen Bach. Wedi iddo ei gorno a chymryd ei byls a'i wres am y canfed tro, gofynnodd gwraig y claf i'r doctor, 'Shw ma fe heddi, doctor?'

'Newyddion drwg, Lisi May, ma fe'n ddifrifol wael a weden i ma rhyw ddou ddiwrnod sy 'da fe i fyw. Felly, man a man i fi lenwi'r *death certificate* nawr er mwyn safio fi i alw nôl 'to! Fe a' i lawr nawr i'w llenwi ar ford y gegin.'

Ni chafodd Dr Jenkins ei alw i weld Ben Owen Bach byth wedyn.

Ar ei flwyddyn o ymarfer gyda Dr Jenkins o'r coleg meddygol roedd y doctor ifanc Eurfyl Jones ac fe fydde'n galw'n ddyddiol bron i 'ngweld yn y gwely. Gan nad oeddwn i'n gallu mynd i gicio pêl na mynd i weld Bargod Rangers yn chwarae doedd dim amdani ond mynd ati i ddarllen y *Stanley Matthews Football Album* a'r *Football Monthly* a chasglu cardiau lluniau Billy Wright a Trevor Ford a Walley Barnes ac eraill. Dyma sut y dysgais i ddarllen Saesneg, ar fy nghefn yn y gwely, a gallwn ar y pryd ateb unrhyw gwestiwn yn ymwneud â phêl-droed am unrhyw dîm bron.

Gyda'i pheiriant gweu sanau newydd fe wnaeth Ella Evans, Yr Ogof, yn ymyl Llyfnant wau pâr o sanau pêl-droed streips coch a gwyn tîm Arsenal i fi ac o hynny ymlaen fe'u gwisgais bob dydd tra bûm yn fy ngwely. Ac fel Lyn Ebenezer a'r diweddar gyfaill Hywel Teifi Edwards, Arsenal yw'r tîm i fi ers dyddiau'r sanau coch a gwyn yn y gwely!

Llandrindod

Yn ôl y ddau feddyg, mae'n debyg bod y riwmatic wedi effeithio ar guriad fy nghalon, ac roedd Dr Eurfyl wedi dweud wrth Mam na allai weld sut y gallwn gymryd rhan mewn unrhyw fath o chwaraeon o hynny ymlaen. Ar ôl i fi ddechrau codi o'r gwely a chryfhau dipyn, aeth Mam â fi am bythefnos yn yr haf i Landrindod i yfed y dŵr o'r ffynhonnau yno am fod Dr Jenkins yn dweud bod 'dyfroedd Llandrindod mor iachus'. Wyddwn i ddim beth oedd o'm blaen i. Dyna'r gwyliau mwya uffernol ar wyneb daear y gallech chi eu cynnig i blentyn naw oed, ac mae'r holl atgofion chwerw yn glir yn fy mhen o hyd. Ravens Court oedd enw'r tŷ lodjin ac oddi yno bob bore byddwn i'n mynd i'r caffi yn y parc i yfed peint o'r dŵr, a stêm yn codi ohono er ei fod yn oer. Byddai Mam druan yn addo'r byd i fi am gyflawni'r weithred honno. Yna, ar ôl cinio, mynd i gaffi dŵr arall i yfed peint arall a hwnnw'n drewi fel wyau clwc. Yna cyn swper awn i yfed dŵr heb ddim blas o gwbl arno – hanner peint a gawn bryd hynny! Sut y llwyddodd Mam i gocso ei chrwt bach i yfed y stwff cythreulig hwnnw am bythefnos, wn i ddim, ond mae'n rhaid ei fod wedi gwneud byd o les i fi gan i mi wella'n llwyr o'r riwmatic.

Wedi i ni symud i fyw i Gaerfyrddin yn 1972, sylwais fod yna feddyg blaenllaw iawn yn ysbyty seiciatryddol Dewi Sant yn y dref a'i fod yn amlwg iawn gyda gweithgareddau Plaid Cymru. Ei enw oedd Dr Eurfyl Jones, yr union un a fu'n gofalu amdana i pan ges i'r *rheumatic fever* yn naw oed. Wedi i fi egluro iddo pwy oeddwn i, holodd fy hynt a'm helynt ers y dyddiau hynny yn 1949 pan alwai'n ddyddiol i'm gweld. Dywedais wrtho mod i wedi chwarae pêl-droed ar ôl i fi wella, a hynny i safon reit uchel, a'i ymateb oedd: 'Alla i ddim credu, ac ma hwnna'n dweud y cwbl amdana i fel doctor ifanc!'

Safodd Dr Eurfyl etholiadau lleol dros y Blaid a bu'n siaradwr cyson yng nghyfarfodydd ymgyrchoedd Gwynfor Evans. Maes o law etholwyd ei ferch, Siân Johnson, yn gynghorydd dros Blaid Cymru ar Gyngor Tref Caerfyrddin cyn ei marwolaeth yn frawychus o sydyn yn 2007.

Salwch fy Nhad

Gan mai garddwr oedd Nhad ym mhlasty Dangribyn, fe aeth e ati i lunio lawntiau a gwelyau llawn blodau o gwmpas ein cartre. Daeth prydferthwch Llyfnant yn destun rhyfeddod trwy'r ardal a Nhad wrth ei fodd.

Ond yn fuan iawn fe gafodd Nhad afiechyd blin iawn a bu yn Ysbyty Glan Ely yng Nghaerdydd am fisoedd lawer ar ôl gorfod cael tynnu un o'i arennau. Roedd y llawdriniaeth honno'n un fawr iawn yn niwedd y pedwardegau ac i'w chymharu â thriniaethau cymhleth ar y galon yn ein dyddiau ni. A dyna fi'n cael y cyfle i deithio i Gaerdydd am y tro cynta erioed i ymweld â Nhad. Mynd ar fws Western Welsh ben bore bach i Gaerfyrddin ac yna ar y trên i Gaerdydd a bws wedyn i'r ysbyty. Bydden ni'n mynd bob rhyw bythefnos ar ddydd Sadwrn gan fod Mam yn dal i gwcio yn yr ysgol bob dydd o'r wythnos. Roedd y trên yn mynd heibio'n reit agos i'r ysbyty a chofiaf weld Nhad yn chwifio'i facyn gwyn arnon ni wrth i ni deithio am adre. Roedd cael mynd i Gaerdydd y dyddiau hynny fel teithio i Efrog Newydd heddiw gan mai dim ond i Gastellnewydd Emlyn neu Gaerfyrddin y byddai Mam yn mynd i wneud rhyw siopa arbennig.

Go fregus y bu iechyd Nhad wedyn, ac er iddo ddal ati i weithio am gyflog o £5 yr wythnos yn y plasty, bu am sawl cyfnod hir mewn gwahanol ysbytai. O ganlyniad gorfod i ni symud o Lyfnant am na allai Nhad barhau mewn gwaith. Mam, felly, oedd yn ein cynnal yn ariannol fel teulu yn ei swydd fel cogyddes yr ysgol. Heb os, er mod i'n rhy ifanc i sylweddoli hynny, roedd hi'n dynn iawn arnon ni, ond rwy'n gwbl siŵr na orfodwyd fi i fynd heb ddim. Am basio'r *scholarship* i fynd i Ysgol Ramadeg Llandysul fe gefais feic newydd *drop handlebars* BSA gyda deinamo yn gweithio ar yr olwyn gefn fel y gallwn ei reidio gyda'r nos.

Car Cyntaf

Cyn symud i fyw o Lyfnant i Lysnewydd a Nhad heb fod yn gweithio oherwydd ei salwch, cododd awydd mawr ynddo i brynu car. Fel cyn-*chauffeur* bu'r awydd hwnnw'n llosgi y tu mewn iddo ers blynyddoedd. Ond fedren ni ddim fforddio car, er bod Austin 10 du ar werth yng ngarej Erw Lon yn y pentre am £300, a dyna'r unig dro i fi, fel plentyn, weld Mam a Nhad yn cwmpo mas yn dân gole. Wedi'r cwbl, dim ond cyflog pitw Mam oedd yn cynnal y teulu, a dim ond £500 oedd gyda ni yn y banc, a Nhad yn mynnu prynu car!

Fe gafodd Nhad ei ffordd yn y diwedd ac fe gyrhaeddodd yr Austin 10 du ail-law â'r plât GJH 675, cyn-gar Davies y plismon lleol a'n car cynta ni. Fe gafodd y car bach y sylw gorau posibl a chael ei olchi'n ddyddiol bron. Yn wir fe ddaeth y dywediad bod car Jack Griffiths, Llyfnant, 'yn sheino fel pwrs milgi ar y glaw' yn ddywediad cyffredin yn yr ardal. Fe fuodd Nhad farw, ac yntau ond yn wyth a deugain oed, yn 1970 a finne ar y pryd yn y coleg yn Aberystwyth.

Dysgu Gwrando

A finne erbyn hyn tua deg oed roeddwn wedi dysgu'r ddawn o wrando ar bobl yn siarad. Yn ôl yr arfer lleol, byddai Nhad yn galw heibio gwahanol gartrefi gyda'r nos yn unswydd i gloncan a sgwrsio. O leia ddwywaith yr wythnos bydde fe a fi'n galw gyda'n cymdogion William a Martha Jones a'u merch Ella yn eu cartre yn yr Ogof, Cwmpengraig. Ella a wnaeth y pâr sanau lliwiau Arsenal i fi fel y cofiwch. Pleser mawr iawn i fi oedd cael gwahoddiad gan Brenda, ei merch hithau, i ben-blwydd Ella'r Ogof yn gant oed yn 2009 a hithau'n cofio'n dda o hyd am y sanau coch a gwyn. Bu Ella farw yn Awst 2010, dair wythnos cyn ei phen-blwydd yn gant ac un oed. Yno yn yr Ogof byddwn i'n gwrando arnyn nhw'n sgwrsio a rhoi'r byd yn ei le a'u Cymraeg glân a naturiol yn llifo ar draws yr ystafell.

Prin iawn oedd fy nghyfraniad i, mae'n debyg, ond cofiaf yn dda fod Syr Rhys Hopkin Morris, yr Aelod Seneddol dros etholaeth Caerfyrddin ar y pryd, yn cael lle amlwg ym mhob sgwrs. O gofio'n ôl, mae'n siŵr mai Rhyddfrydwyr brwd oedd William a Martha Jones, cyn-berchnogion y ffatri wlân leol. Fe gawsai Syr Rhys amser caled yn ardal Dre-fach Felindre yn enwedig yn ystod cyfarfodydd etholiadol yn Neuadd y Ddraig Goch. Wedi'r cwbl, cefnogi'r Blaid Lafur a wnâi holl weithwyr y ffatrïoedd gwlân a hwythau'n gorfod gweithio oriau hir am arian bach. Ar y llaw arall, câi Syr Rhys groeso twymgalon yng Nghastellnewydd Emlyn yng nghadarnle'r Rhyddfrydwyr.

Fe welwch chi, felly, mod i wedi bod yn rhan o ddadleuon gwleidyddol yn ifanc iawn a thybiaf mai i'r Rhyddfrydwyr y byddai fy rhieni'n pleidleisio'r pryd hwnnw, o dan ddylanwad William a Martha Jones, ein cymdogion.

Camp Henllan

Wrth deithio ar y briffordd o Gaerfyrddin i Gastellnewydd Emlyn mae cyfle i fwynhau hyfrydwch afon Teifi yn ei holl ogoniant yn ymyl Pont Henllan. O droi i'r chwith mae ffordd i gyfeiriad Dre-fach Felindre, ond o droi i'r dde a chroesi'r bont, a chyn cyrraedd pentre Henllan, down i hen safle gwersyll carcharorion Henllan yn ystod ac ar ôl yr Ail Ryfel Byd.

Yno roedd y milwyr Almaenig ac Eidalaidd yn cael eu cadw mewn math o garchar agored. Ni allwn i fel plentyn ddeall y sefyllfa ryfedd hon o ganiatáu i'r carcharorion ddod i'n cartrefi ni ryw ddwywaith yr wythnos. Byddai'r rhan fwya o deuluoedd yn 'mabwysiadu' carcharor a byddai'n dod i swper yn gyson. Rhyfedd o beth a ninnau wedi bod yn ceisio eu lladd mewn rhyfel. Y broblem fwya oedd cyfathrebu gan nad oedd yr un copa gwallltog ohonon ni'n medru gair o Almaeneg nac Eidaleg, a neb o'r carcharorion yn medru siarad Saesneg na Chymraeg. Llanc ifanc gwallt golau a chywirwr clociau wrth ei alwedigaeth oedd ein Hanz ni, a byddai Nhad yn trefnu iddo fynd o gwmpas y pentre i gywiro clociau ac ambell i oriawr boced. Doedd ganddo ddim Saesneg a phan eglurodd ein hen gymydog William, Yr Ogof, yn ei Saesneg bratiog, 'The clock is dim taro!', mawr fu'r hwyl, ond fe ddeallodd Hanz yn syth.

Eidalwyr oedd y rhan fwyaf a fu'n garcharorion yng ngwersyll Henllan. Mae'r awdur Jon M O Jones, Llangrannog, wedi croniclo'r hanes i gyd yn ei lyfrau poblogaidd.

Roedd gan yr Eidalwyr yn y gwersyll dîm pêl-droed na welwyd ei debyg na chynt na chwedyn yng ngorllewin Cymru ac, er mor gryf oedd timau Cynghrair Sir Aberteifi, byddai'r Eidalwyr yn eu curo'n rhacs ac yn sgorio hyd at ddeg o goliau ymhob gêm bron.

Byddai'r bechgyn yn cael eu rhoi mewn lori bob bore a'u dosbarthu i weithio ar y ffermydd o gwmpas y wlad a daeth cael gwas o'r Eidal yn beth digon cyffredin. O ganlyniad i hyn fe arhosodd sawl un yn yr ardal a phriodi â merched lleol a threulio gweddill eu hoes yma yng Nghymru. Dyna fu hanes Vito Schiavone o bentre bach yn ne'r Eidal o'r enw Montaguto. Fe briododd e ag Eluned Gruffydd Jones, fferm Cilfallen, Bryngwyn, a sefydlu siop ddillad yng Nghastellnewydd Emlyn maes o law. Fe ddes i'n ffrindiau agos â'r ddau ac â'u meibion, Emlyn a Toni Schiavone. Mae Vito bellach yn naw deg chwech oed ac yn byw yma yng Nghaerfyrddin.

Daeth y gwersyll hwn yn enwog bellach oherwydd yr eglwys unigryw a grëwyd yno gan y carcharorion Eidalaidd. Mae'r allor ryfeddol a grëwyd ganddyn nhw a'r canwyllbrennau a'r croesau o focsys corn bîff yno o hyd yn yr eglwys fach ynghyd â'r ffrescos lliwgar a baentiwyd ar y to a'r waliau o sudd y gwahanol ffrwythau a dyfai o gwmpas.

Cymdogion Eraill

Ein cymdogion eraill pan oedden ni'n byw yn Llyfnant, Cwmpengraig, oedd Jâms ac Esther Jones, Llysderi, tad-cu a mam-gu'r bardd Menna Elfyn a hen dad-cu a hen fam-gu yr awdures a'r gantores Fflur Dafydd. Gan fod Llysderi yn glamp o dŷ mawr roedd dau deulu arall yn byw mewn rhannau eraill ohono, sef Gwilym a Lena a'u mab Edward – y Parchedig Edward Griffiths, Llandeilo, bellach – ac yna Will a Jennie Davies a'u plant John, Anita a Beryl. Gyda nhw y byddwn i'n chwarae, a byddai'r adeiladau a'r tir o gwmpas y fferm fechan yn lle delfrydol i blant ddefnyddio'u dychymyg. Drws y cartws fyddai'r gôl i Edward a mi a John Dai, Llandysul nawr. Roedd hyn cyn dyddiau'r *rheumatic fever*, a phob un ohonon ni'n cymryd ein tro i fod yn Jack Kelsey, golwr Cymru ar y pryd. Gan mai pêl o faint pêl dennis oedd y bêl a ddefnyddien ni, a gan fod honno mor fach, roedd ein sgiliau cicio, pasio a thrin y bêl yn uchel iawn. Roedd hi'n gymaint haws trin pêl fwy o faint maes o law gan fod y sgiliau sylfaenol gyda ni.

Ond unwaith y flwyddyn byddai maint y bêl a gicien ni'n newid, a hynny adeg lladd mochyn Llysderi. Wna i byth anghofio'r sgrech hir ac oerllyd pan fyddai'r lladdwr moch, Robert Cole, wrth ei waith. Ni fyddai Jâms yn caniatáu i ni'r plant ddod yn agos i weld y weithred erchyll, ond ar ôl hongian y mochyn fe fydden ni'r bechgyn yn aros am un peth – y bledren. Byddai Robert Cole yn ei thorri a'i gwacáu ac yna'n ei chwythu i fyny i faint pêl-droed. Bydden ni wedyn yn ei chicio o gwmpas a chael llawer iawn o hwyl gan synnu pa mor hir y byddai'n dal yn un darn – diwrnodau ambell dro!

Fe wydden ni mai gweinidog oedd Elfyn Jones, mab Jâms ac Esther, Llysderi, a bu'n weinidog yn Llanboidy, Peniel a'r Tymbl. Pan ddeuai yntau a'i blant ar wyliau roedd nifer y gang yn cynyddu a thrwy hynny caem fwy o hwyl.

Rhyw bump buwch y byddai Jâms yn eu godro, ac roedd gan un fuwch las fawr gadair anferth a byddai'n rhoi llond bwced o laeth fore a nos. Ond fe ddigwyddodd peth rhyfedd iawn i gwt y fuwch fawr las. Wrth iddi ddod i'r beudy un dydd sylwodd Jâms mai dim ond darn bach o'i chwt hir oedd ar ôl. Mawr fu'r trafod a'r holi a phawb yn cynnig gwahanol esboniad. Oedd rhywun wedi ei dorri bant yn bwrpasol? Y theori fwya derbyniol oedd yr awgrym mai dwrgi oedd wedi cnoi'r gynffon gan fod y gwartheg yn treulio llawer o'u hamser yn yr afon Esgair yn y cyhudd o dan y coed.

Dyma'r math o drafodaethau difyr oedd o'n cwmpas yn blant, a'r Gymraeg ar wefusau Jâms ac Esther, Llysderi, a William a Martha, Yr Ogof, yn Gymraeg graenus a rhwydd a dylanwad y capel yn gryf arno. Dyna pam rwy'n gofidio am y Gymraeg anystwyth a di-liw sy'n cael ei llefaru'r dyddiau hyn. Yn ystod fy mhlentyndod roedd y dywediadau a'r diarhebion a'r arwyddion tywydd yn rhan o fywyd dyddiol pawb ohonon ni. Dyma rai ohonyn nhw fyddai'n arwydd o law:

> Bwa'r arch y bore, aml gawode.
>
> Y mwg yn cael ei chwythu nôl trwy gorn y simne.
>
> Y gwynt yn chwibanu yn nhwll y clo.
>
> Yr awyr yn glir a Bronwydd yn agos.
>
> Dail y coed gwrthwmed.
>
> Y cyfiawn gaiff law ar ei elor.

Rwy'n hoffi'r dywediadau hyn hefyd:

> Troi'r gath yn y badell.
>
> Neidio o'r ffrimpan i'r tân.
>
> Dodi'r cart o fla'n y ceffyl.
>
> Prynu cath mewn cwdyn.
>
> Cwmpo mas fel ci a'r hwch.
>
> Fel dŵr ar gefen hwyad.
>
> Iach yw cachgi trannoeth.

Faint o'r rhain rwy i'n eu harfer y dyddiau hyn a faint ohonyn nhw rwy'n eu trosglwyddo i'm hwyrion? Mae'n ofid.

Smocio

Roedd Esther Jones, Llysderi, yn cadw siop fechan un ystafell ac yn gwerthu manion fel siwgr a the a thuniau o bob math, ac ati hi y byddwn, yn ddyddiol bron, yn mynd i nôl pecyn Woodbines i Nhad am ei fod yn smociwr eitha trwm. Ati hi yr es i i brynu fy mhecyn Woodbines cynta i, a Mrs Jones hithau'n meddwl, wrth gwrs, mai eu nôl nhw i Nhad roeddwn i. Gan fod smocio'n beth mor ffasiynol a cŵl yn y cyfnod hwnnw, dyma fy ffrind Victor Cole a finne'n penderfynu rhoi cynnig ar gael mwgyn bach. Rwy'n dal i gofio Vic yn dweud wrtha i, 'Dere di â'r ffags ac fe ddwa i â'r matshys!' a finne heb sylweddoli'r gwahaniaeth yn y pris ac y byddai'n fwy o dolc o lawer ar fy arian poced i na'i arian poced e.

A dyma fynd ati'n fois deg oed i gymryd ein pwff cynta yn allt Dangribyn. Yn ffodus iawn i fi, bu'n brofiad annymunol iawn, ac ar ôl y ffag gynta honno fe roiais i'r pecyn i Victor. Smociais i 'run ffag arall weddill fy mywyd ond sa i'n siŵr am Vic, fy ffrind!

Cyrff

Un arfer lleol arall oedd ymweld â phobl mewn profedigaeth. Er mai crwt bach oeddwn i, byddwn i'n mynd gyda Mam bron i bobman, hyd yn oed i gydymdeimlo â rhywun fyddai wedi colli un o'u hanwyliaid. Fel arfer byddai corff yr ymadawedig yn gorwedd yn ei goffin yn y parlwr tan ddydd yr angladd, a phan fyddai cymdogion ac eraill yn galw yn y tŷ galar i gydymdeimlo byddai gwahoddiad bob amser i fynd i weld y corff. Peth digon naturiol oedd i finne hefyd, yn grwt bach, fynd i weld y corff gyda Mam a gwelais laweroedd o gyrff wedi eu gwisgo mewn dillad dydd Sul yn eu coffinau.

Yn ôl yr arfer, bu cymdogion a ffrindiau yn galw yn Felindre House yng nghanol y pentre i gydymdeimlo yn dilyn marwolaeth gŵr un o'r chwiorydd oedd yn byw yno. Ond, yn rhyfedd iawn, o weld y corff roedd pawb yn sylwi ei fod e'n gorwedd yn ei goffin yn gwisgo coler gron wen offeiriad o gwmpas ei wddf. Cymaint oedd y siarad am hyn yn y pentre nes i rywun fentro gofyn i'r weddw pam roedd hi wedi rhoi coler gron offeiriad am wddf ei gŵr ac yntau ond yn ffermwr bach cyffredin.

'Wel,' meddai hi, 'rwy ishe i'r Bod Mowr gredu ma ffeirad o'dd e, er mwyn iddo fe gael mynd i'r nefoedd!'

Mae'n stori hollol wir.

Cymeriadau

Roedd cael ymweld â thai a chartrefi, fel dw i wedi sôn, yn beth cyffredin iawn o fewn y gymdeithas yn ystod fy mhlentyndod, ac wrth gwrs byddai llaweroedd yn galw heibio'n tŷ ni hefyd. Ers blynyddoedd bellach, wrth fynd i siarad â chymdeithasau ar hyd a lled Cymru, fe fydda i'n cyfeirio'n gyson at y cymeriadau lliwgar hynny y ces i 'nghodi yn eu plith.

Byddai John Thomas, Penlon Newydd, neu Jac y Peintar fel y galwai pawb ef, yn galw'n gyson gyda'r hwyr yn Llwynbedw ac yn sgwrsio gyda Nhad tan berfeddion nos. Jac y Peintar oedd y cymeriad real hwnnw y datblygodd cymaint o storïau lliwgar am America o'i gwmpas. Er iddo gael ei eni yn Felindre byddai'n hoff iawn o ddweud iddo groesi'r Atlantic saith gwaith er mwyn creu argraff ar bob gwrandawr. Doedd datganiad felly ddim yn dal dŵr gan mai yn America y dylai fod os oedd e wedi croesi'r Atlantic saith gwaith!

Jac y Peintar oedd y cynta i fi ei weld erioed yn gwisgo dici-bo a byddai'n gwahodd Nhad i'w gartref i wrando ar ambell ffeit ar y radio a hynny tua thri o'r gloch y bore. Syndod i Nhad oedd cyrraedd Penlon Newydd a gweld Jac wedi gwisgo'i ddillad gore a'i dici-bo a'i lasied o sieri ar y bwrdd i wrando ar y ffeit.

Roedd Mrs Thomas, ei wraig, yn berson anarferol iawn ei ffordd yn ein golwg ni'r plant ac yng ngolwg yr ardal gapelog ac eglwysig gref am ei bod yn aelod didwyll o Dystion Jehofa ac yn ddi-Gymraeg. Rhyfeddai pawb at ei dewrder yn mynd o gwmpas y tai a sefyll ar y stryd yng Nghastellnewydd Emlyn yn gwerthu'r *Watchtower* ac yn dosbarthu taflenni. Ydy ein hagwedd a'n rhagfarnau wedi newid erbyn hyn, ys gwn i?

Roedd David eu mab yr un oed â Beti fy chwaer ac yn ganwr da, a bu'r ddau'n canu deuawdau yn eu harddegau. Mae'n debyg i 'Madam, Will You Walk?' ennill sawl gwobr eisteddfodol i'r ddau.

'Wyddech chi, bois,' oedd datganiad agoriadol Jac bob amser yn nhafarn John y Gwas yn y pentre, 'mae'r *restaurants* mor fawr yn America fel mai gwaith un dyn yw mynd rownd â'r mwstard i'r bordydd ar gefen beic!'

'Wyddech chi, bois, ma'r ffermydd mor fowr a'r rhychie tato mor hir, fe fyddan nhw'n tynnu'r tato pen hyn y rhych cyn bo nhw'n bennu plannu'r pen draw!'

'Wyddech chi, bois, ma'r doctoried mor glyfar yn America ac mor dda, gorfod i'r cownsil saethu dyn yn San Ffransisco er mwyn cael seremoni i agor mynwent newydd!'

Cymeriad enwog am adrodd storïau oedd Danny Cole, tad Victor, fy ffrind a ddaeth â'r bocs matshys. Un peth da am Danny oedd y ffaith mai storïau rhyfedd amdano fe'i hunan oedden nhw. Pan oedd ei wraig ar gychwyn geni ei phlentyn cynta, gorfod i Danny fynd ar gefn ei feic fel cath i gythraul i nôl Dr Jenkins o Henllan.

'Ro'n i'n reido mor gloi,' meddai Danny, 'ro'dd y pyst lectric a'r teleffôn yn mynd heibo fel danne crib. Des i getre a hongian y beic yn y sied, a phan godes i fore trannoeth ro'dd y whîls yn dal i fynd rownd!'

Cymeriad arall y bues i'n byw drws nesa iddo ar ôl symud i fyw i 3, Llysnewydd, oedd Sam y bwtshwr lleol. Yn y dyddiau hynny byddai pob bwtshwr yn prynu anifeiliaid ar y ffermydd cyn mynd â nhw i'w lladd.

'Faint y'ch chi eisie am y fuwch 'ma?' gofynnodd Sam i

Johnnie Penlanfawr wrth i'r ddau sefyll naill ochr i'r fuwch ar glos y fferm.

'Canpunt,' oedd ateb Johnnie.

'Jawch, odi hi'n dewach ar 'ych ochor chi nag yw hi'n ochor i 'te?' holodd Sam.

Byddai Sam yn mynd yn ei fan o gwmpas y tai i werthu ei gig a galw'n wythnosol gyda'i gwsmeriaid.

'Dowch â tamed bach i fi'r wthnos hon heb asgwrn,' meddai menyw yn Saron wrtho.

'Be chi'n feddwl wy'n werthu, fenyw – malwod?!' atebodd Sam.

Dyna'r cyfnod pan oedd Sam y tad a Sam y mab yn byw ar fferm fechan Gwastod ar dopiau Penboyr heb fod ymhell o 'nghartre yn Nre-fach Felindre. Cyfnod y lamp olew a'r gannwyll yn unig oedd hi a chyfleustra'r trydan heb gyrraedd bryd hynny. Roedd y ddau'n byw bywyd cwbl hamddenol a'r mab yn cael y bai am fod yn ddiog ac yn manteisio ar bob cyfle i osgoi gweithio. Ond fe briododd y mab â merch gyfoethog yng Nghaerfyrddin a mynd i fyw i'r dref.

'Peth da a handi ar y cythrel yw'r lectric 'ma,' oedd geiriau Sam y mab wrth ymweld â'i dad. 'Chi'n gwbod, ma lectric ym mhob tŷ yng Nghyfyrddin a pan wi'n dihuno yn y bore yn y geia, 'na'r cwbwl sy ishe i fi neud yw tynnu'r gorden wrth ymyl y gwely a daw'r gole mla'n a wi'n codi. Jiw, mae'n neis byw yn y dre!'

'Cofia,' meddai Sam y tad, 'pan oet ti'n dihuno getre ro'dd hi'n ole'n barod!'

Yng nghanol cymeriadau ffraeth eu tafodau fel hyn y ces i 'nghodi, ac wrth wrando ar gymeriadau fel hyn yn mynd trwy'u pethau yng ngweithdy Dan y Crydd ac yn efail Jac y Gof y tyfodd, yn ddiarwybod mae'n debyg, yr hoffter i lefaru'n llawn hiwmor. Hyd y dydd heddiw, rwy'n cofio ugeiniau o storïau'r cymeriadau hyn a does dim rhyfedd mod innau wedi mwynhau adrodd cannoedd ar gannoedd o storïau ar lwyfannau ar hyd a lled Cymru ac ymhlith ffrindiau.

Y Llwyfan Teuluol

FE FU NHAD-CU (TAD fy nhad) a Mam-gu arall (mam fy mam) yn byw gyda ni yn Llyfnant am gyfnodau, ond nid ar yr un pryd. Roedd hwn yn gyfle da i ddod i adnabod ein perthnasau'n well gan y byddai pob wncwl a modryb yn ogystal â 'nghefnderwyr a 'nghyfnitherod yn galw heibio i roi tro am y ddau, a chyfle i ninnau'r plant gael chwarae gyda'n gilydd. O ganlyniad, rwy'n adnabod pob un ohonyn nhw'n dda iawn ac mae hyn yn ein cadw'n agos fel teulu mawr.

Wrth i Mam a Nhad symud o Langain i Dre-fach Felindre roedd Mam mewn gwirionedd yn dod nôl i fyw i hen ardal ei theulu a phlwy Penboyr. Merch fferm y Lan, wrth droed mynydd y Moelfre, y mynydd ucha ym mhlwy Penboyr, oedd Elizabeth, fy mam-gu, a'i thad Thomas Jones, neu Twmi'r Lan, yn ddiacon yng Nghapel Soar, Penboyr, ym mhentre Cwmpengraig. Roedd Sarah, chwaer Mam-gu, yn hen fam-gu i'r Parchedig Towyn Jones, y gweinidog a'r awdur.

Merch Bwlchclawdd, Penboyr, oedd fy hen fam-gu, oedd yn chwaer i fam-gu Norah Isaac, ac er i fi a Norah fod yn gyfeillion agos ers fy nyddiau yng Ngholeg y Drindod, Caerfyrddin, dim ond rhyw flwyddyn neu ddwy cyn ei marw y canfûm i'r berthynas. Rwy'n cofio galw gyda Norah, a hithau yn ei gwaeledd, i ddangos iddi sut roedden ni'n dau'n perthyn ynghyd â'r ffaith fod ei Anti Rachel hi (chwaer ei thad) a Mam wedi bod yn ffrindiau mor agos heb i'r naill na'r llall wybod eu bod yn ail gyfnitherod i'w gilydd.

Priododd Elizabeth, fy mam-gu, â Jonathan Hughes, mab fferm Llaindelyn, Bryn Iwan, Cynwyl Elfed, ar 1 Awst 1895. Roedd Hughesiaid Llaindelyn yn deulu parchus yn yr ardal, gyda David Hughes y penteulu'n ysgrifennydd a diacon yng Nghapel Bryn Iwan. Daeth ei fab Arthur yn ysgrifennydd ar ei ôl, ac mae nifer o'r hen deulu'n gorwedd yn y fynwent yno. Fe gewch ddarllen mwy am ddeulu Llaindelyn yn y llyfr am hanes Capel Bryn Iwan gan Yvonne Francis. Mae Bryn Iwan yn ardal sy'n agos iawn at fy nghalon.

Teulu Mam

Wedi i Jonathan a Leisa, fy nhad-cu a'm mam-gu, briodi fe aethon nhw i fyw i Gwmcafit, y bwthyn bychan ar dir Gilfach y Jestin sydd rhwng Blaenycoed a Bryn Iwan lle'r oedd Tad-cu'n was fferm. Ganwyd naw o blant i'r ddau sef Mari, Elizabeth (Anti Leis), Gwyneth, Sarah, Jessie Hanna, Rachel, Margaret (Marged), sef fy mam, David Thomas (Dai) ac Arthur John (Jack). I ysgol enwog Nantcwmrhys yr aeth y plant i gael eu haddysg, ac mae hanes a lleoliad yr ysgol honno yng nghefn gwlad Sir Gaerfyrddin yn rhyfeddod llwyr. Roedd Tad-cu'n ddiacon yng Nghapel Blaenycoed ac yn adnabod teulu'r pregethwr a'r emynydd Elfed Lewis yn dda.

Llandrindod

Pan fu Mam a finne am bythefnos yn Llandrindod a finne'n gorfod yfed y dŵr 'iachusol' hwnnw er mwyn gwella fy riwmatic, fe welson ni boster ar yr hysbysfwrdd gyferbyn â'r tŷ lodjin yn nodi y byddai'r Parchedig H Elvet Lewis yn pregethu yno ar y nos Sul ganlynol. 'Bydd rhaid i ni fynd i wrando arno fe,' meddai Mam. 'Roedd dy da'cu ac Elfed yn nabod ei gilydd.'

Yn Saesneg y clywson ni Elfed yn pregethu ar y nos Sul honno a chefais fy swyno gan ei lais melfedaidd, ac yntau'n hen ŵr dall erbyn hynny. Ar ddiwedd y gwasanaeth, dyma Mam yn mynd â fi ymlaen ato gan egluro mai Marged, merch Jonathan Hughes, Llaindelyn, oedd hi a bod ei mab gyda hi yn ei hymyl. Dyma Elfed yn ysgwyd llaw Mam a chydio yn fy llaw innau a rhoi ei law arall ar fy mhen. Oedd, roedd e'n cofio Nathan Hughes yn dda a diolchodd i ni am ddod i siarad ag e. Ychydig a sylweddolais ar y pryd fod honno wedi bod yn foment fawr yn fy mywyd a'm bod i wedi cwrdd ag awdur yr emyn 'Cofia'n gwlad, Benllywydd tirion' ac 'Arglwydd Iesu, dysg im gerdded', yr emyn a gyfansoddodd Elfed wrth ddilyn ei dad heibio i Gwmcafit, cartre Tad-cu a Mam-gu, yn nhywyllwch nos ar ei ffordd i bentre Felin-fach ar lannau'r afon Cowin.

Teulu Cefnonnen

Yn 1923 fe symudodd Tad-cu a Mam-gu a'r teulu i ffermio Cefnonnen sydd yn ymyl yr Alma, Tre-lech, eto yng nghefn gwlad Sir Gaerfyrddin. Mam-gu a Thad-cu Cefnonnen oedden nhw i fi. Ymhen amser, aeth nifer o blant Cefnonnen ar ôl priodi i fyw yn y filltir sgwâr o gwmpas Cefnonnen a'r Alma. Aeth Dai, y mab, i fyw i Dŷ'r Iet a symud wedyn ymhen amser i ffermio Waunfwlchan yn Llangain. Yno, at Gareth fy nghefnder, y byddwn i'n mynd ar fy mhen fy hun am wyliau bob haf. Fe fydden ni'n mynd gyda'n gilydd i Ffair Fach Llansteffan yn fois llawn direidi yn ein harddegau cynnar. Wna i ddim anghofio miwsig uchel y ffair ganol yr haf, ac mae'r 'Cuckoo Waltz' yn un o fy ffefrynnau o hyd. Pwy all anghofio chwaith hynt a helynt dewis *mock mayor* Llansteffan? Yr un a enillai'n flynyddol wrth annerch y dorf ar wastad ei gefn yng nghoed y Sticks oedd yr enwog Bonnie Lewis o dre Caerfyrddin. Bydde Bonnie'n addo bob blwyddyn adeiladu pont o Lansteffan i Lanyfferi ar draws aber yr afon Tywi. Dyddiau da oedd y rheiny ac mae Gareth a'i wraig Winnie yn dal i fyw yn y pentre.

Aeth Wncwl Jack a'i wraig Megan i redeg busnes pobyddion yn Nhrefdraeth gyda'u plant Wyn a Mairlys ar ôl bod yn ffermio Cefnonnen am dipyn. Collwyd Mairlys yn ifanc o ganser, ond mae Wyn ei brawd yn dal i bobi bara yn Nhrefdraeth. Y bara gorau yn Sir Benfro, medden nhw!

Roedd Anti Leis a Dewi Scourfield yn ffermio Llwynrhyd, yn ymyl Cefnonnen. Daeth Medwen, eu merch, yn drefnydd mudiad y Ffermwyr Ifanc yn Sir Fôn ac, ar ôl priodi â Merfyn Williams, roedd yn weithgar iawn gyda chymdeithasau Cymraeg ardal Penbedw a Chaer cyn ei marwolaeth. Ceidwad y casgliadau yn Amgueddfa Werin Sain Ffagan oedd Elfyn y mab cyn ymddeol, a'i ddiddordeb mawr oedd y casgliad amaethyddol yno. Mae Aled ei fab yntau'n wyneb a llais adnabyddus ar deledu a radio. Roedd Dewi, gŵr Anti Leis, yn ysgrifennydd a diacon yng Nghapel Penybont, Tre-lech, a chofiaf Medwen yn sôn wrtha i rywdro amdani'n ferch fach a'r gweinidog, y Parchedig J J Evans, wedi galw heibio'u cartre, Llwynrhyd, un gyda'r nos ac yn trafod y bregeth y Sul cynt gyda'i thad. Fel roedd y ddadl yn dechrau poethi rhwng y ddau ynglŷn â rhyw adnod neu'i gilydd dyma Dewi, ei thad, yn dweud wrth Medwen, a hithau ond rhyw bedair oed ar y pryd, 'Cer i nôl y llyfr mawr 'na i fi, hwnna rw i'n ei ddarllen bob nos ar ôl swper.' Pan ddaeth Medwen yn ôl o'r parlwr gyda chopi o gatalog trwchus Grattan, mawr fu'r chwerthin am yn hir rhwng y gweinidog a'i flaenor!

Ar ffarm Nantyrhelygain yn ymyl roedd Anti Jessie a'i gŵr Sid yn byw, ac mae eu mab, Sem Morgan, yn byw yn Abertawe. Banciwr fu Sem erioed.

Priododd Anti Gwyneth â Johnnie Saer a bu'r ddau'n byw yn Brynbanc Lodge, Llanboidy, ar hyd eu hoes. Bu farw Ryda fy nghyfnither ar ôl magu teulu yn Nhegryn ger Crymych ac fe gladdwyd ei brawd Hywi yn Rhydyceisiaid yn 2009. Mae Derec yn dal i fyw yn yr hen gartref, ac Eifion y brawd arall yn Nebo, Llanpumsaint.

Bu farw Sarah, modryb arall i fi, a hithau ond yn ei phedwardegau a doedd dim plant gan y ferch hyna, Mari. Priododd Mari ag Eben, y saer coed lleol, ac fe fuon nhw'n byw yn y Llain, Cilrhedyn. Doedd Mam-gu ddim yn hoffi Eben am ei fod yn hoff o'r ddiod gadarn ac 'ar ei ffordd i uffern'. Gymaint oedd ei theimladau nes iddi drefnu yn ei hewyllys mai dim ond ar ôl marwolaeth Eben y câi Mari, ei merch, ei rhan hi o'r arian. 'Geith e ddim hala'n arian i ar dablen' oedd safiad Mam-gu!

Roedd Wncwl Eben y saer coed yn dipyn o gymeriad, a chofiaf yn iawn amdano yn ei weithdy yn Llain, Cilrhedyn, pan fydden ni fel teulu'n galw heibio.

Fe glywes i e'n dweud un tro amdano'n prynu hoelion yn Tywi Works, Caerfyrddin, a'r dyn y tu ôl i'r cownter yn gofyn iddo fe, 'Pa mor hir y'ch chi ishe'r hoelion, Mr Davies?' ac ateb Wncwl Eben, medde fe, oedd, 'Damo, wi ishe'u cadw nhw am byth!'

Ond, gan mai Anti Rach oedd yr agosa o ran oed at Mam, roedd mwy o agosatrwydd rhwng ein teulu ni a theulu Anti Rach a Harri a bois Brynhedydd – Oswald, Noel, Clement, Parry a Ken. Crefftwr o saer oedd Wncwl Harri ond bu farw ar ôl syrthio o ben to rhyw dŷ gan adael Anti Rach yn weddw gyda phump o fechgyn. Fe gariodd Noel y busnes ymlaen ym Mrynhedydd ac mae Hywel, ei fab yntau, wedi parhau'r traddodiad o wasanaethu'r ardal. Mae Hywel mor ddawnus â'i dad o'i flaen a'i gyfraniad ymarferol i gefn gwlad mor allweddol gan ei fod yn medru troi ei law at bopeth. Ond mae un gwendid mawr gan Hywel, fel ei dad o'i flaen – mae misoedd yn mynd heibio cyn anfon biliau allan am y gwaith! Rwy wedi dweud wrtho mai ar ei ysgrifenyddes, Hettie ei fam, mae'r bai!

Mae Oswald wedi treulio'i fywyd yn gweithio yn Aylesbury a bu Clement yn pobi bara a rhedeg siop yn Llangennech. Mae pob ffermwr yn adnabod Parry gan iddo weithio gyda chwmni John Francis ym mart Caerfyrddin ond stori ryfedd yw stori'r brawd ieuengaf, Kenneth. Yn sydyn, heb ddim rhybudd, ac yntau ond rhyw ugain oed, gadawodd ei fam, a oedd yn byw yng Nghaerfyrddin erbyn hynny, am Awstralia. Ac eithrio ambell i garden Nadolig, heb gynnwys ei gyfeiriad, a anfonai i'w hen gartref, Brynhedydd, ni chlywodd neb air oddi wrtho ac ni ddaeth nôl o gwbl. Fe gymerodd un o ferched

Oswald ei frawd flwyddyn bant ar ôl bod yn y coleg ac fe aeth hi i Awstralia i chwilio am ei Hwncwl Kenneth. Yn y diwedd fe gafodd afael ynddo, yn ŵr priod a dau o blant ganddo. Mae'r cyswllt wedi'i wneud ond prin iawn yw ei ymateb ef o hyd, er bod ei blant yn gohebu peth â'r teulu.

Ar ôl ymddeol, fe aeth Nathan a Leisa Hughes, Nhad-cu a Mam-gu, i fyw i Dŷ Cornel, Pandy, sydd ar waelod y rhiw heibio i Gapel Tŷ Hen. Bu Nhad-cu yn flaenor yn Nhŷ Hen hefyd, ac yno y claddwyd y ddau ynghyd â llawer o'r plant a'u teuluoedd. I fi, mae galw heibio i fynwent Tŷ Hen fel ymweld â Bryn Iwan, a darllen y cerrig beddau yn brofiad hiraethus ond yn brofiad o berthyn hefyd i'r rhan hon o Sir Gâr.

Ni allai Leisa, Mam-gu, dorri ei henw ar ei thystysgrif priodas a gosododd 'X' yn y lle priodol. Ni chafodd addysg o unrhyw fath o gwbl, ond clywais lawer am ddoniau llafar Nathan Hughes, Nhad-cu. Roedd e'n weddïwr arbennig iawn o'r frest, mae'n debyg. Dim ond cof plentyn sydd gen i o Mam a finne'n aros yn Nhŷ Cornel gyda Nhad-cu a Mam-gu, a finnau'n gweiddi wrth ddrws y ffrynt pan oedd Tad-cu yn eistedd yn y gegin,

'Dy-cu, dy-cu, dewch mas o'r tŷ
I weld John Roch ar gefen y ci.'

Fe ges i eitha sioc o'i weld e'n rhuthro mas ac yna rhedeg ar fy ôl i! Dwn i ddim a oedd e o ddifri ai peidio, ond wnes i ddim mentro galw ar ei ôl e byth wedyn!

Mynd i'r gwely yno yng ngolau cannwyll fyddwn i a dim ond lamp olew ar fwrdd y gegin. Roedd hyn i gyd yn cadarnhau mai ein cenhedlaeth ni, mae'n debyg, oedd yr ola i gael y profiad unigryw hwnnw.

Derbyniais lythyr yn 1994 gan Ellis Hughes, mab Thomas, gefaill i'm tad-cu, yn dweud: 'Roedd Thomas a Jonathan Hughes, meibion Llaindelyn, yn arbenigwyr ar y Beibl ac yn holi'r Ysgol Sul a'r Gymanfa Bwnc. Roedd hi'n bleser eu clywed ar eu penliniau yn y Cwrdd Gweddi hefyd. Er eu bod yn ffyddlon iawn yn eu capel ac yn cymryd eu crefydd o ddifrif, nid oeddent yn gul o gwbl. Roedd y ddau'n hoff iawn o storïau difyr a mwy na thebyg mai dyna lle ry'ch chi, Peter, wedi cael y difyrrwch sydd ynoch chi.'

Teulu Nhad

Cofiaf yn dda am dad fy nhad yn byw gyda ni am gyfnod. Fe symudodd e, David Thomas Griffiths, aton ni yn dilyn marwolaeth Mam-gu, sef Margaret neu Maggie, merch John a Mary Williams, Cluncoch, Felin-gwm, ger Caerfyrddin. Mae ei mam a'i thad a dwy o'i chwiorydd wedi'u claddu ym mynwent Capel Sitim, Felin-gwm, a'u rhieni hwythau ym mynwent Capel Pontargothi nesa at fedd y diweddar fardd a'r ysgolhaig Leslie Richards, Llandeilo. Gwraig dawel, swil a diymhongar iawn oedd Maggie Griffiths, Mam-gu, a'r unig lun sydd gyda ni ohoni yw yn sefyll yn y cefn gyda grŵp o bobol a rhyw gap crwn wedi'i wau am ei phen – heb fod y gorau o luniau, a dweud y gwir!

Mae cefndir Nhad-cu, David, yn un nad wy i wedi'i ddatrys yn llwyr. Symudodd John a Mary Loveluck o ardal Cynffig a Merthyr Mawr ym Morgannwg i ffermio i'r Ffald, Llangynog, ger Caerfyrddin. Fe'u claddwyd ym mynwent Eglwys Llangynog. Priododd eu merch, Margaret, â Thomas Richard Griffiths yn Eglwys Dewi Sant, Caerfyrddin, yn 1877. Porthmon oedd Thomas Richard Griffiths ac fe symudodd y ddau'n fuan i Kimbolton, Swydd Caergrawnt, i redeg rownd laeth ac yna i gadw tafarn y Fox and Hounds. Fe fagon nhw deulu o chwech o blant ac am ryw reswm na alla i ddeall fe anfonwyd Nhad-cu, David, a'i frawd William yn ôl i'r Ffald, Llangynog, i gael eu magu gan eu mam-gu a'u tad-cu, John a Mary Loveluck. Saesneg oedd iaith gynta y ddau frawd a Saesneg y bydden nhw'n ei siarad â'i gilydd, ond oherwydd cryfder y Gymraeg yn lleol ar y pryd fe ddysgodd y ddau'r iaith mewn dim o amser. Er hynny, gallwn ddeall, wrth ei glywed yn siarad, nad oedd Cymraeg Nhad-cu gystal â gweddill y teulu. Priodi a ffermio Awelfryn, Llangynog, wnaeth William, brawd Tad-cu. Fe gawson nhw ddau o blant, sef Ivor a Bessie. Bu'r ddau'n cadw Awelfryn wedyn am y rhan fwya o'u bywyd. Mae'r teulu i gyd wedi'u claddu ym mynwent Eglwys Llangynog ac yn ei hewyllys rhannodd Bessie ei heiddo rhwng plant ei holl gefnderwyr a'i chyfnitherod, er nad oedd hi'n adnabod y rhan fwya ohonyn nhw, na hwythau hithau. Fe fydden ni'n galw i weld Bessie Awelfryn bob hyn a hyn ac yn cael hanes yr hen deulu i gyd.

Teulu Graigfach

Fe gafodd David Thomas a Margaret, Mam-gu a Tad-cu, chwech o blant sef Jane (Jinnie), Mary Ann (Polly), Margaret Irene, David Edward (Ted), John Brinley Gwyn (Jack), sef fy nhad, a Sarah Ann Letticia (Sally), gan wneud eu cartre yn y Graigfach, Llangynog, dafliad carreg o'r Ffald, yr hen gartre.

Gwasgarodd y plant ar ôl priodi gan symud i fyw i wahanol rannau o Sir Gaerfyrddin. Ambell Sul fe fydde Nhad a Mam a finne'n ymweld â nhw a chael cyfle i ddod i adnabod fy nghefnderwyr a'm cyfnitherod yn well. Un o'r tripiau hynny fydde i Fyddfai, ger Llanymddyfri, gan mai yno roedd Anti Jinnie ac Anti Irene yn byw.

Priododd Jinnie â Jack Jones, y postmon lleol, a mynd i fyw i Glannant wrth yr eglwys ym Myddfai. Mae Winston, y mab hyna, yn gweithio yng nghanolbarth Lloegr ond mae Ken ei frawd yn byw yn y pentre o hyd ar ôl gyrfa yn y Swyddfa Bost.

Bydden ni'n mynd at Anti Jinnie i ginio ac yna i fyny i'r mynydd i Flaenydw yn ymyl Capel Bwlchyrhiw i de at Anti Irene ac Wncwl Jack Williams a'u llond tŷ o blant – Dewi, Arwyn, Gareth (tad Barry Williams, y cyn-fachwr rhyngwladol), Tegwen, Alun ac Ellis. Bu farw Dewi, ond mae ei fab a'r lleill i gyd yn dal i fyw yn ardal Llanymddyfri.

Priododd Anti Polly â Thomas Parry a symud i fyw i Lôn

Cowin, Bancyfelin. Yno y magwyd Morwen sy'n briod â Dai, brawd i Delme Thomas, chwaraewr rygbi rhyngwladol arall, ac mae'n dal i fyw ym Mancyfelin. Mae Eurwen yn byw ym Mhenclawdd, Onwy yn Llangennech a Barbara yn Nhre Ioan, Caerfyrddin.

Cafodd Ted, brawd fy nhad, ei ladd mewn damwain beic modur ym mhentre Llangain ac yntau ond yn ddwy ar hugain oed.

Roedd Anti Sal ac Wncwl Douglas yn byw yng Nghaerfyrddin, ac ar ôl i ni symud yma fe ddaethon ni'n agos iawn atyn nhw, ac wrth iddyn nhw heneiddio fe gafodd Meinir a finne'r cyfrifoldeb o edrych ar eu holau. Doedd dim plant 'da'r ddau, ond roedden nhw'n ystyried Llŷr a Meleri, ein plant ni, fel eu plant nhw'n ogystal.

Yr Hen Foi

Yr Hen Foi y bydden ni'n galw Tad-cu pan ddaeth e i fyw aton ni i Lyfnant ar ôl marw Mam-gu. Bydden ni'n osgoi ei alw'n Daisy er mai dyna oedd pobol Llangynog yn ei alw mae'n debyg. 'Come here, Daisy, my boy,' bydde ei fam-gu yn galw arno ac yntau'n grwt bach, ond roedd hi'n amlwg nad oedd yr Hen Foi'n hoffi hynny.

Roedd e mor stiff â phocer ac yn diodde'n ddrwg o'r riwmatic yn y ddwy goes ac yn llusgo o gwmpas y tŷ ar ei ddwy ffon. Roedd ymhell o flaen ei oes gyda steil ei wallt gan ei fod yn ei dorri'n grop, grop dros ei ben i gyd a gadael un twffyn bychan ar ôl yn y canol uwchben ei dalcen. Peth anarferol a rhyfedd yn y cyfnod hwnnw, ond steil poblogaidd yn ein dyddiau ni. Gan na allai symud fawr ddim o'i gadair freichiau, un o'i hoff gampau oedd taro balŵn â'r *Western Mail* wedi iddo'i rolio i fyny. Wrth belto'r balŵn fel mewn gêm o dennis, fy nod i oedd ceisio cael y falŵn i daro top ei ben achos dro ar ôl tro bydde'r falŵn yn byrstio wrth iddi daro ei wallt byr a phigog.

Ar ôl iddo fynd i'w wely yn y nos bydden ni'n ei glywed yn

siarad â fe'i hunan ond ddeallen ni ddim yn iawn beth roedd e'n ei ddweud, er clustfeinio wrth ei ddrws lawer gwaith. Yr unig beth roeddwn i'n siŵr ohono oedd ei fod e'n siarad â rhywun. A gan ei fod e'n ddarllenwr mawr o'i Feibl Saesneg, roeddwn i'n tybio mai siarad â'i Arglwydd oedd yr Hen Foi.

Fe fydden ni'n dau yn taflu *rings* at fwrdd ar y wal. Roedd rhif o dan bob bachyn a chyfle i daflu pum *ring* ar y tro, a'r cynta i gyrraedd 101 yn ennill. Fi fydde'n cadw'r sgôr ar ddarn o bapur ac rwy'n argyhoeddedig fod chwarae *rings* a chadw'r sgôr wedi datblygu a chyflymu fy sgiliau mathemategol yn fwy na'r un wers *mental arithmetic*. Ond, yn fuan, gan nad oedd fy nawn i o gyfrif y gwahanol rifau wedi ei datblygu ar y pryd, sylweddolodd yr Hen Foi mod i'n 'cheto', ac mai dyna oedd y rheswm pam ei fod e'n colli pob gêm. Mynnodd e gadw'r sgôr o hynny mas gan ganiatáu i finne gadarnhau'r cyfanswm. Fe fydde fe'n ennill bron bob tro wedyn ac rwy'n argyhoeddedig hefyd mai wrth chwarae'r gêm taflu *rings* gyda'r Hen Foi y datblygodd y ffaith nad wy'n hoff iawn o golli. Mae hynny'n wir hyd yn oed os mai gêm o didl-di-wincs yw hi, neu bêl-droed, neu hyd yn oed etholiad.

Er hynny, erbyn heddi rwy'n colli'n bwrpasol yn aml iawn. Wel, mae'n rhaid ichi pan fyddwch chi'n chwarae gyda'ch wyrion, er, o feddwl, wnaeth yr Hen Foi mo hynny i fi!

Pan fydde fe mewn hwyliau da byddai'n werth gwrando arno'n mynd trwy'i bethe. Roedd ei storis yn llawn hiwmor. Hen fabi sgrechlyd oedd Nhad, medde fe wrtho ni unwaith, a bob amser yn sgrechen yn ystod y nos a dim byd yn gwneud y tro nes iddo gael ei laeth o'r fron gan ei fam. 'Bydden i'n dweud yn amal wrth Magi'r wraig pan fydde fe'n sgrechen ganol nos, "Magi, wi'n gwbod bod hanner y crwt yn perthyn i ti a hanner yn perthyn i fi ond wi'n ofni mai am dy hanner di ma fe'n sgrechen nawr!"'

Fe aeth Daisy i fyw wedyn yn barhaol at Anti Sally a'i gŵr, Douglas, yng Nghaerfyrddin. Ac yntau'n hen ŵr, yn dal o gwmpas ei bethau, fe ymunodd â Thystion Jehofa. Yn aml bydde rhywun yn galw amdano a mynd ag e yn y car i'w gwasanaethau. Clamp o gymeriad oedd y tad-cu hwn hefyd, ond un cwbl wahanol i'r tad-cu arall. A oes ychydig neu dipyn o'r ddau yno i, tybed?

Claddwyd Mam-gu a Nhad-cu yn yr un bedd â Ted, eu mab, ym mynwent Capel Newydd Llanybri. Llangynog, Llanybri a Llansteffan oedd ardal magwraeth Nhad a chlywais gymaint ganddo pan oeddwn yn grwt am yr ardaloedd hyn nes i fi fagu rhyw deimlad o adnabyddiaeth agos o'r holl fro. Fel mae Bryn Iwan a Thŷ Hen yn rhan o'm bod ar ochr Mam, felly hefyd Llangynog a Llanybri ar ochr Nhad, a galla i ddeall dyfnder fy ngwreiddiau teuluol sy'n ddwfn yng nghefn gwlad Sir Gaerfyrddin.

Hanes y Teulu

Tua phymtheng mlynedd neu fwy nôl fe es i ati i ysgrifennu hanes teuluoedd Nhad-cu a Mam-gu yn llawn ar y ddwy ochr gan greu pedair ffeil drwchus yn cynnwys gwybodaeth a lluniau am gefndiroedd pob un a dilyn hynt a helynt eu brodyr a'u chwiorydd a'u teuluoedd hwythau i lawr hyd at ein dyddiau ni. Er i mi gael boddhad mawr wrth wneud y gwaith fe gymerodd hi dipyn o amser gan fod y teuluoedd mor fawr yn y cyfnod. Roedd Tad-cu Llaindelyn, Bryn Iwan, yn un o ddeg o blant a Mam-gu Graigfach yn un o un ar ddeg. Ond y pleser mwya oedd canfod bod rhai pobol yn perthyn i chi a chithe heb wybod hynny. Fe soniais am Norah Isaac yn barod, ac yna gweld bod mam Matthew Stevens, y chwaraewr snwcer, a finne'n ail gefnder a chyfnither a bod pobol roeddwn i'n eu hadnabod yn dda fel Eurig Wyn a'i chwaer Beti Wyn, Rhuthun, yn yr un llinach.

Y cwestiwn bydd pawb yn tueddu i ofyn i chi ar ôl clywed eich bod chi wedi casglu hanes eich teulu yw 'Oes yna rhyw sgerbydau yn y cwpwrdd?' Wel, dwn i ddim am sgerbydau, ond y peth mwya anarferol y des i ar ei draws oedd hanes merch chwaer i Mam-gu Cefnonnen.

Roedd chwaer i Mam-gu -a'i gŵr wedi mynd i fyw i'r Rhondda gan ddilyn yr arferiad o symud o'r wlad i ennill bywoliaeth trwy weithio yn y pyllau glo. Roedd ganddyn nhw ferch ac roedden nhw'n cadw lodjers o'r gogledd – rheiny hefyd wedi dod i'r de i chwilio am waith. Ond fe gafodd y ferch blentyn ac un o'r lodjers oedd y tad. Roedd gyda fe wraig a phlant yn barod yn Nhrawsfynydd. Yr hyn sy'n rhyfedd oedd iddo fynd â'r baban yn ôl i Drawsfynydd a magu'r ferch fel un o'r teulu. Pan gyrhaeddodd hithau ei chanol oed a mynd ati i godi ei phasport am y tro cynta a gorfod cael copi o'i thystysgrif geni, sylweddolodd beth oedd y sefyllfa. Fe fedrais inne wedyn drosglwyddo iddi hithau ei chefndir teuluol yn y de, a phrofiad teimladwy iawn oedd hwnnw wrth i ni gwrdd ym mynwent y Porth yn y Rhondda a hithau'n canfod a sefyll wrth fedd ei gwir fam am y tro cynta.

Fe es i ati i lungopïo cynnwys y bedair ffeil sy gen i o hanes y gwahanol rannau o'r teulu a chyflwyno copi i bob disgynnydd uniongyrchol. Er bod y ffeiliau gwreiddiol gen i mae ugeiniau o gopïau o hanes teulu'r Hughesiaid a'r Griffithsiaid mewn cartrefi ar hyd a lled Cymru.

Llwyfan Llandysul

YM MEDI 1951 DYMA fi'n dal y bws wrth Neuadd y Ddraig Goch
yn y pentre a bant â ni, y rhai oedd wedi pasio'r *scholarship*, i
Ysgol Ramadeg Llandysul. Y bws wedyn yn ein gadael mas ar
sgwâr Peglers a phawb yn cerdded y rhiw serth i'r Ysgol ar y
Bryn. Yno bydde'r prifathro, T Edgar Davies, neu Defis Bach
i ni'r plant, yn aros amdanom yn ddyddiol ac yn gofalu bod
pob bachgen yn gwisgo'i gap ysgol a bod hwnnw'n eistedd
yn deidi ar y pen. Er bod y disgyblion yn Gymry Cymraeg,
Saesneg oedd iaith swyddogol y lle.

Doedd pethe ddim wedi newid felly ers dyddie fy chwaer
Beti a fu yno ddeng mlynedd ynghynt. Er ei bod hi gymaint
yn hŷn na fi, eto i gyd cofiaf am Mam yn cael trafferth i'w
chodi bob bore i ddal y bws ysgol yn y pentre. Yn aml fyddai
dim amser i fwyta brecwast, felly byddai Mam yn rhoi
llwyaid dda o *malt* ar lwy yn ei llaw wrth iddi adael y tŷ a
byddai Beti yn llio'r *malt* oddi ar y llwy ar ei ffordd i ddal
y bws a chuddio'r llwy wedyn yn y clawdd ar ymyl y ffordd
gyda'r bwriad o'i chasglu ar y ffordd adre. Problem cofio
ble yn union roedd hi wedi cwato'r llwy oedd problem Beti
druan ac rwy'n ofni bod y clawdd hwnnw'n llawn o lwyau
Llwynbedw o hyd!

Ffrindiau fy Chwaer

Mae nifer o luniau o Beti a'i ffrindiau yn Ysgol Ramadeg
Llandysul gen i o hyd – Essie a Marna, Lynda, Dilwen a
Jenny Howell yr Hengae. Ond ei ffrind agosaf a'r un a
gadwodd mewn cysylltiad â hi trwy ei hoes oedd Nesta Tŷ
Hen, sef chwaer Eric fy ffrind inne. Byddai Beti yn galw

gyda Nesta a Gwilym ei gŵr yn Felindre yn gyson ar hyd y blynyddoedd ac roedden nhw'n agos iawn. Yn wir bu'r ddwy farw o fewn dim i'w gilydd yn 2005 ac fe adawodd Nesta, er mawr syndod i bawb, gyfoeth anferthol ar ei hôl. Gan nad oedd disgynyddion fe drefnodd Nesta, trwy ei hewyllys, fod ei chyfoeth yn cael ei rannu i hyrwyddo pob math o weithgarwch lleol ac achosion da. Be wedai Beti druan pe gwyddai fod ei ffrind gorau'n filiwnydd?

Ffrind agos iawn arall i'm chwaer yn Ysgol Ramadeg Llandysul oedd Dwynwen Cadwaladr James, merch y bardd enwog Dewi Emrys, a oedd yn byw gyda'i thad yn y Bwthyn, Talgarreg. Cofiaf am Beti yn sôn pa mor alluog oedd hi. Yn ôl fy chwaer, pan ddaeth Robert Morgan yn athro Lladin ifanc i'r ysgol gorfod iddo gyfaddef 'nad oedd dim mwy y galle fe'i ddysgu i'r ferch alluog hon'. Fe aeth Dwynwen i Lundain a dod yn un o newyddiadurwyr blaenaf Fleet Street, ond fe gollodd fy chwaer gysylltiad â hi wedyn. Mae yn fy meddiant gerdyn post a anfonodd Dwynwen at Beti, fy chwaer, o Eisteddfod Genedlaethol Pen-y-bont ar Ogwr yn niwedd y pedwardegau, a dyma mae'n ddweud:

> My dearest Beti,
>
> I hope you are having a good time. Had a lovely time at Bridgend and met a lot of interesting people including Bob Owen, Croesor who gave me his autograph with two kisses under it. I'm staying with Antie Blod in Neath. Have you seen the humorous (I don't think!) photo in the 'Cymro'? Please write to my home address, Beti fach, then I will answer you.
>
> Best love,
>
> Your friend,
>
> Dwynwen xxxxx
>
> P.S. Cynan is coming to stay with us. Whoopee!!

Bwlio

Nid oedd y gair 'bwlio' wedi cyrraedd y gyfundrefn addysg pan gyrhaeddes i Ysgol Llandysul, ond roedd bwlio'n rhemp drwy'r lle a neb yn gwneud dim i geisio'i atal. Yn ystod yr wythnos neu ddwy gynta fe fydde pob bachgen newydd yn cael ei 'ddipio' sawl gwaith drosodd. Bydde dau neu dri o'r bechgyn hŷn yn cydio yn y newydd-ddyfodiad bach ac yn ei fartsio i'r toiled. Yna, llenwi'r basn dŵr a dipio'i ben ynddo sawl gwaith cyn ei adael yn rhydd. Yn y gwersi wedyn bydde'r athrawon yn gweld llond dosbarth o fechgyn â'u gwallt yn wlyb sopen ond yn dewis anwybyddu'r peth.

Buan y gwelais i ac eraill pwy oedd y pen bwlis. Daeth un a oedd yn y chweched dosbarth ar y pryd yn bennaeth y Gymraeg yn un o ysgolion Ceredigion, ond y gwaetha ohonyn nhw i gyd oedd yr efeilliaid Sammy a Georgie o Gastellnewydd Emlyn. Ni allai Defis Bach na'r un athro wahaniaethu'r naill oddi wrth y llall, dim ond bod un yn gwisgo siaced gydag ychydig o wyrdd ynddi tra bo'r llall yn gwisgo siaced yn union yr un fath ond bod ychydig o frown ynddi. Does dim angen dweud mai hoff dric y ddau oedd cyfnewid eu cotiau!

Fe fydden ni, fel bechgyn, yn casáu diwrnod gwlyb gan mai'r *prefects* a Sammy a Georgie fydde'n gofalu amdanon ni amser cinio yn un o'r ystafelloedd. Bydden nhw'n gosod tasgau unigol i ni eu perfformio o flaen y lleill gan gael hwyl fawr am ein pennau. Un o'r tasgau hynny oedd ein rhoi i sefyll ar gadair yna rhoi llyfr Lladin i ni'i ddarllen yn uchel. Bydde un o'r bwlis wedyn yn sefyll yn ymyl a phren mesur yn ei law ac yn rhoi slap ar goes y darllenwr bob tro y bydde'n gwneud camgymeriad neu'n methu ynganu'r Lladin yn gywir. Ble'r oedd Defis Bach a'i gyfundrefn, a gâi'i hystyried fel yr orau yn Sir Aberteifi?

Ffrindiau Ysgol

Er gwaetha'r bwlian ar y dechrau, cyfnod hapus iawn i fi oedd y cyfnod yn Ysgol Ramadeg Llandysul gan fod cymaint o ffrindiau da o'm cwmpas, ac un o'r rhain oedd John Seimon

Eric Griffiths, neu Eric Tŷ Hen fel y galwai pawb ef. Stori am Eric Tŷ Hen yw'r stori gynta a ddefnyddiodd Emyr Llywelyn yn ei lyfr *Hiwmor y Cardi* ac, yn yr un modd, stori am Eric yw'r un gynta yn fy llyfr innau, *Hiwmor Sir Gâr*.

Fferm fechan ar ben ucha Cwmpengraig oedd Tŷ Hen a byddwn yn mynd yno i chwarae gydag Eric. Cofiaf am ei dad-cu, Seimon, yn dda ac roedd e'n enghraifft berffaith o'r hen genhedlaeth ar ei gorau. Adeg y rhyfel oedd hi a'r dogni bwyd yn caniatáu ond ychydig o fenyn a siwgr i bob teulu, a'r hen Seimon wrthi'n tyfu tato ar ei ffarm a'u gwerthu fesul cant neu hanner can pwys.

Roedd Seimon yn mynd i fart Castellnewydd Emlyn i werthu llond gambo o berchyll un diwrnod adeg y rhyfel pan ddywedodd rhywun wrtho ar ei ffordd trwy Bentrecagal fod sacarins wedi cyrraedd siop Cyril Davies y cemist.

'Beth yw sacarins?' oedd cwestiwn cynta yr hen Seimon.

'Fe allwch chi eu defnyddio nhw yn lle siwgwr achos bo siwgwr mor brin,' oedd yr ateb. 'Cofiwch alw gyda Cyril i brynu rhai.'

Wedi i Seimon gael pris da am y moch bach dyma stopio'r gambo tu fas i siop y cemist ac i mewn ag e.

'Ma nhw'n gweud wrtha i, Cyril, bo chi'n gwerthu sacarins,' meddai Seimon.

'Odw,' oedd ateb Cyril, 'faint y'ch chi ishe, cant neu hanner cant?'

'Wel,' meddai Seimon ar ôl meddwl, 'gan fod y gambo 'da fi tu fas mae'n well i fi gael dougant a hanner!'

Bydde Eric Tŷ Hen a finne'n rhan o griw plant Cwmpengraig a fydde'n dod ar gefn beic bob dydd i ddal y bws ysgol ym mhentre Felindre, a gan nad oedd pawb yn godwyr rhy fore, cadw'n glir o'r hewl rhwng Cwmpengraig a phentre Felindre fydde orau tuag wyth o'r gloch y bore bryd hynny. Bydde Eric yn dod o ben ucha'r cwm, ac yn ymuno ag e bydde Uran Pantyffynnon, Terry Green Meadow, Nesta Spring, Meriel Pantycelyn, John Ffynnonbedr, Gareth Danffynnon, Brenda'r

Ogof a finne. Roedd hi fel Charge of the Light Brigade pan fydde cafalri BSA a Raleigh Cwmpengraig i gyd yn canu eu clychau er mwyn rhybuddio'r holl bentrefwyr i gadw'n glir.

Os mai mynd fel cath i gythraul oedd hi yn y bore, digon hamddenol fydde'r daith adre, ac erbyn yr amser hwnnw o'r dydd fe fydden ni i gyd biti starfo. Yn aml iawn bydden ni'n prynu torth fawr o fara rhyngon ni yn Siop Emrys Owen, ei rhannu'n gwlffe a'i bwyta'n hamddenol wrth gerdded ling-di-long lan rhiw Rock. Dyddiau da oedd y rheiny.

Ffrind da arall i fi oedd Tyssul Penpwll, Saron. Fe ddaeth Tyssul Williams yn feddyg teulu yn Llanymddyfri. Ni'n dau fydde'n eistedd gyda'n gilydd yn y desgiau dwbwl bob amser. Roedd e'n ddisgybl hynod o alluog ac yn ystod arholiadau'r *terminals* ar ddiwedd pob tymor fe fydde'n gofalu mod i'n cael pob cyfle i weld ei atebion Algebra a Ffiseg drwy adael ei bapurau ar y darn desg a oedd rhyngon ni. Am hynny, mawr fu fy nyled iddo, nid am fy mod yn euog o gopïo – dim ond 'checo' bod fy atebion i a'i rai e'n cyd-fynd!

Ffrind agos arall i fi yn Ysgol Llandysul oedd Aled Parc Nest ac mae'r cyfeillgarwch hwnnw'n parhau, fel hefyd gydag Emyr Llew a nifer dda o fois eraill y cyfnod. Yr hyn sy'n rhyfedd yw mod i'n gwybod enwau llawn bron pawb o ddisgyblion y cyfnod hwnnw a hynny oherwydd bod Defis Bach yn cyfeirio at bawb wrth ei enw'n llawn. Thomas James Jones oedd Jim Parc Nest, David Gordon Griffiths oedd Dai Rhydlewis, David Carey Williams, Alun Tegryn Davies a Daniel Meurig James ac yn y blaen. Doedd fawr o ots gan y bechgyn ond doedd y rhan fwya o'r merched ddim yn hapus o gwbl wrth glywed enwau eu neiniau, fel Hannah Mary Margaret Jones a Frances Martha Julia Evans, yn cael eu cyhoeddi i'r holl ysgol.

Y Dorian Trio

Unwaith y tymor bydde'r Dorian Trio yn dod i berfformio a chynnal *recital*. Pawb yn cael eu hwrjo i mewn i'r gampfa gyfyng ac eistedd am awr ar feinciau isel anghyfforddus i wrando ar dair menyw'n canu'r piano, y ffidil a'r soddgrwth gyda Defis Bach yn eistedd ar gornel y rostrwm yn y tu blaen yn wynebu'r plant. Prin iawn fydde'r cymeradwyo ar ddiwedd pob datganiad i'r triawd, ond un tro fe wnaeth Defis Bach ofyn i Carey Williams, y cerddor dawnus yn y chweched dosbarth, ddod ymlaen i gyfeilio er mwyn i ni ganu ein hanthem genedlaethol. Wrth iddo gerdded ymlaen fe gafodd gymeradwyaeth fyddarol am yn hir ac wyneb Defis Bach yn mynd yn gochach a chochach bob eiliad. Tair hen ferch ddigon plaen eu golwg oedd y triawd, ac yn ôl Aled Parc Nest, 'Dyna'r unig gyfle a gawsai'r un oedd yn canu'r soddgrwth i agor ei choesau!'

Athrawon

Saesneg oedd cyfrwng y gwersi i gyd ac eithrio Addysg Grefyddol a Hanes Cymru, a'r Gymraeg wrth gwrs. Llwyddais mewn wyth allan o ddeg o'r pynciau yn arholiad y *senior* gan fethu Gwaith Coed a Llenyddiaeth Saesneg. *Henry V* Shakespeare a gafodd y bai am yr olaf ac mae'n gas gen i ei ddramâu byth ers hynny. Yr athro Santley Jones gafodd y bai am i fi fethu Gwaith Coed. Ar brynhawn trymaidd arferai Santley bwyso'i ben yn erbyn ei law ar y ddesg a chael napyn bach ar y slei tra bydden ni'r bois wrthi'n llifio ac yn plamo. Yn bwrpasol un tro, dyma ni i gyd yn tawelu'n araf bach a sefyll yn stond, ac yn y distawrwydd fe glywen ni Santley druan yn chwyrnu. Yna, dyma Twm Cwrt (tad Emyr Lewis, y cyn-chwaraewr rygbi rhyngwladol) yn cydio mewn malet ac yn rhoi cythrel o ergyd i'r fainc reit yn ymyl desg Santley. Neidiodd yr hen Santley ar ei draed a gweiddi 'Diawl! Diawl!' a chyn iddo sylweddoli beth oedd wedi digwydd roedd pawb nôl wrthi'n llifio ac yn plamo fflat owt!

David Baker Jones o bentre Felindre oedd ein hathro Addysg Grefyddol a pheth gwersi Cymraeg ac roedd yn ysgolhaig o'r radd ucha ac wedi cyhoeddi nifer o lyfrau hanesyddol. Fe sy'n byw nawr ym Mhlas Dangribyn. Cofiaf y wers farddoniaeth Gymraeg gynta a gafodd 1M ganddo ac yntau'n ceisio gweld beth oedd safon gwybodaeth farddonol plant bach ysgolion Penrhiwlas a Chapel Iwan, Penboyr a Llangeler.

'Beth yw'r llinellau nesa i'r rhain?' gofynnodd. 'Wele'n cychwyn dair ar ddeg...'

'O longau bach ar fore teg,' meddai pawb.

'Nid yw'r felin heno'n malu...?'

'Yn Nhrefin ym min y môr,' meddai pawb eto.

Ac yna, meddai Baker Jones, a rhyw wên heriol ar ei wyneb, 'Drain ac ysgall mall a'i medd...?'

A bu tawelwch trwy'r dosbarth nes i fi fentro codi fy llaw. 'Ie,' meddai Baker, gan bwyntio ata i.

'Mieri lle bu mawredd,' mynte finne.

'Alla i ddim credu,' oedd ei ymateb. 'Arhoswch ar ôl ar y diwedd i fi gael gair gyda chi.'

'Shwt oeddech chi'n gwbod y cwpled yna?' holodd fi ar ddiwedd y wers.

'Wedi clywed fy chwaer yn ymarfer adrodd "Llys Ifor Hael" flynyddoedd yn ôl yn ein tŷ ni, Syr.'

Byth ers hynny, rwy'n credu mod i wedi bod yn dipyn o ffefryn gan Baker am i fi greu cryn argraff arno yn y wers gynta honno. Ac ry'n ni'n dal yn ffrindiau mawr.

Eifion George, neu George Hist, o Gefneithin oedd ein hathro Hanes. Dysgodd y Cymro mawr diymhongar hwn hanes ein gwlad i ni yn y cyfnod pan na fydde athrawon Hanes ond yn dysgu am Brydain a'r byd yn unig. Cyflwynodd ein cefndir Celtaidd i ni a phwy oedd Llywelyn ac Owain Glyndŵr ac annhegwch y Ddeddf Uno a'r Welsh Not.

'Wedes i wrth George Hist flynyddoedd ar ôl gadael Llandysul,' meddai Emyr Llywelyn un tro, 'Mr George, oni bai amdanoch chi, go brin y byddwn i wedi codi bys dros Gymru. Diolch i chi.'

Bydde Eifion George yn trafod pob agwedd ar fywyd

Cymru gyda ni yn ei wersi yn y chweched dosbarth, ac yn ein dihuno i sylweddoli faint o'r gloch oedd hi arnon ni fel cenedl. Dyna a'm symbylodd i i fynd ati i gasglu aelodaeth o Blaid Cymru ymhlith disgyblion yr ysgol. Ni wyddai Defis Bach ddim am y chwyldro politicaidd oedd yn digwydd o dan ei drwyn nes iddo weld ugeiniau o'i ddisgyblion yn gwisgo bathodyn y triban ar eu cotiau.

Jonnah Fach, neu Miss Jonnah Owen, oedd y ddirprwy brifathrawes fechan a'r traed chwarter i dri, a hi fydde'n gyfrifol am yr holl drefniadau ar gyfer dydd mawr y gwobrwyo neu'r 'Prize Day' yn Neuadd Tysul yn y pentre. Bydde'r pwysigion i gyd yn bresennol ac yn eistedd ar y llwyfan a'r lle'n llawn dop o ddisgyblion, cyn-ddisgyblion a rhieni.

Yr Athro Aaron o Goleg Aberystwyth oedd y prif siaradwr un flwyddyn a Mrs Aaron wedyn yn cyflwyno'r tystysgrifau a'r gwobrau. Bydde Miss Owen yn casglu'r disgyblion fydde'n ennill gwobrau ynghyd cyn y dydd pwysig er mwyn egluro i bob disgybl sut i gerdded i'r llwyfan mewn grwpiau o chwech, un ar ôl y llall, a sut i dderbyn y wobr. Roedd pob merch i blygu glin a chydio bob ochr i'w sgert a gwneud *curtsey*, a phob bachgen wedyn i foesymgrymu a phlygu'i ben o flaen Mrs Aaron cyn derbyn y wobr.

Fe ddaeth y dydd gwobrwyo a galwyd ar y grŵp arbennig hwn o chwech i'r llwyfan. Yn y grŵp roedd pump o ferched a Gordon (Don) Havard. Dyma'r pum merch yn eu tro yn croesi i ganol y llwyfan a gwneud eu *curtsey* a cherdded bant. Don Havard oedd y chweched yn y grŵp ac yntau'n fachgen swil iawn. Cerddodd ymlaen, ac yn ei nerfusrwydd cydiodd yn ochrau ei drowsus â'i ddwy law ac fe wnaeth *curtsey* bendigedig. Fe aeth y lle'n wenfflam a phawb yn chwerthin ac yn curo dwylo am hir, ac yn hytrach na mynd i lawr y grisiau a dod yn ôl i eistedd yn y gynulleidfa, sleifiodd Don i'r ystafell wisgo y tu ôl i'r llwyfan. Yno y bu e'n eistedd gan wrthod symud modfedd nes bod pob copa gwalltog wedi gadael y neuadd. Ni allai wynebu neb ar ôl ei gamgymeriad gerbron y pwysigion a llond neuadd o wylwyr. Druan o Don!

Y Brenin

Cofiaf am yr halibalŵ mawr pan rwygodd rhywun boster Cynilo Cenedlaethol a llun y brenin arno ar hysbysfwrdd yr ysgol. Fe aeth Defis Bach yn bananas a chafodd un o'r disgyblion ei gyhuddo o greu fandaliaeth ddifrifol yng ngolwg y prifathro. Mae'r person hwnnw'n cadw stondin ar farchnad Caerfyrddin heddiw ac fe'i gwelaf yn aml.

Y patrwm arferol oedd bod pawb yn codi unwaith y bydde Defis Bach yn cerdded i mewn i'r ystafell. Un bore yn Chwefror 1952 daeth cnoc ar ddrws ein dosbarth a cherddodd Defis Bach i mewn. Cododd pawb yn filitaraidd a chyhoeddodd y prifathro yn benisel, 'The King is sinking!' Yna, trodd ar ei sawdl ac allan ag e. Yn ein diniweidrwydd, ni allen ni ddeall arwyddocâd geiriau ein prifathro. A oedd y Brenin mewn cwch yn rhywle ac ar fin boddi? Yna, ymhen rhyw awr, dyma gnoc arall ar y drws a Defis Bach eto'n dod i mewn yn benisel, 'The King is sinking fast,' a mas ag e.

Beth yn union oedd yn digwydd i'r Brenin, felly? Ac yna, cyn diwedd y prynhawn, dyma Defis Bach yn cychwyn ar ei daith ola o gwmpas y dosbarthiadau a gan fod y gnoc ar y drws yn wannach na'r ddwy cynt, ofnem erbyn hyn fod y Brenin wedi boddi. Cerddodd y gŵr bach boliog i mewn gan gyhoeddi, 'The King is dead. God save the King!' Bu tawelwch hir a phawb ohonon ni mewn penbleth lwyr. Os oedd e wedi marw, onid oedd hi'n rhy hwyr i gyhoeddi 'God save the King'?

Ni fu dwthwn fel y dwthwn hwnnw!

Ted Morgan

Yn ei lyfr *Hanes Eisteddfod Llanbedr Pont Steffan* mae Gor Bach, neu'r Parchedig Goronwy Evans, Llambed, a oedd yn yr ysgol yr un pryd â fi, wedi ysgrifennu'n ardderchog am yr anfarwol Ted Morgan, y cyfeilydd enwog. Ted fydde'n cyfeilio ym mhob eisteddfod, bron, yng ngorllewin Cymru a thu hwnt ac mae Goronwy yn iawn wrth ddweud mai Ted sy'n dal y record, na chaiff hi fyth ei thorri, o gyfeilio fwya o weithiau mewn eisteddfodau.

Athro cerdd peripatetig yn Sir Aberteifi oedd Ted ac yn byw yn Llandysul, a bydd cenedlaethau o blant ysgolion uwchradd y sir yn cofio amdano yn dod o gwmpas i ddysgu 'singin' i ni. Y tro cynta i fi ddod ar ei draws oedd mewn gwers 'singin' yn ffreutur yr ysgol ar brynhawn dydd Gwener. Disgyblion diniwed dosbarth 1M oedden ni, a Ted yn cyhoeddi, 'Come on now boys, open your copish, the girls are ready.'

Nid oedd Ted yn un o'r athrawon disgleiria o bell ffordd, a chofiaf yn dda am y diweddar ac annwyl Hywel Teifi Edwards yn sôn wrtha i am Ted yn dod i Ysgol Aberaeron i ddysgu 'singin' yno hefyd. Soniodd Hywel am ddiffyg disgyblaeth Ted a'r ffaith ei fod yn cyfeilio i'r canu ar y piano â'i gefn at y dosbarth – peth anfaddeuol, yn enwedig gan mai Hywel a'i debyg oedd yn canu.

'Dychmygwch y geiriau anweddus fydden ni'r bois yn eu canu a Ted â'i gefen ato ni wrth floeddio geiriau'r gân Saesneg boblogaidd ar y pryd – "Where the bee sucks, there suck I!"' meddai Hywel.

Byr a thew o gorffolaeth oedd Ted a Defis Bach a'r ddau bob amser yn gwisgo siwt a gwasgod. Roedd *chest* da gan y ddau a chryn dipyn o fola. Sefyllfa gomig oedd gweld y ddau'n siarad ar goridor cul yr ysgol, eu boliau rhyw fodfedd oddi wrth ei gilydd a'u pennau rhyw ddwy droedfedd ar wahân.

Pan fydde'r ddau'n siarad fel hyn roedd hi'n amhosibl i neb fynd heibio, ond ar y prynhawn arbennig hwn roedd Bryn Powell, Coedybryn, wedi gofyn am gael ei esgusodi o'r wers gan fod cythrel o fola tost gyda fe ar ôl bwyta gormod o ffagots amser cinio. Wrth redeg ar hyd y coridor ar ei ffordd i'r tŷ bach fe ddaeth e wyneb yn wyneb â Ted a Defis Bach yn siarad â'i gilydd, ac fe sylweddolodd Bryn nad oedd unrhyw obaith o fynd heibio ac yntau yn y fath bicil. Beth wnaeth Bryn ond plygu a rhuthro o dan foliau'r ddau, ac mae e'n gwadu hyd y dydd heddiw iddo glywed Defis Bach yn gweiddi 'Come back here, boy!' wrth iddo droi'r gornel am y tŷ bach.

Dim Pêl-droed

Roeddwn i ym mlwyddyn gynta y chweched dosbarth pan ymddeolodd Defis Bach fel prifathro Ysgol Ramadeg Llandysul yn 1957 ar ôl pum mlynedd ar hugain o wasanaeth. Trist oedd ei weld yn ei ddagrau pan aeth rhyw dri ohonon ni i'w ystafell i ysgwyd ei law ar y prynhawn ola hwnnw. Penodwyd D Islwyn Williams yn brifathro yn ei le, a'r peth ċynta wnaeth e, heb ymgynghori â neb, oedd tynnu'r pyst pêl-droed i lawr a gosod pyst rygbi yn eu lle ar gaeau chwarae'r ysgol. I ni, roedd hynny'n anfaddeuol gan ein bod fel bechgyn yn byw i'n pêl-droed ac yn chwarae gyda thimau lleol yn y Cardiganshire League. Nid yn unig roedd e wedi gosod pyst rygbi yn eu lle ond roedd e hefyd wedi trefnu gêmau ar ein cyfer yn erbyn ysgolion Llambed, Aberteifi ac Ardwyn yn Aberystwyth. Rwy'n cofio iddo alw'r bechgyn ynghyd a gofyn i bob un yn unigol pa safle yr hoffai chwarae ynddo yn y tîm rygbi. Doedd dim clem gan yr un ohonon ni gan nad oedd neb yn gwybod y rheolau nac wedi chwarae mewn gêm rygbi o'r blaen. Fe ddewisais i safle'r cefnwr gyda'r bwriad o gadw mor glir â phosibl oddi wrth y bois rwff yn y pac. Yn naturiol, fe gollson ni bob gêm yn drwm iawn ac o 67-0 yn erbyn Ardwyn.

Rwy'n cofio arwain dirprwyaeth at y prifathro newydd yn gofyn am y cyfle i chwarae'r ddwy gêm gan mai pêl-droed yn unig oedd yn cael ei chwarae yn lleol, ond roedd Islwyn Williams yn gwbl benstiff ac fe aeth e mor bell â gwahardd cicio pêl gron o unrhyw fath ar dir yr ysgol.

Fe es i ati i drefnu ymgyrch yn erbyn penderfyniad y prifathro, gan gysylltu â rhieni a chlybiau pêl-droed lleol a gohebu â'r wasg. Bu cryn dipyn o gythrwfl a chyhoeddusrwydd gwael i'r prifathro newydd, ac o edrych yn ôl rwy'n credu i fi fod yn ddewr wrth wneud y fath safiad yn ei erbyn. Dyma'r brotest gynta o lawer i fi fod yn rhan ohonynt maes o law, ac rwy'n argyhoeddedig mai'r digwyddiad hwn a greodd yr agwedd negyddol sydd gen i tuag at rygbi o hyd.

Flynyddoedd lawer yn ddiweddarach, ar ôl iddo ymddeol, fe ddaeth Islwyn Williams i fyw i Gaerfyrddin gan ddod yn aelod o Blaid Cymru, ac fe ddaethon ni'n ffrindiau da. Yn rhyfedd iawn ni soniodd yr un ohonon ni'r un gair am y frwydr chwerw a fu rhyngon ni yn Ysgol Llandysul. Mae'n dda anghofio rhai pethau weithiau!

Cow & Gate

Yn ystod gwyliau'r haf pan oeddwn yn Ysgol Llandysul, er mwyn cael tipyn o arian poced fe es i i weithio yn ffatri laeth Cow & Gate yng Nghastellnewydd Emlyn. Fe fuodd hwnnw'n brofiad gwerthfawr iawn wrth i fi orfod cyflawni diwrnod caled o waith am chwe diwrnod bob wythnos yn yr adran gwneud caws. Roedd hyn yn y cyfnod cyn i'r peiriannau gymryd drosodd. Byddai dau ohonon ni'n gweithio o gwmpas y fat fawr – rhywbeth tebyg i fath anferth yn llawn o laeth – gan ychwanegu rhyw stwff arbennig ac wedyn ei droi'n ddiddiwedd nes bod y caws mewn ychydig oriau'n setlo ar waelod y fat. Torri hwnnw lan wedyn yn ddarnau mân â chyllell a'i droi a'i droi â fforch, ac ar ôl iddo sychu ei godi â rhaw i fwcedi trwm i ffurfio cosyn da o gaws. Bydden ni'n gorfod gwneud yr holl waith o'r tu allan i'r fat gan blygu drosodd yn barhaol i gyflawni pob tasg arall. Erbyn diwedd y prynhawn fe fydden i wedi ymlâdd yn llwyr a bron yn rhy wan i fynd adre ar gefn fy meic ar y daith bedair milltir i Felindre.

Ond ar ôl dau haf o wneud caws fe ges i fy symud i weithio i'r lab. Yn y labordy fe fydden ni'n profi safon y llaeth, a gan mai mewn *churns* ar y lorïau y byddai'r llaeth yn dod i'r ffatri, rhan o 'ngwaith i fyddai canfod y llaeth oedd wedi troi neu suro a'i rwystro rhag cymysgu â'r llaeth yn y tanciau mawrion.

Gwaith un o'r bechgyn ar y dec lle'r oedd y lorïau'n dadlwytho oedd codi clawr pob *churn* a'i arogli. Roedd Clodrydd yn bencampwr ar arogli llaeth sur, a phan gredai nad oedd y llaeth yn arogli'n iawn fe fydde fe'n gwthio'r *churn* i'r naill ochr a'n gwaith ninne, bois y lab, wedyn fyddai gwneud y profion.

Pan na fyddai Clodrydd yn gweithio, cyfrifoldeb bois y lab oedd arogli'r llaeth. A phwy y'ch chi'n meddwl gas y gwaith cyson hwnnw unwaith yr wythnos yn ogystal â phan fyddai Clodrydd ar ei wyliau? Ie, fi! A dyna'r gwaith mwyaf uffernol i fi ei gyflawni erioed. Codi pob clawr a phlygu pen ac arogli'r llaeth yng ngwddf y *churn*, a gwneud hynny ar gannoedd ar gannoedd o *churns* bob dydd. Doedd fawr o broblem gyda'r llwythi yn ystod y bore ond ar hafddydd poeth byddai *churn* sawl ffarm yn cael ei gwthio allan. Cofiaf yn dda am *churns* llaeth Fferm Lochtyn ger Llangrannog ar y lori olaf bob prynhawn yn methu'r prawf arogli.

O ganlyniad, rwy'n gallu dweud gyda chryn awdurdod mod i'n arbenigo mewn gwneud caws a bod 'y nhrwyn i'n gallu arogli llaeth sur ganllath i ffwrdd! Ond fuodd hynny fawr o help i fi yn ystod gweddill fy mywyd chwaith.

A finne ar fy mlwyddyn ola yn y coleg ac yn dal i weithio yn y lab yn ystod yr haf, fe gynigiwyd swydd llawn amser i fi yn Cow & Gate, Castellnewydd, a chyfle i ddatblygu 'ngyrfa yn y diwydiant llaeth. Wnes i ddim derbyn, ac rwy'n ofni mai'r unig gysylltiad sy gen i ers y dyddie hynny â'r Cow & Gate yw mod i'n dal i yfed llaeth a mod i'n hoff iawn o gaws!

Diwedd Cyfnod

Ar ddiwedd y flwyddyn ysgol honno yn 1958 fe ddaeth fy nghyfnod yn Ysgol Ramadeg Llandysul i ben. Yn academaidd, llwyddais i gael canlyniadau digon derbyniol a chael graddau da yn y Gymraeg a Hanes yn fy Lefel A a chael fy nerbyn i

Goleg y Drindod, Caerfyrddin, i'm hyfforddi i fod yn athro ym Medi 1958.

Roedd y flwyddyn honno'n un arwyddocaol iawn gan mai dyna'r flwyddyn pan benderfynwyd nad oedd rhaid i lanciau deunaw oed wneud eu gwasanaeth cenedlaethol. Felly, yn lwcus, mynd yn syth o'r ysgol i'r coleg wnes i. Pe bawn i wedi gorfod wynebu gwneud y gwasanaeth cenedlaethol, tybed a fyddwn i wedi ufuddhau i'r orfodaeth honno?

Wrth edrych yn ôl, onid yw hi'n wyrth fod cenhedlaeth ar ôl cenhedlaeth o ddisgyblion wedi llwyddo i barhau i fod yn Gymry Cymraeg er gwaetha'r addysg Saesneg a'r ethos cwbl Seisnig y boddwyd ni ynddo yn ddyddiol am saith mlynedd?

Ar y Sadwrn cynta wedi i fi orffen yn yr ysgol roeddwn yn rhoi petrol yng nghar fy nhad yn Saron ger Llandysul pan dynnodd car arall i fewn wrth y pwmps petrol. Pwy ddaeth allan o'r car ond Mr Llewellyn, yr athro Cemeg a dirprwy brifathro'r Ysgol ar y Bryn am yr holl gyfnod y bûm i yno.

'Shwd y'ch chi, Peter? A 'na chi wedi bennu yn yr ysgol 'te. Pob lwc i chi nawr yng Ngholeg y Drindod.'

Allwn i ddim credu'r peth, Llew Chem yn siarad Cymraeg. Chlywodd neb o'r disgyblion air o Gymraeg o'i enau erioed, erioed! I fi roedd hynny'n dweud y cyfan am ein sustem addysg ar y pryd. Diolch mai cyfnod oedd e, ond cyfnod llawer rhy hir gan i ni orfod aros tan 1984 cyn sefydlu Ysgol Gymraeg Dyffryn Teifi yn Llandysul a hynny'n dilyn deng mlynedd o frwydro caled.

Yn 1995 cyhoeddwyd llyfr gwerthfawr iawn sef *Canmlwyddiant Addysg Uwchradd yn Llandysul* a olygwyd gan Arwyn Pierce, y prifathro rhwng 1972 ac 1990. Cawn ynddo ddarlun cynhwysfawr a llawn lluniau o hanes yr Ysgol ar y Bryn a bydda i'n pori ynddo'n aml.

Llwyfan Diwylliant Bro

YNG NGHANOL Y BWRLWM ar ôl yr Ail Ryfel Byd y ces fy nghodi yn ardal Dre-fach Felindre. Mae'r prif bentre'n cynnwys pentrefi bychain eraill ac mae i bob pentre ei enw ei hun fel Alltpenrhiw, Drefelin, Penboyr, Cwmpengraig, Cwmhiraeth a Waungilwen. Wedi cyfnod hir y blacowt, pan gâi pawb eu rhwystro rhag cynnal digwyddiadau cymdeithasol, fe ddaeth y rhyddid i fyw bywyd normal unwaith eto, a dyma'r hen ardal yn ailgydio yn ei gweithgareddau diwylliannol a chymdeithasol.

Bro uniaith Gymraeg oedd hi, ac eithriad oedd ambell un di-Gymraeg yn ein plith. Neuadd y Ddraig Goch, yr hen sied sinc fawr yng nghanol y pentre, oedd y brif ganolfan ac yno y cynhelid yr holl ddigwyddiadau. Roedd traddodiad corawl yn yr ardal a chôr enwog Bargod Teifi yn cario'r faner honno ers dechrau'r ganrif.

Eisteddfodau a Dramâu

Eisteddfod Capel Bethel, Dre-fach, bob Llun y Pasg ac Eisteddfod Eglwys Penboyr ar y Llungwyn oedd y ddwy brif eisteddfod, a llawer o'r plant lleol yn cael y cyfle i gystadlu. Er i Mam ofalu mod i'n cystadlu ar yr adrodd bob tro, does dim un cwpan gen i i brofi i fi gipio'r un wobr! Cymaint oedd cariad Mam at eisteddfodau fel y bydde'n cyrraedd cyn y gystadleuaeth gynta ac yn eistedd rhyw res neu ddwy o'r tu blaen gyda'i bag yn llawn o fwyd i'w chynnal nes canu 'Hen

Wlad Fy Nhadau' ymhell wedi hanner nos. Bydde wrth ei bodd yn gwrando ar y cystadleuwyr yn mynd trwy'u pethe.

Drama Capel Soar, wedyn, ar 'Boxing Night' a drama Eglwys Sant Barnabas ar ddydd Calan, a chofiaf yn dda gwmnïau Dan Mathews ac Edna Bonnel o ardal Llanelli yn dod yn gyson i berfformio'u comedïau. Fe fydden ni'r plant yn cael eistedd ar ddwy res o feinciau yn syth o flaen y llwyfan – lle anffodus, ddywedwn i, achos go brin y gallen ni ganolbwyntio ar yr hyn a oedd yn digwydd ar y llwyfan am ryw ddwyawr.

Cofiaf yn dda am gwmni drama teithiol o ganol Lloegr yn cyflwyno nifer o ddramâu Shakespeare am wythnos gyfan yn Neuadd y Ddraig Goch un haf. Hyd y gwn i doedd y rhan fwya o werin bobl y pentre heb glywed erioed am y dyn â'r enw od nac am *Macbeth* na *Hamlet* na *Henry V*. Ar y nos Lun gynta roedd y neuadd yn llawn dop a phawb wedi dod yn llawn chwilfrydedd i weld ac i wrando.

'Do'n i'n deall dim.'

'Eu Sisneg nhw rhy ddwfwn i fi.'

'Llawer rhy sìriys a sych. Ma'n well 'da fi gomedis Edna Bonnel.'

Dyna oedd y sylwadau cyffredinol, ac erbyn y nos Wener doedd yr un cwrcyn yn bresennol i weld y perfformiad ola.

Yna, fore Sadwrn yn Siop Albert gyferbyn â'r neuadd, a honno'n llawn o gwsmeriaid wrthi'n trafod y dramâu, dyma Albert y siopwr yn troi at Myrddin Tir Lôn a gofyn iddo,

'Beth yw'ch barn chi am *Hamlet*, Myrddin?'

'Weda i wrtho chi,' medde Myrddin. 'Ma llawer iawn gwell 'da fi Castellas fy hunan!'

A dyna'r tro cynta a'r unig dro i Mam ddod i gysylltiad â dramâu Shakespeare. Rwy'n siŵr i'w barn hi ddylanwadu arna inne hefyd achos ches i erioed unrhyw bleser wrth astudio'i waith. Yn wir, roedd yn well gen inne gomedïau Edna Bonnel hefyd!

Gyda Mam y byddwn i'n mynd i bob cyngerdd yn y neuadd. Cofiaf yn dda am Delynores Maldwyn a Thelynores Eryri yn dod i'r neuadd i gynnal cyngerdd – dim ond y ddwy ohonyn nhw'n cynnal noson gyfan. Dyna'r tro cynta i fi weld a chlywed telyn yn cael ei chanu, ac roedd hynny'n wir hefyd, mae'n siŵr, am ran fwya'r gynulleidfa. Dyna'r tro cynta i fi glywed cerdd dant hefyd, gan nad oedd y math hwn o ganu wedi cyrraedd ein hardal ni, beth bynnag.

Un o'r eitemau sy'n dal yn y cof yw gweld Telynores Eryri yn gwisgo fel postmon ac yn cario'i bag llythyron, ac yna'n agor rhai llythyron a'u darllen i'r gynulleidfa. Roedd hi, wrth gwrs, wedi gwneud ei gwaith cartre gan fod cynnwys pob llythyr yn cyfeirio at gampau'r bobol leol. Darllenodd un llythyr oddi wrth y Cyngor yn gofyn i Mam glirio gwydr y botel stowt oddi ar y palmant yng nghanol y pentre ac i brynu trowsus newydd i'r gweinidog gan ei fod yn drewi o stowt ac na allai bregethu mewn trowsus felly yng Nghapel Closygraig. Mawr fu'r gymeradwyaeth a'r chwerthin am hir yn y neuadd y noson honno ac wyneb Mam yn goch fel twrci!

Tonic Sol-ffa

Gwraig gyffredin a di-nod oedd Mam ond bob amser yn llawn hwyl. Fe gafodd hi ei haddysg yn ysgol fechan Nantcwmrhys, ysgol a adeiladwyd ymhell o bobman rhwng pentrefi Blaenycoed, Bryn Iwan a Hermon. Ond roedd dawn gerddorol gan Mam, ac fe ofalodd fod Beti, fy chwaer, a finne'n cael y cyfle i geisio datblygu'r ddawn honno. Yn y cyfnod hwnnw bydde'r cerddor J Morgan Nicholas, awdur yr emyn-dôn 'Bryn Myrddin', yn trefnu Gŵyl Gorawl Dyffryn Teifi. Bydde'n hyfforddi'r cantorion mewn grwpiau yn eu gwahanol bentrefi, ac yn dod â phawb ynghyd yn un côr mawr yn Neuadd Tysul, Llandysul, i berfformio rhai o'r gweithiau mawr.

Gallai Mam redeg sol-ffa ar ôl dysgu yn ifanc mewn dosbarthiadau sol-ffa ym Mryn Iwan a Blaenycoed, ac fe gyflwynodd hi beth o'r ddawn honno i finne maes o law.

Rwy'n cofio mynd yn flynyddol i Neuadd Tysul i wrando ar weithiau fel *Yr Elijah* a Mam yn canu yn y côr a finne'n grwt ysgol yn eistedd yn y tu blaen. Dysgais yn gynnar i fwynhau cerddoriaeth o'r fath a rhyfeddwn fod Mam, cogyddes gyffredin mewn ysgol gynradd, yn gallu canu rhannau'r soprano. Gwnaeth J Morgan Nicholas gyfraniad aruthrol trwy'r dosbarthiadau *extramural* hyn.

Dewi Sant

Ymhell cyn dyddiau Merched y Wawr, y WI oedd yr unig fudiad i wragedd ym mhentre Dre-fach Felindre, ac yn ystod wythnos dathlu Gŵyl Prydain yn 1951 trefnodd y llywydd lleol, Margaret Evans, neu Maggie Danwarin i bawb, basiant hanesyddol mawreddog *Merched Cymru* a'i berfformio yn Neuadd y Ddraig Goch. Yn naturiol, dim ond merched y WI oedd yn cymryd rhan gyda golygfeydd am Gwenllian ac Ann Griffiths ac eraill yn cael lle amlwg. Roedd un olygfa am Non, mam Dewi Sant, ac roedd angen ei mab bach Dewi ar y llwyfan gyda hi. Dewiswyd fi i fod y Dewi Sant bach hwnnw ac fe ges i fenthyg gwisg felfed las *square neck*, *short sleeves* Marion Brynmeiros a oedd yn disgyn lawr hyd at fy mhengliniau, yn ogystal â rhyw sandalau agored am fy nhraed. A dyna gychwyn ar fy ngyrfa aflwyddiannus fel actor, a hynny mewn drag!

Pantomeimiau

Yn yr un cyfnod roedd perfformio'r pantomeimiau blynyddol yn boblogaidd iawn a'r cast i gyd yn dalentau lleol. William Davies a'i wraig fydde'n gyfrifol am y cyfan. Roedd Wil Penlon wedi bod yn ganwr proffesiynol yng Nghofent Garden a bu'n canu gyda nifer o gwmnïau teithiol eraill cyn rhoi'r gore iddi a dod yn ôl i'w hen ardal i fyw. Fe wnes i ysgrifennu cyfres o erthyglau amdano i'r papur bro lleol, *Y Garthen*, ychydig o flynyddoedd yn ôl. Fe, heb os, oedd y cantor mwya llwyddiannus a welodd y fro erioed.

Ar gyfer un o'r pantomeimiau hynny un flwyddyn roedd angen chwe choblyn bach i redeg o gwmpas y diafol mawr yn ystod y golygfeydd ar y llwyfan. Roeddwn i'n un o'r coblynnod bach hynny yn gwisgo teits du a dillad sidan du reit dynn, gyda John Ffynnonbedr a John Cole ac eraill. Ond bu cryn siarad am berfformiad Stewart Rees y diafol mawr. Y cefndir oedd hyn. Roedd Stewart yn byw gyda'i bartner Harold, Sais o Birmingham, mewn bwthyn bach dwy ystafell ym mhentre Drefelin. Roedd y ffaith honno'n creu digon o siarad ymhlith y pentrefwyr, ond pan ymddangosodd Stewart ar y llwyfan yn ei deits coch tyn, tyn iawn fel y diafol mawr fe ddaeth e'n brif atyniad y pantomeim. Roedden ni, y chwe choblyn bach, wedi cael ein siarsio i wisgo tryncs glan y môr o dan ein teits, ond am ryw reswm doedd neb wedi dweud wrth y diafol mawr am wneud hynny! A gan ei fod yn gorfod rhedeg ar draws y llwyfan a neidio i fyny i'r awyr â'i goesau ar led, a ninnau'r coblynnod yn rhedeg ar ei ôl, fe ddaeth Stewart Rees yn seren y pantomeim dros nos! Fe aeth y gair ar led ac erbyn yr ail a'r drydedd noson roedd Neuadd y Ddraig Goch yn orlawn a'r merched a'r hen fenywod lleol yn llenwi'r seddau blaen! 'Mae'r garget arno fe,' oedd sylw Dan y Glyn, un o'r ffermwyr lleol. 'Y garget' oedd term y ffermwyr os oedd cader y fuwch wedi chwyddo.

Fe welwch felly fod gwrthgyferbyniad mawr rhwng fy nau ymddangosiad cynta ar lwyfan yn blentyn – y naill fel sant a'r llall fel diafol bach drwg!

Chopin

Gofalodd Mam fod ei chrwt bach, Peter, yn cael pob cyfle, fel ei chwaer Beti, i gael gwersi piano. Eithriad oedd tŷ heb biano yn y pentre ac mae'n dyled eto'n fawr i'r gwragedd hynny a fu'n dysgu cenedlaethau o blant i ganu'r piano. Gyda Margaret Evans, Danwarin, ffrind i Mam a llywydd y WI, y ces i fy ngwersi Stage 1 a finne'n wyth oed. Ond, er siom i Mam, araf iawn fu'r cynnydd a byddwn yn llefain y glaw cyn mynd unwaith yr wythnos i Danwarin i gael fy ngwers.

Daeth Mam i'r casgliad nad ar ei Chopin bach hi oedd y bai am y diffyg cynnydd ond ar ei athrawes. Felly, doedd dim amdani, gan mai 'gwyn y gwêl y frân ei chyw', ond fy symud at Bronwen Jones, Bangor House. Do, fe wellodd pethau ac mae gen i dystysgrif yn y tŷ sy'n profi i fi gael 'Pass Certificate Elementary Section – Pianoforte Playing, London School of Music' wedi'i dyddio 23 Gorffennaf 1952. I'r Academy House, Jackson's Lane, Caerfyrddin, y bydde pawb yn mynd i gael ei arholiad piano. Pryd bynnag y byddech chi'n cerdded heibio'r lle ar hyd y blynyddoedd bydde sŵn rhywun wrthi'n canu'r piano i'w glywed yno. Mae'r hen dŷ yn wag bellach. Pwy all anghofio am y tair chwaer a'r holl gathod oedd yn Academy House?

Ar y dydd hwnnw o Orffennaf yn 1952 fe ddaeth fy nghysylltiad i â'r Academy House a'r London School of Music i ben a chwalwyd gobeithion Mam o weld ei chrwt bach yn datblygu'n Chopin Dyffryn Teifi neu hyd yn oed yn Ted Morgan Llandysul.

Parti Plant

Yn un ar ddeg oed roeddwn i'n aelod o'r Velindre Children's Party ac yn cael teithio mewn bws o gwmpas y wlad i gynnal cyngherddau. Mrs Maldwyn Williams, Saesnes a gwraig perchennog un o'r ffatrïoedd gwlân, oedd yn gofalu amdanon ni ynghyd â Mrs J R Jones, Trecoed. Hi oedd y cyfeilydd ac un a ddysgodd genedlaethau o blant y fro i ganu ac i berfformio. Allwn ni heddiw ddim llai nag edmygu cyfraniad y wraig hon yn ein cymdeithas, gan iddi roi o'i dawn a'i hamser i hyfforddi ac i ddysgu sut i ymddangos ar lwyfan.

Mae'r rhaglen sy wedi'i hargraffu o'r 'Grand Concert by the Velindre Children's Party, at the Memorial Hall, St Dogmael's on Thursday August 2nd 1951' fel rhan o'r 'Festival Week' leol gen i o hyd. Mae'r rhaglen yn uniaith Saesneg ac yn cynnwys manylion am ddeg eitem yn y rhan gynta a deg eitem yn yr ail ran gan gynnwys 'Choruses, Action Song Solo, Mannequin Parade' ac yna 'Duet "Lliw Gwyn Rhosyn yr Haf" – Elda a Peter', ac wedyn, 'Recitation "Ymadawiad Nellie" – Peter'.

Mae'n amlwg i fi gael y cyfle i berfformio ac i ganu ac adrodd ar lwyfannau pan oeddwn i'n blentyn a bod ymddangos ar lwyfan wedi bod yn rhan o 'mywyd i byth oddi ar hynny.

Snwcer

Ond roedd Neuadd y Ddraig Goch, Felindre, yn cynnig math arall o ddiwylliant i ni'r ieuenctid hefyd. Mewn ystafell eang roedd tri bwrdd snwcer a'u cyflwr o'r safon ucha. Yno y treuliais oriau lawer gyda'r nos yng nghwmni fy ffrindiau yn ceisio potio'r peli cochion a'r lliwiau. Marged a Dai, Trefeca, oedd gofalwyr yr hen neuadd a bydde Marged yn gosod y cloc a ganai ar ôl hanner awr i ddweud bod ein hamser ar ben. Roedd ofn Marged arnon ni i gyd a bydde'n diffodd y golau pan fydde unrhyw ddwli.

Pan adeiladwyd y neuadd newydd ar draws y ffordd daeth Bessie ac Ianto, Landŵr, i edrych ar ein holau a gofalai Bessie amdanon ni a'r byrddau gwyrdd gan ddilyn yr un traddodiad. Cofiaf yn dda am Joe a Fred Davis, pencampwyr snwcer y byd, a Horace Lindrum ac eraill yn dod yn eu tro i'r ddwy neuadd i arddangos eu doniau. Mae pob cenhedlaeth o blant y pentre wedi dysgu chwarae snwcer ers y dyddiau pan oeddwn i'n grwt ac maen nhw'n dal i chwarae yn y gwahanol gynghreiriau. I fi, doedd neb tebyg i Rhys Tycoed, Eirwyn Maesyberllan ac Arthur Landŵr am chwarae snwcer.

Neuadd Newydd

Braint i fi oedd cael cymryd rhan yn y gweithgareddau yn ystod wythnos agoriad y neuadd newydd ym Medi 1964. Fe enillodd Ann Winston (Ann Pash wedyn) a'i chwaer Norma a finne wobrau yn Eisteddfod Genedlaethol Abertawe ddechrau

Awst y flwyddyn honno ac fe'n gwahoddwyd i gyflwyno eitemau yn yr Agoriad Swyddogol. Fe ganwyd pennill o emyn o 'ngwaith wrth ymgysegru'r neuadd:

Dyro Dad dy hael ddaioni,
A bendithia'n neuadd ni;
Boed hyfrydwch i'r gymdeithas
Dardda rhwng ei muriau hi;
Llywia ynddi bob un adeg
Holl weithgarwch dyddiau ddaw,
A'i chysegru â'th ewyllys,
Boed hi bythol yn dy law.

Yn 2008 gwariwyd hyd at hanner miliwn o bunnau i ehangu ac adnewyddu Neuadd y Ddraig Goch gan osod goleuadau a sustemau sain digidol newydd. Braint i fi unwaith eto oedd cael bod yn brif westai'r noson agoriadol honno, a chael annerch y gynulleidfa yng nghwmni cyfeillion fel Alwyn Davies a fu'n gymydog da i ni fel teulu ac Olive Campden a fagwyd drws nesa i fi yn Llwynbedw, ynghyd â'r anfarwol John Crossley sy'n gynghorydd sir Plaid Cymru dros fy hen ardal ac yn weithiwr diflino. Wrth fynd trwy'r pentre yn yr haf y llynedd yn ystod yr Wythnos Garnifal fedrwn i ddim llai na sylwi mai baneri dreigiau coch a'r Tywysog Llywelyn oedd yn hofran ar hyd a lled y pentre. Welais i mo'r un Jac yr Undeb o gwbl. Mae rhai pethau'n newid er gwell, heb os, yn yr hen ardal!

Braf oedd clywed bod y bwrlwm cymdeithasol yn parhau a bod gweithgareddau dyddiol a phob gyda'r nos bron yn y neuadd newydd. Wrth gwrs, mae'r byrddau snwcer mor brysur ag erioed. Bydd rhaid i fi alw heibio ryw noson i gael gêm fach, er mai 'bugeiliaid newydd sydd ar yr hen fynyddoedd hyn' bellach!

Llwyfan
y Cyfansoddi

MAE YN FY MEDDIANT o hyd gopi o'r llyfr *Cerddi Digri a Rhai Pethau Eraill* gan Idwal Jones. Ond yn fwy arwyddocaol i fi yw'r hyn sydd wedi'i ysgrifennu ar y dudalen gynta, 'I Peter Hughes Griffiths, Christmas Tree Closygraig 1948'. Heb os, wrth edrych yn ôl, fe gafodd y llyfr bach hwn o waith un o'n prif ddigrifwyr ddylanwad mawr arna i. Fe es i ati i ddysgu'r limrigau a'r adroddiadau digri bron i gyd a'u hadrodd wedyn yng nghyfarfodydd diwylliannol y capel ac ar lwyfannau gyda'r Velindre Children's Party ar hyd a lled y wlad. Bydde ambell limrig fel hwn bob amser yn cael ymateb da.

> Hen groten fach annwyl yw Bessie!
> A wyddoch chi, fechgyn, be wnes i?
>   Es â hi, ar fy ngair,
>   Ar y swings yn y ffair,
> A swinges hi lan yps-i-desi!

Oni bai i fi dderbyn llyfr digri Idwal Jones yn anrheg Nadolig gan Gapel Closygraig yn grwt, tybed a fydde'r hiwmor a'r digrifwch a'r cyfansoddi a'r perfformio sydd wedi bod yn rhan bleserus o 'mywyd wedi datblygu o gwbl? Pe bai Capel Closygraig wedi rhoi'r oren neu'r afal traddodiadol i fi'r pryd hwnnw, gallwn fod wedi troi mas yn berson sych a chrebachlyd. Pwy a ŵyr!

Dechrau Cyfansoddi

Wrth adrodd darnau digri Abiah Roderick am yr enwog Matilda yn fy arddegau, fedrwn i ddim llai na sylweddoli mai dyna'r darnau roedd pawb arall yn eu hadrodd hefyd. Doedd dim amdani felly ond mynd ati i gyfansoddi darnau digri fy hunan a gofyn i Aled Parc Nest fy helpu, ac yn ystod gwers rydd yn y labordy Bioleg yn y chweched isaf dyma ddechrau arni.

Fe gawson ni'r weledigaeth fawr mai 'Y Fi' fydde teitl y cyflwyniad gyda'r bwriad o adrodd ychydig o fy hanes, a hynny mewn tafodiaith ac yn dechrau fel hyn:

> Fe ges i ngeni mewn priffab bach ryw filltir o Bostbach ar bwys
> Pwll y Gaseg yn ymyl Cwmwdbein ar rosydd Banc Siôn Carthen...
> A wi'n cofio fel tase hi ddo' pan ges i ngeni... *Awr y Plant* oedd ar
> y radio ta beth, a'r dyn yn gweud fel broga ag annwyd arno fe,
> 'SOS Galw Doctor Mathias, bliw bebi born on Banc Siôn Carthen.'
> A phwy o'ch chi'n meddwl o'dd hwnnw?
> Ie, Y Fi!

Yna, wrth adeiladu'r darn fe daflwyd llinellau yn odli i mewn wrth sôn am fynd ar ôl y merched:

> A hebrwng dwy slipen o ardal Llannon
> Dw i'm yn siŵr, ond peidwch becso,
> Wi'n credu bod un o nhw yma heno,
> Ac er mwyn penderfynu, medde Twm wrtha i
> 'Cer di â'r gaseg, gâd y poni i fi!'

Do, fe enillodd yr hen ddarn digri cynta hwnnw sawl gini dderbyniol iawn i fi ar hyd a lled yr eisteddfodau yn fy arddegau. Yna, er mwyn osgoi bod yn adroddwr un darn, fe es i ati i gyfansoddi mwy a mwy o ddarnau digri i'w hadrodd, ac ers y. dyddiau hynny rwy wedi bod wrthi'n ddi-stop yn ysgrifennu pob math o ddeunydd ysgafn a digri.

Yn y chwedegau cyhoeddais ddau lyfr, *Help Llaw i'r Noson Lawen* a *Chwant Chwerthin*, y naill fel y llall yn llawn o ddeunydd ysgafn ar gyfer llwyfannau'r noson lawen boblogaidd yng Nghymru. Dyma ddywedodd y beirniad Gwyn Williams, Bangor, yn *Cyfansoddiadau a Beirniadaethau* Eisteddfod Genedlaethol Abertawe yn 1964 wrth fy ngwobrwyo yn y gystadleuaeth am ddeunydd i'r noson lawen:

Mae'r cynnwys yn nhraddodiad gweithiau Idwal Jones ac eraill. Dyma lyfryn sy'n llawn caneuon ysgafn, caneuon pop a chyfoes, adroddiadau digri, sgetsiau a chasgliad o storïau digri i arweinyddion. Bydde cyhoeddi'r casgliad hwn yn gyfraniad gwerthfawr i adloniant ysgafn Cymru.

Roedd y sylwadau hyn yn gryn sbardun i grwt oedd yn ei ugeiniau cynnar ar y pryd.

Cyffredin

Cwmni bois fel Aled Parc Nest ac Emyr Llew a Miss Caron, ein hathrawes Gymraeg yn Ysgol Llandysul, a'm denodd at farddoniaeth a llenyddiaeth Gymraeg, er mai disgybl digon cyffredin fy ngallu oeddwn i. Roedd fy noniau llafar dipyn gwell na'm rhai ysgrifenedig, ac mae hynny'n ddigon gwir hyd heddiw.

Mae'r llyfrau ysgrifennu E J Arnold coch gen i o hyd yn y cwtsh dan stâr, ac fel y bydd llawer yn cofio, roedd lliwiau gwahanol ar gyfer pob pwnc – coch i'r Gymraeg, glas i Hanes, gwyrdd i Ddaearyddiaeth a phiws i Fathemateg. Mae ailagor fy llyfrau ysgrifennu Cymraeg yn dangos yn glir fod safon fy sillafu'n ddiffygiol iawn, gyda phob 'u' yn 'i'. Ie, cyffredin oedd fy ngallu ac yn y pumdegau roedd y marciau ar gyfartaledd.

Efallai fod geiriau Mam yn wir unwaith eto, pan ddywedodd hi flynyddoedd ynghynt mai *late developer* oedd Peter!

Tröedigaeth

Gwnes gais i gael fy hyfforddi fel athro a chael fy nerbyn i Goleg y Drindod ond, cyn dechrau yno, yn ystod haf 1958 fe ges i'r hyn rwy'n ei ddisgrifio'n gellweirus fel 'fy nhröedigaeth farddonol' a dod yn ffan mawr o'r beirdd. Digwyddodd hynny'n dilyn noson o Ymryson y Beirdd yn Neuadd Henllan yn y pentre bychan sydd ochr draw i'r afon Teifi, yng Ngheredigion, a llai na milltir o 'nghartref i yn 3, Llysnewydd, Dre-fach Felindre, ar y pryd. Hwn oedd y tro cynta i fi brofi ymryson byw a gweld beirdd byw ar lwyfan yn cyfansoddi ac yn adrodd eu gweithiau. Roedd T Llew Jones, Dic Jones, Isfoel ac Alun Cilie yno a'r cyfan wedi'i drefnu gan Dan Lyn James, un o fechgyn disgleiria Henllan ac arloeswr dysgu Cymraeg fel ail iaith. Fedrwn i ddim llai na rhyfeddu at gampau'r beirdd yn mynd i'r ystafell y tu ôl i'r llwyfan i gyfansoddi ar ôl derbyn eu tasgau. Dyna oedd cyfansoddi ar y pryd mewn gwirionedd.

Testun yr englyn a osodwyd oedd 'John y Gwas', yr enw poblogaidd ar John Evans, arweinydd y noson. Tafarnwr boliog llawn hiwmor ar lwyfan oedd John Evans a'i wallt trwchus yn wyn fel yr eira. Roedd e'n gymeriad diwylliedig ac yn ysgrifennu i'r *Carmarthen Journal* o dan yr enw John y Gwas fel y soniais eisoes. Dim ond esgyll yr englyn iddo gan Dic Jones a gofiaf erbyn hyn:

Ei wallt neis sydd fel eisin,
Hwn yw'r jawl a ranna'r jin!

Gan fod nifer wedi dod ynghyd o'r ddwy ochr i'r afon Teifi y noson honno rwy'n cofio'n glir am John y Gwas yn ceisio cael pawb i ddod i eistedd yn y tu blaen ac yn nes at y llwyfan, ac medde fe,

'Mae'n braf gweld pobol Sir Gaerfyrddin yma yn ogystal â phobol Sir Aberteifi. Ond wi'n sylwi ar ôl ichi ddod i mewn trwy'r drws cefen bod y Cardis i gyd wedi ishte yn y cefen. Ma Cardis yn arfer ishte yn ymyl y drws. Ond sdim ishe ichi fecso achos does dim casgliad heno, felly dowch i'r tu blaen i ymuno yn yr hwyl.'

A hyd y galla i gofio dyna'r tro cynta i fi glywed unrhywun yn tynnu coes y Cardi ynglŷn ag arian. Rhaid i fi gyfadde mod i wedi gwneud hynny laweroedd o weithie wedyn mewn nosweithiau yn yr hen sir.

Roedd Miss Lena Jones, neu Miss Caron i genedlaethau o blant yr Ysgol ar y Bryn, wedi'n cyflwyno i fyd y cynganeddion yn y chweched dosbarth a ninnau wedi bod wrthi'n potshan cyfansoddi, ond ar ôl y noson boeth o haf honno yn Neuadd Henllan tyfodd yr awydd i fod yn rhan o'r diwylliant cyfansoddi barddoniaeth go iawn!

Cyfansoddi

I fi, yn Neuadd Henllan, hwn oedd 'y cyffro cychwynnol' fel y galwodd T H Parry-Williams ef. Es i ati o ddifri i feistroli'r cynganeddion a dysgu'r rheolau, ac yn ystod fy mlwyddyn gynta yng Ngholeg y Drindod dyma fynd ati i lunio cwpledi ac ambell englyn neu gywydd.

Yn *Y Derwydd*, sef cylchgrawn y coleg, ym Mai 1959 fe ymddangosodd fy ymdrech gynta i lunio cywydd 'I'r Ferch a Garaf', gan ddechrau fel hyn:

> Ces gymar, O! mae'n gariad,
> Un a'i steil yn llywio'i stad.
> Betiaf na welwyd biwti
> Mor loyw, hoyw â hi...

I fi ar y pryd roeddwn wedi cyfansoddi campwaith, ac wrth edrych yn ôl, er mor dila oedd yr ymdrech, o leia roedd y gynghanedd yn gywir!

Erbyn rhifyn nesa *Y Derwydd* ym Mai 1960, ymddangosodd tri englyn Cymraeg ac un Saesneg o 'ngwaith ynddo. Roeddwn i'n real bardd erbyn hyn, ond trwy drugaredd dim ond gen i, ac o bosibl gan un neu ddau arall o fyfyrwyr y cyfnod, mae copïau o'r cylchgronau hynny gan na ddymunwn i Tudur Dylan Jones a'i gyfeillion wybod mai llinellau fel hyn oedd fy ymdrechion i:

Ond, t'wyllwch crand sy'n handi
I foi profiadol fel fi!

Yn y papur arholiad Cymraeg ar ddiwedd y flwyddyn gynta, fe roddodd Bobi Jones y dewis i ni yn ei gwestiwn ola i lunio naill ai ddarn gwreiddiol o farddoniaeth neu lenyddiaeth ar y testun 'Cymydog'. Treuliais yr hanner awr yn ysgrifennu englyn ar Sam y Bwtshwr, fy nghymydog gartref yn Felindre. Er nad wyf yn ei gofio, do, fe gafodd Bobi Jones gryn sioc fod un o'i fyfyrwyr wedi medru llunio englyn mewn hanner awr.

Yr Ail Dalwrn

Mynd i gystadlu ar yr adrodd digri yng Ngŵyl Fawr Aberteifi wnes i ar brynhawn Sadwrn, 1 Mehefin 1962, a throi i mewn i'r Babell Lên i fwynhau Ymryson y Beirdd am ddau o'r gloch. Pwy oedd wrth y fynedfa i'r babell ond y Parchedig W J Gruffydd (Elerydd), Tomi Evans, Tegryn, a Lynn Owen-Rees.

'Ry'n ni un yn brin, ma ishe pedwar yn y tîm. Dewch yn aelod o'n tîm ni,' oedd geiriau cynta WJ pan welodd e fi, a chyn i fi gael cyfle i feddwl am esgus roeddwn i'n aelod o dîm Ymryson y Beirdd am y tro cynta, a bron llenwi fy nhrowsus gan ofn wrth wynebu'r tîm arall – y Parchedig Dafydd Henri Edwards, Desmond Healy, Idwal Lloyd a'r Parchedig Albert Wyn Jones. Ar ben hyn i gyd, pwy welwn i'n eistedd yn y gynulleidfa ond Norah Isaac, fy narlithydd yng Ngholeg y

Drindod, ac fe allwn i ddarllen ei meddwl: 'Ma cythrel o *cheek* 'da hwn i fod yn nhîm Ymryson y Beirdd!' Gwenodd arna i.

Y bardd gwanna, fel rheol, sy'n mynd gynta mewn ymryson a phan gyhoeddodd y Meuryn, W D Williams, y Bermo, mai'r dasg oedd ateb y llinell saith sillaf 'Tŷ haf yn Aberteifi' neidiais ar fy nhraed a chydio yn y darn papur, ac allan â fi i'r haul ac eistedd ar y borfa. Gweddïais... 'O Dduw, dere â llinell i fi! Sa i ishe gneud ffŵl o'n hunan... plis!' Fe ddechreuais i feddwl.

Beth am... 'rhywbeth... rhywbeth... y môr i mi, Tŷ haf yn Aberteifi'?

Mae'n dod... a, chofiwch, doedd dim odliadur yn y cyfnod hwnnw! Beth am... 'Rhowch oror y môr i mi, Tŷ haf yn Aberteifi'?

Roedd gen i gof i fi glywed yr hen air 'goror' yn rhywle, ond doeddwn i ddim yn hollol siŵr o'i ystyr chwaith. Ond roedd y deng munud ar ben, a nôl â fi i'r babell i ddarllen fy nghwpled, a hynny gydag arddeliad gan gyfleu rhyw foddhad pwrpasol yn fy llais.

Rhowch oror y môr i mi,
Tŷ haf yn Aberteifi.

Yna, fe ddarllenodd Idwal Lloyd ei gwpled yntau,

Tŷ haf yn Aberteifi
Ger gwesty braf fynnaf i.

Roedd gen i'r teimlad nad oedd W D Williams chwaith yn siŵr o ystyr y gair 'goror' yn fy nghwpled, ond yn ei ffordd ddihafal ei hun a chyda chryn hiwmor cyhuddodd fi o lunio llinell a oedd yn drwm o'r llythyren 'r', a hynny'n bwrpasol am ei fod e'n ynganu'r llythyren honno'n wahanol i bawb arall. Cofiaf mai 'f' oedd ynganiad WD am 'r', ac fe adroddodd fy llinell 'Fhowch ofof y môf i mi' a'r babell yn llawn chwerthin braf. Tri marc yr un allan o bump a gawson ni ac fe winciodd Norah arna i gan ddangos ei boddhad.

Y peth cynta wnes i ar ôl mynd adre oedd chwilio am y gair 'goror' yn y geiriadur. Ei ystyr oedd ffin, ymyl (a'r lluosog yw gororau). Roedd e'n air perffaith yn y llinell, ac rwy'n gwbl argyhoeddedig pe bai WD yn gwybod hynny y bydde wedi rhoi marciau llawn i fi!

Talyrna

Prin iawn fu fy ymddangosiadau mewn Ymrysonau'r Beirdd wedyn nes i fi symud i fyw i Gaerfyrddin, ac ymhen blynyddoedd dyma T Gwynn Jones yn sefydlu tîm Caerfyrddin ar gyfer y *Talwrn* ar Radio Cymru. Aelodau'r tîm hwnnw oedd Gwyneth Evans a'i thelynegion campus, Maldwyn Jones a finne ar y darnau rhydd ac ysgafn a John Davies, Tŷ Nant, a T Gwynn ar y mesurau caeth. Fe fuon ni wrthi am ddegawdau a chyrraedd y rownd derfynol fwy nag unwaith ac yna dod yn bencampwyr yn 1992 gyda Tudur Dylan Jones yn aelod yn lle'r diweddar John Davies erbyn hynny.

Yn y Babell Lên ar faes Eisteddfod Genedlaethol Aberystwyth y cynhaliwyd y rownd derfynol a'r dasg ar fy nghyfer i oedd cân ar y testun 'Maes y Brifwyl'. Ar ôl darllen y rhagair i Raglen y Dydd yr Eisteddfod gan Geraint Jenkins, cyflwynais y gân hon a chael naw marc a hanner allan o ddeg gan Gerallt:

> Fe ddaeth yr hen ŵyl unwaith eto, a melys
> Yn Aber fydd rhodio'r maes yn atgofus.
> Fe welaf RE yn dilyn Syr Ifan
> A'r ie'nctid bywiog o'u cwmpas ymhobman,
> A lle'r Mudiad Meithrin yn fwrlwm o ysgol
> A Norah a'i saith bach hithe'n eu canol.
> Bydd Alun R Edwards a'i weledigaethe

O gwmpas y maes yn ei hen fan lyfre.
Ym mhabell UCAC bydd Jac L ac Alwyn
Wrthi'n arloesi a thanseilio'r gelyn.
Bydd Dafydd a'i gywydd ym mhabell Barddas,
Parri Bach a Gwenallt, T Gwynn a Niclas.
Gweld Idwal a Cassie o babell i babell
A Roy fan yma yn procio a chymell.
Fe glywn y tenoriaid a'r baswyr yn tiwnio
'N y Stiwdio Gerdd, ac RS yn cyfeilio
A'r Dr a Ieuan yn arwain y tone
Nos Sul y Gymanfa o ganu emyne.
Fe fyddan nhw yma i gyd i'n hysgogi
I ddal ein gafael, a'n hysbrydoli.
(RS – R S Hughes, awdur 'Arafa, Don' a'r 'Dymestl', Dr – y Dr Joseph
Parry, Ieuan – Ieuan Gwyllt)

Ychydig a feddyliodd y crwt deunaw oed hwnnw yn Neuadd Henllan ar y noson boeth o haf honno yn 1958 y bydde'n aelod o'r tîm a enillodd 'Cup Final' *Talwrn y Beirdd*. Roedd fy nghwpan barddonol yn llawn!

Do, fe gafodd tîm Caerfyrddin gryn lwyddiant mewn ymrysonau gan ennill talyrnau yn eisteddfodau Llambed a Phantyfedwen ac mewn mannau eraill yn gyson. Ond mae fy nyled yn fawr iawn i T Gwynn (Abergwaun erbyn hyn) am ei ofal a'i gyngor ac am gaboli cymaint o'r deunydd. Galwai Gwynn yn gyson yma yn ein cartre yng Nghaerfyrddin gan ei fod yn byw ond rhyw ychydig i fyny'r ffordd oddi wrthon ni. Ond roedd hi bob amser ar ôl deg o'r gloch y nos a'r plant wedi mynd i'w gwlâu ers oriau. Yna, bydde'n tanio'i Hamlet a bydden ni'n sgwrsio tan yn hwyr. Fore trannoeth wrth godi bydde'r plant yn dweud yn syth,

'Buodd T Gwynn 'ma neithiwr 'te!'
'Shwt y'ch chi'n gwbod?' fydde fy nghwestiwn inne.
'O, ma drewdod 'i sigârs e 'ma o hyd!'

Cwlwm

Ar ôl galw heibio ar un o'r nosweithiau hynny yn 1978 y cododd T Gwynn y mater o sefydlu papur bro i ardal Caerfyrddin, ac fe aethon ni ati ar unwaith gyda Gwynn yn olygydd a finne'n drefnydd i sefydlu *Cwlwm*. Fe gawson ni gefnogaeth ardderchog yr holl ardaloedd o gwmpas y dre, ond ni alla i lai na rhyfeddu sut y llwyddodd Gwynn i gyhoeddi'r papur ar Sadwrn cynta pob mis am flynyddoedd maith. Erbyn hyn mae'n cael ei gyhoeddi'n ddi-fwlch yn fisol ers mwy na deng mlynedd ar hugain, ac ychydig a feddyliodd y ddau ohonon ni y bydden ni'n ei weld mewn lliw bellach.

Ar ôl i Gwynn roi'r gorau iddi a symud i Abergwaun, bu sawl un arall yn olygydd yn ei dro. Gorfod i finne fynd ati am gyfnod hefyd pan nad oedd neb arall ar gael er mwyn ei gadw i fynd, ond bellach mae tîm da o wahanol olygyddion wrthi'n fisol, a mis Ionawr yn unig yw fy mis i'n awr.

Rwy'n llawn edmygedd o lafur gwirfoddol golygyddion a chynhalwyr ein papurau bro trwy Gymru gyfan. Dyma'r bobol sy'n deilwng o anrhydeddau'r Orsedd. Ry'n ni'n llawer rhy barod i arllwys ein hanrhydeddau ar enwogion a charfan o bobol sy'n gwneud bywoliaeth fras ar draul yr iaith, tra bo eraill yn gweithio'u gyts mas dros y pethau gorau sy'n perthyn i ni fel cenedl a hynny'n aml heb fawr o ddiolch na chlod na chydnabyddiaeth. Sawl golygydd papur bro sy wedi derbyn y wisg wen?

Bardd Gwlad

Ar hyd y blynyddoedd rwy wedi bod yn cyfansoddi ac yn ysgrifennu pob math o ddeunydd ac yn ymateb i rai ceisiadau mwya annisgwyl yn nhraddodiad yr hen fardd gwlad. A dweud y gwir, mae'r disgrifiad hwnnw'n un digon teg wrth grynhoi fy nghyfraniadau innau. O leia, rwy'n dilyn yn nhraddodiad yr hen fardd gwlad Samuel Owens y bu Mam yn edrych ar ei ôl.

Canu Pop

Yn nechrau'r chwedegau yng Nghymru daeth y don newydd o ganu pop Cymraeg ac roedd canu cyfieithiadau o ganeuon Saesneg ac Americanaidd yn boblogaidd. Dyma fynd ati felly i ysgrifennu geiriau Cymraeg ar bob math o alawon, a'r un a ddaeth yn *hit* yn gynnar iawn oedd 'Un Gusan Fach, F'Anwylyd', sef cân Burl Ives, 'Funny Way of Laughing', ac fe'i cenid bob bore Sadwrn am wythnosau lawer gan Aled a Reg ar y rhaglen radio oedd yng ngofal Ruth Price. Roedd 'Un Gusan Fach' yn un o'r caneuon ar record gynta'r ddau, yn ogystal â fy nghyfieithiad o 'R hen gannwyll ar y bwrdd'. Fe genid 'Un Gusan Fach' yng ngwersylloedd yr Urdd ac mewn tafarndai ar draws y wlad am flynyddoedd.

Yn haf 1963 fe gyhoeddais i ddwsin o ganeuon yn y gyfrol *Tonc* gan gynnwys caneuon gan y grŵp Adar Rhiannon, sef tair o ferched Coleg Aberystwyth ac Aneurin Jenkins Jones a finne.

Gwnaeth Ruth Price gyfraniad chwyldroadol o fewn y BBC trwy ddarlledu'r rhaglen *Tipyn o Fynd* o Fangor bob bore Sadwrn, a hi'n fwy na neb a blannodd yr hedyn canu pop Cymraeg nes iddo ddatblygu i'r hyn yw e heddiw. Hi yn fwy na neb hefyd a'm gorfododd i i gyfansoddi caneuon o bob math ar gyfer ei rhaglenni gan gyhoeddi maes o law ym Mai 1968 fy llyfr, *Pops i'r Parti*, gan y Lolfa. Mae'n ddiddorol darllen yr hyn a ysgrifennais yn rhagair y llyfr hwnnw:

> … rwy wedi bod yn fath o beiriant caneuon pop, yn cyfieithu a chyfansoddi caneuon. Mae llawer o'r caneuon rheiny'n boblogaidd iawn erbyn hyn ac yn cael eu canu yn y gwersylloedd, ar raglenni radio a theledu ac ar recordiau.

Am wn i, roedd y rhain gyda'r llyfrau pop Cymraeg cynta i gael eu cyhoeddi, ac wrth fynd trwy hen doriadau papur newydd yn ddiweddar gwelais y darn yn 'Llyfrau'r Cymro' a oedd yn nodi'r deg llyfr mwya poblogaidd yr wythnos honno. Ar y brig roedd *Pops i'r Parti* gyda llyfrau Gwyn Thomas a T Llew Jones a *Tegwch y Bore* Kate Roberts yn is i lawr. Sôn am flaenoriaethau'r Cymry yn y chwedegau!

'Cân y Celt'

'Cân y Celt' yw'r gân ddiweddara a mwya poblogaidd, efallai, a ysgrifennais i a Meinir ac fe'i clywir ar y radio'n aml y dyddiau hyn. Ar ôl priodi Meinir, daeth ysgrifennu geiriau i'w chaneuon gwreiddiol hithau'n beth digon cyffredin. Yn 1977 ysgrifennodd Meinir a finne'r gân 'Dafydd ap Gwilym' ar gyfer y grŵp Aros Mae ac fe enillon nhw gystadleuaeth Cân i Gymru y flwyddyn honno, cyn mynd ymlaen i'r Ŵyl Ban Geltaidd yn Iwerddon. Roedd Meinir, Bet Jones, Morina Lloyd, Hugh Thomas ac Eifion Price yn rhan o adloniant nosweithiau Glansevin yn y cyfnod hwnnw. Pan sefydlodd Meinir ei chôr merched, Telynau Tywi, dyma fynd ati i gyfansoddi yn arbennig ar gyfer y côr ac mae'r gân 'Gwenllian' yn un arall sy'n boblogaidd iawn.

Yr Aelwyd

Mae gen i ddau lyfr ysgrifennu clawr caled yn llawn o'r caneuon a ysgrifennais adeg oes aur Aelwyd Aberystwyth yn y chwedegau. Yn gyson, bydde criw da ohonon ni'n perfformio yn Neuadd yr Urdd yn y Ganolfan yn Heol Llanbadarn, sydd bellach wedi'i dymchwel a fflatiau wedi'u codi ar y safle. Ysgol berfformio oedd y lle hwnnw i ni ac, wrth gwrs, roedd angen deunydd newydd bob tro gan mai'r un gynulleidfa fydde yno bob nos Wener – caneuon ysgafn, sgetsys a phantomeimiau adeg y Nadolig. Yn dilyn llwyddiant un o'r rheiny y gwahoddwyd fi gan Maldwyn Jones (Coleg y Drindod maes o law) i lunio'r pantomeim *Sioned a'r Arth* i'w berfformio gan ddisgyblion Ysgol Gyfun Llangefni. Ond y pantomeim gorau a wnes i oedd *Dic Whitin Puw* yn Aberystwyth gyda Dic Pugh yn brif gymeriad.

Fe ganodd Dic Pugh a finne sawl deuawd ddoniol gyda'n gilydd, ac un o'r goreuon oedd 'Y Ddau Becyn Crisps' ar yr alaw 'Ble rwyt ti'n myned, fy ngeneth ffein i'. Bydde bag mawr crisps dros y ddau ohonon ni a dim ond ein pennau yn y golwg ac un yn holi'r llall fel hyn,

Beth yw dy enw di fy mhacyn crisps i?
O, caws a winwns, o Syr, mynte fi.

Ac yna'r cytgan:

Dau bacyn crisps a dwy daten ddu
Wedi cwrdd â'i gilydd yn ein haelwyd fach ni.

A phwy yw dy dad di, 'te, fy nghaws a winwns i?
O, yr hen King Edward, o Syr, mynte fi.

A phwy yw dy dad dithe, fy mhacyn plaen i?
Aran Peilot ger Llanuwchllyn, o Syr, mynte fi...

ac felly yn y blaen.

Sefydlwyd Parti Noson Lawen Aelwyd Aberystwyth wedyn ac roedd digon o ddeunydd gyda ni i'w gyflwyno ar lwyfannau ar hyd a lled y wlad. John Garnon a finne fydde'n arwain ac roedd criw o gantorion ifanc arbennig yn rhan o'r parti canu hwnnw gydag Eirion Lewis yn cyfeilio – y ddau wedi'n gadael ers blynyddoedd lawer bellach.

Gwasanaeth i Ysgolion

Yn y saithdegau a'r wythdegau bydde Carey Williams o Adran Addysg y BBC yng Nghaerdydd yn gofyn i Meinir a finne lunio caneuon ar gyfer pob math o raglenni ysgolion. (Fe gofiwch mai Carey Williams a ddaeth ymlaen i chwarae 'Hen Wlad Fy Nhadau' ar ddiwedd perfformiad y Dorian Trio yn Ysgol Llandysul flynyddoedd cyn hynny.) Fe fuon ni'n cyfansoddi'n gyson am flynyddoedd ond chadwyd mo'r copïau hynny. Gwasanaeth gwerthfawr iawn oedd hwnnw gan BBC Cymru i athrawon a phlant ysgolion Cymru ac roedd cyfraniad Carey ac eraill yn yr adran honno'n un amhrisiadwy.

Pan oeddwn i'n athro yn yr Ysgol Gymraeg, Ysgol Commins Coch ac Ysgol Dinas, Aberystwyth, fe fues i wrthi'n paratoi pob math o ddeunydd ar gyfer plant yr ysgolion. Fe gyhoeddais i *Digri Dim Dagrau*, llyfr llawn o ddeunydd ysgafn gyda lluniau doniol i blant gan Towyn Jones, ac yna *Amser Chwarae* ar y cyd â Tegwyn Jones, Bow Street.

Yn ei cholofn 'Byd Llyfrau' yn *Y Cymro*, meddai Jennie Eirian Davies,

Mae'r llyfr *Digri Dim Dagrau* wedi mynd â fy mryd yn llwyr. Yn wir, rwy wedi ffoli ar hwn oherwydd mae pob oed yn dotio at y math o hwyl sydd ynddo... ac os bydd yma ddagrau o gwbl, dagrau chwerthin fyddan nhw.

O ganlyniad, fe ddaeth Jennie ar fy ôl i gyfrannu tudalen ysgafn yn fisol i'r cylchgrawn plant cydenwadol *Antur*, a bu hynny'n dipyn o her!

Blodau'r Ffair

Cylchgrawn arloesol yn llawn o ddeunydd ysgafn oedd *Blodau'r Ffair* a ymddangosai ddwywaith y flwyddyn o dan olygyddiaeth R E Griffith yn Swyddfa'r Urdd. Fe'i cyhoeddwyd gynta yn 1953 gan werthu pedair mil o gopïau. Yna, chwe mil o'r ail rifyn ac yna naw mil o rifyn Nadolig 1957, a hynny heb unrhyw fath o nawdd. Pa gylchgrawn sy'n gwerthu pymtheg cant o gopïau heddiw? Fe ges i'r cyfle gan RE i gyfrannu limrigau, caneuon ysgafn, storïau doniol a llawer mwy i gylchgrawn hynod o boblogaidd y cyfnod. Ambell limrig fel

Roedd geneth o ddwyrain Sir Gâr
Yn sefyll bob dydd ar y sgwâr,
  Het blu ar ei phen,
  A chot flewog wen
Ac yn clochdar yn gwmws fel iâr!

Gwnaeth RE wyrthiau yn hyrwyddo'r awen ysgafn a rhoi cyfle i gymaint o bobol i gyfrannu i *Blodau'r Ffair*.

Instant Welsh

Yn ystod fy nghyfnod fel Pennaeth y Ganolfan Adnoddau Addysgu yng Ngholeg y Drindod ces gyfle i baratoi deunydd a llyfrau ar gyfer athrawon a phlant – pecynnau addysgol ar Dewi Sant a Beca ac eraill. Yn ogystal, fe ddaeth cyfle i lunio deunydd ar gyfer myfyrwyr a gweithio'n agos gyda Carys Edwards a hithau'n ddarlithydd yn y Drindod ar y pryd, ac ysgrifennu sgriptiau ar gyfer cyflwyniadau gan Gwmni Cymdeithas Ddrama Pernod rhwng 1989 ac 1995. Bydde perfformiadau'r myfyrwyr yng ngofal Carys yn fy atgoffa o'r profiadau hynny a gefais innau yn nyddiau Norah Isaac. Mae Carys yn un o'r goreuon yng Nghymru am ddehongli a chynhyrchu sgriptiau, ac mae hi'n dal wrthi.

Ar gais Wyn Thomas, Siop y Pentan, fe es i ati i lunio tri thâp casét *Instant Welsh* lefelau 1, 2 a 3 ar gyfer y rhai heb ddim gair o Gymraeg. Y syniad oedd y gallai pobol chwarae'r casét wrth deithio yn y car gyda digon o ymarferion iddyn nhw eu hailadrodd, a dysgu gan ddechrau gyda chyfarchion syml a datblygu'n araf bach. Elinor Davies, mam Angharad Mair, a finne fu wrthi'n recordio yn Stiwdio Fflach yn Aberteifi. Yn ôl Wyn fe werthwyd miloedd ar filoedd o'r casetiau ar hyd y blynyddoedd ac, am wn i, maen nhw'n dal o gwmpas.

Yn ystod noson cinio Clwb Pêl-droed Tref Caerfyrddin un flwyddyn roeddwn i'n gwneud y cyflwyniadau gan gynnwys cyflwyno Bobby Gould, y gŵr gwadd a rheolwr tîm cenedlaethol Cymru ar y pryd. Ar ddiwedd y noson dyma

Bobby Gould yn dod ata i a gofyn ble roedden ni wedi cwrdd o'r blaen, gan ei fod yn teimlo y dyle fe fod yn fy adnabod i. Fe ges i ychydig o syndod ac eglurais mai'r noson honno oedd y tro cynta i ni gwrdd. Roedd e'n berson hyfryd iawn ac fe ddaeth eraill i sgwrsio o amgylch y bwrdd. Yna'n sydyn, dyma Bobby Gould yn cynhyrfu i gyd.

'I've got it,' meddai fe. 'I knew that voice was familiar. It's the voice on the *Instant Welsh* tape I play in my car!'

Do, fe wnaeth Bobby Gould ymdrech i ddysgu Cymraeg gan feistroli'r cyfarchion a llawer i ymateb hefyd. Fe brofais i hynny lawer tro wedyn wrth ddod ar ei draws yn ystod gêmau rhyngwladol timau pêl-droed ysgolion Cymru, a chyfarchai fi bob amser fel Mr Instant Welsh!

Eraill

Un o'r llyfrau mwya pwrpasol a luniais pan oeddwn i ar staff y Drindod oedd y llyfr *Cymraeg Cywir*. Roedd hwn yn llyfr syml yn cynnwys cant o wersi un dudalen ac ymarferion i wella safon iaith plant yn llafar ac ysgrifenedig. Daliaf i gredu bod angen gwersi iaith mwy ffurfiol os am godi safonau iaith ein plant a'n pobol ifanc, ac oedolion o ran hynny. Bydd rhaid i fi anfon copïau i'r BBC er mwyn helpu i wella safon iaith nifer o'u cyflwynwyr!

Yn 1986 cafodd Ysgol y Dderwen, ysgol Gymraeg tre Caerfyrddin, adeilad newydd sbon ac fe es i ati i ysgrifennu hanes yr ysgol a sefydlwyd yn 1956. Gwnaeth Rhys Jones, Llangyndeyrn, y gwaith ymchwil bron i gyd i fi ar gyfer *O'r Fesen, Derwen a Dyf: Hanes Ysgol Gymraeg Caerfyrddin 1955–1985*. Cafodd Ysgol y Dderwen adeilad newydd sbon eto'n ddiweddar ar yr un safle ac mae angen ysgrifennu'r ail bennod bellach yn hanes Ysgol Gymraeg y dre.

Fel rhan o ddathliadau pedwar can mlwyddiant cyfieithu'r Beibl i'r Gymraeg yn 1988 fe ofynnodd Ysgol Uwchradd Griffith Jones yn Sanclêr i Meinir a finne ysgrifennu pasiant i ddathlu'r achlysur. Fe roesom yr enw *Oni bai!* ar y pasiant, gan ddilyn y thema oni bai am William Morgan a Griffith Jones, Llanddowror, a Stephen Hughes, Caerfyrddin, a phobol debyg, tybed beth fydde tynged ein hiaith a'n cenedl wedi bod?

Dros Ben Llestri

Cyfnod arall o gyfansoddi sydyn oedd cyfnod y rhaglenni radio *Hela Sgwarnog* ac yna *Dros Ben Llestri*, a ddaeth yn un o raglenni mwya poblogaidd Radio Cymru am flynyddoedd lawer. Huw Llywelyn Davies oedd yn cyflwyno'r rhaglen, a rhyfeddwn at ei ffordd hwyliog o ymateb ar y pryd i bob math o hiwmor a gyflwynai'r ddau bâr o gystadleuwyr.

Y gamp ola ar y rhaglen bob amser oedd cyfansoddi a darllen cân ddigri ar destun gosodedig ac, yn aml, bydde Huw'n dweud,

'Rhaid i fi fod yn ofalus gyda'r Peter Hughes Griffiths 'ma, achos ma fe'n gallu 'nhwyllo i. Ma gyda fe'r ddawn o gyflwyno stwff gwael yn dda, mor dda nes bo fe'n rhoi'r argraff ichi bod y cynnwys yn well na beth yw e – ond dyw e ddim.'

A do, fe ges i farciau llawn gan Huw sawl tro chwarae teg iddo – unwaith yn Nhalgarreg am y darn 'Yn yr Ardd', yna yn Llan-non, Ceredigion, am y darn 'Yr *Au Pair*' a gyhoeddwyd yn *Dros Ben Llestri: Goreuon y Gyfres Radio*, a'r darn rhyfedd hwnnw ym Mhenrhyn-coch. Mae'n werth i fi adrodd y drafferth ges i gyda hwnnw.

Bydde Ceri Richards y cynhyrchydd yn anfon y tasgau i ni ar gyfer dwy raglen tua'r dydd Gwener cyn y recordio ar y nos Lun neu'r nos Fawrth ganlynol. Roedd hynny'n golygu bod angen paratoi dros y penwythnos. Erbyn y nos Sul cyn y recordio ar y nos Lun ym Mhenrhyn-coch, a finne heb gychwyn ysgrifennu'r gân gyda'r teitl 'Cerdd Dant', roedd pethau'n edrych yn ddu iawn. I ddechrau, beth sy'n ddoniol mewn cerdd dant? Doedd dim unrhyw fath o syniad na gweledigaeth yn unman wrth i fi dreulio'r nos Sul honno yn yr ystafell ffrynt yn chwilio am ysbrydoliaeth.

Ar y silff lyfrau yn fy ymyl fe welais i gopi o *Allwedd y Tannau*, cylchgrawn y Gymdeithas Gerdd Dant. Dyma fi'n ei agor ac edrych trwyddo i weld a oedd rhyw syniad am gân yn rhywle. Yng nghefn pob rhifyn mae rhestr hir o'r aelodau. Roeddwn i'n gwybod hefyd mai dim ond rhyw funud a hanner o amser gâi pawb i adrodd ei gân ar y rhaglen. Felly, fe es i ati i gynnwys cymaint o enwau ag y gallwn ar gân o fewn y funud a hanner gan adrodd y cwbl ar gyflymdra anhygoel. A dyma'r gân wnes i ei hysgrifennu'r nos Sul honno gan enwi'r cyfeillion oedd yn flaenllaw yn y byd cerdd dant yn y cyfnod hwnnw, er bod llawer wedi'n gadael erbyn hyn.

Cerdd Dant

Caf sôn am y cwbwl, a hynny ar frys,
Bobi Morris yw'r llywydd a Menai yw'r is,
A Dewi yn drefnydd, a'i Rhian fach dlos
A'u holl Flodau'r Eithin, a'r taid Emrys Jôs.
Ac Elfyn o'r Sarnau, Haf Morris a'i mam,
Aled Lloyd Davies, Noel John, Alwyn Sam,
Nan Elis, Ruth Aled ac Eirlys a Siôn,
Ceinwen a Derwyn a Leah o Fôn.
Ieuan ap, Alan Wyn, Alun Tegryn, ie siŵr,
Meinir Lloyd o Gaerfyrddin (a'r twpsyn o ŵr!),
Eilir Clunderwen, Robin Jâms, Bethan Bryn,
Mirain, Dan Puw, Elinor Pierce, Einir Wyn,
Parti'r Ffynnon a Morfudd Maesaleg, neb gwell,
(Roedd rhaid i fi'i henwi, mae'n perthyn o bell!)
Uwchllyn, Y Parc, Seiriol, Y Ffin,
Y Ddwylan, Penyberth yw'r merched o Lŷn.
John Eifion a Carol, Dafydd Idris ac Ann,
Huw Edward Jones, ddaw e nôl yn y man!
Delyth Medi, Siân Eirian, Tudur Jones, Nia Clwyd,
Rhian Williams ac Elwyn Llanbrynmair, Alan Llwyd,

Triawd Hamani, Hiraethog a'r Ffôr,
Parti Cymerau a chriw Glan y Môr,
Rhiannedd Cwm Rhymni a Merched Glyndŵr
A'r Meibion o Ddwyfor, Parti Lleu, ie'n siŵr.
Pantycelyn a Bangor, Godre'r Aran... OK,
Mae Garth, Telyn Teilo lawn cystal o'r de.
Dafydd o'r Ddinas a Ceinwen a Mona,
O'Neill, Catherine, Gaenor a Carys yn ola'.
A 'sech chi'n whilo trwy Gymru nes boch chi yn gant,
'Sneb arall ar ôl yn y busnes Cerdd Dant.

Dramâu

A finne wedi cael y cyfle o 'mhlentyndod i wrando ar bob math o ddramâu yn Neuadd y Ddraig Goch, Felindre, rwy wrth fy modd yn mynd i weld dramâu. Er i fi fod yn rhan o gynyrchiadau Norah yng Ngholeg y Drindod a Chwmni Bro Myrddin am gyfnod hir wedyn, doeddwn i erioed wedi mentro mynd ati i ysgrifennu drama.

Yn Eisteddfod Genedlaethol Aberystwyth yn 1992 roedd cystadleuaeth ysgrifennu comedi un act heb fod dros ddeugain munud o hyd. Harri Parri oedd y beirniad a bu'n rhaid iddo ddewis tair drama i'w pherfformio yn Theatr y Maes cyn cyhoeddi'r buddugol.

Fe es i ati i ysgrifennu comedi a honno wedi'i lleoli yn lownj un o westai Aberystwyth yn ystod wythnos yr Eisteddfod. Ymhlith y cymeriadau oedd yn aros yn y gwesty roedd cynghorydd sir a fawr ddim o ddiddordeb ganddo yn y diwylliant na'r iaith Gymraeg. Yno hefyd roedd golygydd un o bapurau bro Cymru oedd yn weithiwr diflino dros y pethe. Y tro mawr yn y gomedi *Tipyn o Sioc* oedd deall bod y cynghorydd yn dod i'r Eisteddfod i gael ei urddo i'r Orsedd gyda digon o ddychan yn cydredeg â'r hiwmor yn y sgript *laugh a minute*. Yn wir, llwyddais i gael gwared ar sawl *chip* oedd ar fy ysgwydd mewn perthynas â'r rheiny sy'n meddwl eu bod nhw'n Gymry da heb ddeall gwir ystyr hynny mewn gwirionedd. Rwy'n ofni i'r Seiri Rhyddion gael pelten gen i hefyd!

Fe ges i wybod y bydde 'nghomedi i'n cael ei pherfformio yn Theatr y Maes ac y gallwn ddewis y cwmni i'w pherfformio. Doedd dim amdani ond gofyn i Garry Nicholas a'i gwmni yn Llanelli. Roedd Garry yn cynhyrchu dramâu'n flynyddol yn Theatr Elli a bu ei gyfraniad yn aruthrol i fywyd Cymraeg y dre ac i fyd y ddrama'n arbennig.

Profiad anghysurus i awdur yw gorfod eistedd yng nghanol cynulleidfa i wylio perfformiad o'i ddrama ei hun, yn enwedig os mai comedi yw hi. Fe ddowch chi i wybod mewn dim a yw hi'n plesio ai peidio. Fe roddodd Garry a'i gwmni berfformiad ysgubol yn y Theatr ar faes prifwyl Aberystwyth ac rwy'n argyhoeddedig mai hynny a enillodd y dydd gyda Harri Parri yn dyfarnu'r wobr i fi. Gan mai hon oedd fy ymdrech gynta i ysgrifennu drama, a finne wedi ennill, roedd yr awydd i gyfansoddi mwy o gomedïau wedi cydio.

Comedïau *Cwlwm*

Flynyddoedd ynghynt roedden ni wedi sefydlu ein papur bro *Cwlwm* yma yng Nghaerfyrddin ac ymhen amser yn chwilio am ddulliau o godi arian i gynnal y papur. Es ati i sefydlu Gŵyl Gomedïau *Cwlwm* yn Neuadd San Pedr gan wahodd cwmnïau lleol i gyflwyno tair comedi ar nos Wener a nos Sadwrn ym mis Mawrth. O'r dechrau bu'n llwyddiant mawr a'r neuadd yn orlawn ar gyfer y perfformiadau gan wneud digon o elw ar gyfer ein papur bro. Mae'r ŵyl wedi'i chynnal yn ddi-fwlch er 1990 ac er i fi 'i threfnu am y deuddeng mlynedd cynta mae eraill wrthi ers hynny.

Roedden ni'n dibynnu'n bennaf ar gwmnïau fel Adar y Coed o Flaenycoed yng ngofal Elgan Thomas a chwmni Ffynnon-ddrain yng ngofal Nan Lewis a Bet Jones, ynghyd â sawl cwmni arall yng ngofal Nan Lewis. Bydde Nan yn ysgrifennu'i dramâu ei hun ond bydde'r lleill yn gofyn i fi wneud hynny ar ôl i fi ennill yn Aberystwyth. O ganlyniad fe es ati i ysgrifennu un neu ddwy o gomedïau'n flynyddol i'r cwmnïau hyn gan wybod bod Brian Walters, Clunmelyn, ac Elgan Thomas, Blaenycoed, yn gymeriadau parod i unrhyw sefyllfa ddoniol. Rwy mor falch o weld erbyn hyn fod Elgan Thomas a Bet Jones yn ysgrifennu eu comedïau eu hunain ar gyfer y ddau gwmni'n flynyddol.

Mae'r comedïau a ysgrifennais, rhyw bymtheg neu fwy, wedi'u perfformio ar hyd a lled Cymru yng nghystadlaethau drama y Ffermwyr Ifanc ac mewn gwyliau drama eraill. Rwy'n siŵr fod Gŵyl Ddrama Flynyddol Bethania, Rhuthun, wedi perfformio pob un ar hyd y blynyddoedd a daw cais am ganiatâd yn gyson gan eraill. Fe ges i wahoddiad i Drelech y llynedd i weld dwy o'm comedïau yn cael eu cyflwyno gan gwmnïau lleol, a doeddwn i ddim yn cofio fawr ddim am eu cynnwys nhw a dweud y gwir. Fe ges i foddhad mawr, nid yn unig am mod i'n chwerthin yn braf yn ystod y perfformiadau, ond oherwydd bod gweld y gynulleidfa mewn sterics hefyd yn deimlad mor braf.

Tlysau

Rwy wedi ennill y Fedal Ryddiaith ddwywaith yn Eisteddfod Rhys James, Llanbedr Pont Steffan. Y tro cynta oedd yn 1992 am raglen nodwedd yn seiliedig ar unrhyw lyfr Cymraeg, ac fe ddewisais hunangofiant W R Evans, *Fi Yw Hwn*. Fe ges i'r fedal eto yn 1999 am y gomedi *Corffw*, un o'r goreuon am gael ymateb gan gynulleidfa. Gan fod W R Evans wedi bod yn eilun i fi ers i mi weld Bois y Frenni ar lwyfan Neuadd y Ddraig Goch yn grwt, roedd cael bod yn bresennol yn Theatr y Gromlech, Crymych, ac yn Eisteddfod Genedlaethol De Powys yn Llanelwedd yn 1993 i weld Cwmni Theatr Bro Preseli yn cyflwyno'r rhaglen deyrnged honno i WR yn brofiad cyffrous.

Daeth llythyr i ddweud mod i wedi ennill Tlws y Ddrama yn Eisteddfod Môn yn 1995 ac y bydden nhw'n perfformio'r gomedi yn dilyn y feirniadaeth yn y Theatr Fach, Llangefni, ac i gadw'r cyfan yn gyfrinach. Ar ôl cyrraedd y theatr ar y nos Sadwrn ces fy nghyfarch gan nifer fawr o gyfeillion a oedd yn fy nabod i'n dda a phob un yn ddieithriad bron yn gofyn y cwestiwn, 'Beth y'ch chi'n wneud fyny ffordd yma? Nid yn aml ry'n ni'n eich gweld chi yn Llangefni!'

Roedd pawb yn gwybod ymhell cyn y feirniadaeth pam roeddwn i yno, a phan godais a mynd i'r llwyfan i nôl y tlws gwydr hyfryd roedd pawb yn teimlo'n reit fflat.

Ond roedd mwy o sioc i ddod pan gyhoeddodd yr arweinydd, gan mai yn nhafodiaith Sir Gaerfyrddin roeddwn i wedi ysgrifennu'r gomedi, y bydde'r cwmni lleol yn perfformio'r gomedi yn y dafodiaith honno. '*O! Mam Fach!*' (enw'r gomedi) meddwn i. 'Gogs yn siarad fel hwntws a'r gynulleidfa'n gogs i gyd. Druan o 'nghomedi fach i!' Ond, pob clod i'r cwmni, fe gafwyd ymateb rhagorol gyda digon o chwerthin.

Bowlen wydr fawr gydag arysgrif hyfryd arni oedd y tlws, ond ar ôl dod â hi adre fe syrthiodd o ddwylo Meinir – dwylo felly sydd gan delynorion! Diolch am wyrthiau Super Glue i roi'r tri darn yn ôl, ac mae'r tlws yn y stafell ffrynt yn fy atgoffa am y noson ryfedd honno yn Llangefni.

Y Bwndel Bach

O Gaerau fu rhagorach?
Mwy ei sêl na'r bwndel bach?
Ein gwlad fu ei chenhadaeth,
Hon a fu iddi yn faeth,
Arian byw yn rhoi i'n byd
Wiw foddau sawl celfyddyd.

Dyma'r rhan gynta o gywydd T Gwynn Jones, Abergwaun, a ganwyd ar gerdd dant i agor y rhaglen *Y Bwndel Bach* a luniais ar gyfer ei pherfformio yn Theatr y Maes yn Eisteddfod Genedlaethol Llanelli 2000 yn deyrnged i Norah Isaac. Cyfeillion ardal Caerfyrddin o dan ofal Carys Edwards a gyflwynodd y gwahanol olygfeydd a roddodd ddarlun i ni o fywyd y ferch arbennig hon a'i chyfraniad diflino i fywyd ein cenedl, a hithau ar y pryd mewn llesgedd blin. Roedden ni i gyd yn teimlo ychydig o chwithdod am na allai Norah fod yn bresennol i weld y cyflwyniad oherwydd ei gwaeledd, a hithau'n gaeth i'w chartref yn Llwybrau. Ond pan ddaeth hi'n amser cyflwyno'r deyrnged yn y theatr orlawn pwy oedd yn eistedd mewn cadair olwyn yn y tu blaen yng ngofal nyrs leol ond Norah ei hun.

Roedden ni i gyd mor falch ei bod hi yno i weld ein gwerthfawrogiad o'r hyn a wnaeth yn ferch ifanc, yn drefnydd yr Urdd ym Morgannwg, yn brifathrawes yr ysgol Gymraeg gynta, yn ddramodydd a chynhyrchydd, a'r un a sefydlodd yr adran ddrama Gymraeg gynta mewn unrhyw goleg yng Nghymru yng Ngholeg y Drindod, ynghyd â mowldio cenedlaethau o athrawon brwdfrydig, a'i hoes o wasanaeth i'r Eisteddfod. A phan ddaeth Iolo Morgannwg i mewn trwy'r gynulleidfa ar y diwedd i'w chyfarch, roedd cwpan Norah yn llawn a finnau wrth fy modd.

Carmarthenshire Life

Cylchgrawn misol lliwgar Saesneg a hynod o boblogaidd yw *Carmarthenshire Life* ac mae iddo werthiant lleol enfawr. Mae'i gynnwys bron yn ddieithriad yn ymwneud â'r sir, ei hanes, ei phobl a'i holl fywyd amrywiol.

Yn ôl yn 1996 y gofynnodd David Fielding, y golygydd y pryd hwnnw, i fi a fyddwn i'n hoffi paratoi erthygl Gymraeg yn fisol gan roi crynodeb byr yn Saesneg ar y diwedd. A dyma fynd ati'n fwriadol i ysgrifennu erthyglau mewn Cymraeg syml a rhwydd i'w darllen. Bu'r ymateb yn rhyfeddol a llwyddais i gyfrannu'n fisol ac yn ddi-fwlch am bymtheng mlynedd bron bellach sy'n golygu rhyw gant a hanner o erthyglau Cymraeg am bob agwedd ar fywyd y sir.

Er i fi feddwl wrth edrych yn ôl fod hyn yn dipyn o dasg i'w chyflawni, dyw hi'n ddim o'i chymharu â champ y Parchedig W J Edwards, Bow Street yn awr, a'm cyn-weinidog yn y Priordy yma yng Nghaerfyrddin, gan iddo ef, pan oedd yn byw yn Llanuwchllyn, gychwyn ei golofn 'Byd a'r Betws' ym mhapur wythnosol *Cyfnod* y Bala yn Ionawr 1973. Bu wrthi am 37 o flynyddoedd ac mae'n dal wrthi o hyd – all neb dorri record WJ. Yn dilyn sawl cais fe af i ati rywbryd i gyhoeddi detholiad o'r erthyglau hyn a fu yn *Carmarthenshire Life*.

Hiwmor Sir Gâr

Cyfres boblogaidd iawn yw'r gyfres 'Ti'n Jocan' gan y Lolfa. Mae'n gasgliad o hiwmor y gwahanol ardaloedd a gwahanol gymeriadau trwy Gymru ac fe ges i bleser mawr yn paratoi'r gyfrol *Hiwmor Sir Gâr*. Fy mwriad gwreiddiol oedd mynd o gwmpas y sir i sgwrsio â'r gwahanol gymeriadau rwy'n eu hadnabod a chasglu eu storïau. Ond cyn cychwyn ar y daith honno fe es ati i sgrifennu'r holl hiwmor am Sir Gâr oedd eisoes yn fy mhen a'r hyn roeddwn i wedi'i gasglu ar hyd y blynyddoedd. O ganlyniad, roedd gen i hen ddigon i lenwi cant o dudalennau, a dyna yw *Hiwmor Sir Gâr* a gyhoeddwyd yn 2007.

Mae'n dal yn fwriad gen i fynd o gwmpas i gasglu'r stôr o storïau gwreiddiol a geir ar lafar gwlad. Mae'n werth rhoi'r cyfan ar gof a chadw ar gyfer ail a thrydedd gyfrol efallai. Pwy a ŵyr!

Bro a Bywyd Gwynfor Evans

Pan fu Gwynfor Evans farw yn 2004, fe ges i geisiadau lawer i ysgrifennu amdano yn y Gymraeg a'r Saesneg. Mewn ymateb i'r Lolfa fe wnes i olygu'r gyfrol *Geiriau Gwynfor*. Ynddi fe gewch gasgliad o brif ddatganiadau pwysig Gwynfor a fydd yn gofnod gwerthfawr i'r dyfodol.

Yna, yn 2008, cyhoeddwyd y gyfrol *Bro a Bywyd Gwynfor Evans* yng nghyfres boblogaidd Barddas gan ei lansio yn ystafell y Llys yn y Guildhall yng Nghaerfyrddin, sef yr union le y cyhoeddwyd buddugoliaeth Gwynfor yn etholiad hanesyddol 1966. Mae gan deulu Gwynfor a Rhiannon gasgliad anferth o luniau o bob agwedd ar fywyd Gwynfor ac maen nhw wedi'u trosglwyddo'n ddigidol ar gyfrifiadur erbyn hyn. Fel arfer bydd golygyddion cyfres 'Bro a Bywyd' yn gorfod chwilio'n galed am luniau a deunydd perthnasol i fywyd y person dan sylw ond yn achos Gwynfor, gan fod cannoedd ar gannoedd o luniau ar gael, fy nhasg anodd i oedd dewis a dethol er mwyn dangos cyfraniad y person mawr hwn i Gymru. Fe ges i bleser diddiwedd a bydde cyhoeddi ail gyfrol debyg yn werthfawr iawn gan fod cymaint mwy i'w ddweud amdano.

Hanes y Ddau Blwyf

Mae hanes plwyfi Llangeler a Phenboyr wedi ei ysgrifennu hyd at y flwyddyn 1899 fel y soniais eisoes, ond mae gwir angen ysgrifennu hanes yr un ardal o 1900 hyd at y flwyddyn 2000. Trefnais bwyllgor lleol i fynd ynglŷn â'r gwaith yn 1990 ac fe ddewiswyd awduron i baratoi penodau mewn gwahanol feysydd. Addysg a diwylliant oedd fy nghyfrifoldeb i ac rwy eisoes wedi casglu'r deunydd, ond heb fynd ati i ysgrifennu. Go brin bod y lleill wedi mynd ati chwaith.

Peth braf yw gosod nod i chi'ch hun, ac er i Gyngor Bro Llangeler a Phenboyr gyhoeddi casgliad o *Canrif o Luniau* o'r ddau blwyf i ddathlu'r mileniwm newydd mae angen adrodd hanes fy hen fro 'fel y cedwir i'r oesoedd a ddêl y glendid a fu'! Mi af ati rywbryd!

Y Llwyfan Pêl-droed

SEFYDLWYD TÎM PÊL-DROED BARGOD Rangers yn Nre-fach Felindre yn 1920 ac mae'r clwb wedi parhau hyd heddiw ac yn dal i chwarae yng Nghynghrair Ceredigion.

Mae gen i lun a gafodd ei dynnu o'r tîm yn 1947, ac rwy i yn y llun yn grwt saith oed yn sefyll gyda'r cefnogwyr yn y cefndir. Yr hyn sy'n rhyfedd yw mod i'n medru enwi pob un o'r chwaraewyr dros chwe deg mlynedd yn ddiweddarach. Dyma'r tîm enillodd y gynghrair y flwyddyn honno. Un ar ddeg yn unig sydd yn y tîm, ac roedd hyn ymhell cyn dyddiau eilyddio a chael carfan o chwaraewyr! I ni fois y pentre, pêl-droed oedd popeth a chael chwarae i'r tîm lleol oedd uchelgais pob crwt ifanc.

Wil y Llumanwr

Wil Velindre View oedd yn rhedeg y lein i Bargod Rangers yn ei flêser a'i siorts du. Un o fois yr hewl oedd Wil ac yn gweithio i'r cyngor lleol. Adeg hynny roedd digon o storïau am fois yr hewl a sut roedden nhw'n cymryd pethe'n hamddenol. Yn annheg, efallai, roedd y bobol leol yn gosod Wil yn y categori hwnnw gan y bydde fe'n gwisgo cot fawr gaci gyda sgarff am ei wddf a chap ar ei ben wrth weithio yn nhywydd oer y gaeaf. Ond bob Sadwrn oer, glaw neu hindda, bydde Wil yn ei siorts yn rhedeg y lein i Bargod Rangers ac yn rhedeg yn ôl ac ymlaen nes ei fod yn chwys drabŵd! Allai'r bobol leol ddim deall ei arafwch yn ystod yr wythnos a'i gyflymdra ar brynhawn Sadwrn, er yr apêl sydd gan gêm bêl-droed! Roedd Wil yn adroddwr ac arweinydd cyngherddau o fri a chofiaf amdano'n perfformio ar lwyfan yn ogystal ag ar gae pêl-droed.

Oes Aur

Fy lwc innau oedd i fi chwarae yn nhîm Bargod Rangers pan enillodd y tîm y tri chwpan a gynigiwyd gan y gynghrair mewn tri thymor rhwng 1957 ac 1962. Doedd neb wedi llwyddo i ennill Cwpan y Gynghrair, Cwpan Roderick Bowen na Chwpan y Bae dair gwaith erioed ac nid yw'r record honno wedi'i thorri hyd yn hyn. Mae hon yn record rwy'n ymfalchïo ynddi a'r cyfan wedi'i gyflawni cyn i fi fod yn ddwy ar hugain oed. Yna, a finne'n gapten, yn 1966 fe enillon ni ddau o'r cwpanau unwaith eto. Dyma oes aur tîm pêl-droed enwog Bargod Rangers. Mae'r lluniau sydd gen i o'r timau hynny a'r toriadau o'r papurau lleol yn dal i gael lle amlwg yn fy albwm pêl-droed. Bydd rhaid mynd ati i drefnu aduniad o'r holl chwaraewyr yn 2012 i ddathlu hanner canmlwyddiant yr oes aur honno pan enillon ni'r tri chwpan dair gwaith.

Yn y cyfnod hwnnw, ar ddiwedd y pumdegau, roeddwn i'n gapten ar dîm pêl-droed Coleg y Drindod hefyd, ac yna fe ges i'r cyfle i chwarae dros dîm y Brifysgol yn Aberystwyth yn ystod y flwyddyn a dreuliais i yn yr Adran Addysg yno.

Yn yr Esgid!

Pan oeddwn i yn y coleg yn Aberystwyth ar ôl dwy flynedd yng Ngholeg y Drindod, fe arwyddais i chwarae gyda thîm pêl-droed Rhydaman yng Nghynghrair De Cymru. Gêm gwbl amatur oedd pêl-droed yn y cyfnod hwnnw, heblaw am dimau proffesiynol fel Abertawe a Chaerdydd, ac roedd cosb drom i glwb am fentro talu chwaraewr.

Rwy'n cofio'r gêm gynta i fi 'i chwarae i Rydaman yn Rice Road, Betws, a chael cawod ar ôl y gêm a gwisgo. Wrth i fi wisgo fy esgid dde fe deimlais i rywbeth ym mlaen yr esgid wrth roi fy nhroed ynddi. Ar ôl rhoi fy llaw i mewn, ac er mawr syndod i fi, beth oedd yno ond amlen fechan yr union yr un faint â'r amlenni mae capeli'n eu defnyddio yn y casgliad ar ddydd Sul. Ar yr amlen roedd y geiriau 'Peter Griffiths £5'. Cyn hyn, rhyw jôc gyffredin oedd y sôn am bêl-droedwyr a chwaraewyr rygbi'n cael arian yn eu sgidiau. Ond digwyddodd i fi ac roedd pumpunt yn arian da o gofio mai hanner coron oedd pris galwyn o betrol ar y pryd.

Am ddau dymor fe fues i'n chwarae i dîm Rhydaman a phumpunt bob tro yn fy esgid ar ôl pob gêm. Yn rhyfedd iawn, soniais i ddim gair wrth neb arall am yr arian a chyfeiriodd na swyddog na chwaraewr at hynny chwaith am ein bod yn torri'r rheolau'n rhacs, mae'n debyg!

Wyddech chi i fi sgorio i dîm Abertawe mewn gêm Cwpan Cymru? Roedd Rhydaman yn chwarae ar gae'r Vetch a finne'n marcio Len Allchurch, ac roedd Ivor, ei frawd, a Terry Medwin yn chwarae hefyd. Colli wnaethon ni o bedair gôl i ddwy ac yn anffodus, a'r unig dro yn fy mywyd, fe giciais i'r bêl i mewn i'n rhwyd fy hunan wrth lithro a methu clirio. Ond o leia galla i ddweud mod i wedi sgorio i Abertawe!

Bois Bargod

Aneurin Jones o Saron oedd yn y gôl i Bargod pan ddechreuais i chwarae ac yntau wedi bod wrthi ers blynyddoedd lawer. Roedd cael rhywun profiadol fel hyn yn help mawr i grwt dwy ar bymtheg oed oedd yn chwarae cefnwr o'i flaen, ond nid yr enghraifft orau o sut y dylai chwaraewr gadw'n heini oedd gweld Alun Brynafon yn cael mwgyn hanner amser.

Ar ôl Aneurin fe ddaeth Arwyn 'Sbecs' Jones i chwarae tu ôl i fi yn y gôl. Roedd hyn ymhell cyn dyddiau'r *contact lenses* ac roedd yn rhaid i Arwyn wisgo'i sbectol bob amser, ond roedd e'n golwr ardderchog iawn, yn enwedig os oedd hi'n sych! Rhaid cyfadde, bydden ni'r amddiffynwyr yn colli'n ffydd ynddo os oedd hi'n bwrw glaw am ein bod yn gwybod nad oedd *wipers* ar ei sbectol ac y bydde fe'n cael trafferth i ddelio â pheli uchel!

Ar ôl i Arwyn symud i'r Barri i fod yn athro fe gafwyd golwr newydd sef y diweddar a'r anfarwol John Ainsleigh Davies (Ainsleigh Welsh Stores). Cofiwn am Ainsleigh fel adroddwr dawnus, beirniad a chyn-bennaeth Ysgol Dyffryn Teifi. Tan ei farwolaeth yn 2002, bob tro y bydden ni'n cwrdd bydde fe wastad, â gwên fawr yn llenwi ei wyneb, yn f'atgoffa am gêm orau'i fywyd i Bargod Rangers: 'Ti'n... ti'n cofio, ni... ni'n whare yn Cei Newy ar y ca 'na uwchben y môr a storom o wynt yn hwthu lawr y ca? Fe wareon ni gyda'r gwynt yn yr hanner cinta a fe sgorion ni whech gôl. Ti'n... ti'n cofio? Fe sgorest ti un yn syth o gic gornel a twtshodd neb â hi! Ac fe sgoriodd Cei bum gôl yn yr ail hanner, ond fe enillon ni o un gôl. 'Na...'na'r gêm ore i fi'i whare erio'd! Fe achubes i ryw hanner cant o shots yn erbyn y gwynt mowr hwnnw. Meddylia, y gêm ore i fi whare erio'd a gadel pump miwn – ac ennill!'

Golwr da arall y bues i'n chwarae'r tu blaen iddo oedd Einsleigh (arall) – Einsleigh Harries sydd nawr yn rhedeg cwmni enwog E H Factors ac yn noddwr hael iawn i bêldroed fel un o brif noddwyr Clwb Pêl-droed Tref Caerfyrddin. Yr unig beth a ddyweda i am Einsleigh Blaenbran oedd mai bai'r amddiffynwyr oedd pob gôl a adawodd e i mewn erioed, ac i ddyfynnu'r bardd gwlad hwnnw,

Fe regodd, do'n wir,
Ganwaith heb ailadrodd ei hunan!

Wrth edrych yn ôl, mor braf yw meddwl sut y daeth nifer o 'nghyd-chwaraewyr yn nhîm Bargod Rangers ymlaen yn y byd. Fe ddaeth Roy Evans (Roy Trewen) yn Is-Ganghellor Coleg Prifysgol Bangor, Roy James yn Brif Arolygydd Ysgolion Cymru a'i ffrind Gareth Crompton yn Brif Feddyg y Swyddfa Gymreig, ac eraill fel Ogfryn Evans a Tyssul Williams

Cast pantomeim *Sinderela* Aelwyd Aberystwyth yn y chwedegau.

'Swogs' Gwersyll yr Urdd Llangrannog yn 1963 gyda Mr Platt y cogydd yn eistedd yn y canol.

Yr athro ifanc gyda'i ddosbarth yn Ysgol Gynradd Commins Coch, Aberystwyth.

Parti Dawns Aelwyd Aberystwyth yn y chwedegau.
Fi ac Iona, Idris a Lona, Dic a Lisabeth, Len a Hilda, Ifor a Rhiannon ac Avril yn y tu blaen. Nid yw Glyn T Jones yn y llun gan mai fe a'i tynnodd.

Tîm Siarad Cyhoeddus Aelwyd Aberystwyth, buddugwyr Eisteddfod Genedlaethol yr Urdd Rhuthun 1962. Fi, Rhiannon Bevan (Howell) a Len Williams.

Ffrindiau Aberystwyth ym mhriodas fy nghyfaill Dyfrig Davies: John Garnon, fi, Dyfrig, Alun Charles, yr Athro Dafydd Bowen, John Howells, Huw Owen, Ainsleigh Davies a Richard Jones.

Teulu Cefnonnen. Sefyll: Wncwl Dai, Anti Rachel, Anti Leis, Anti Sarah, Anti Jessie, Anti Gwyneth ac Wncwl Jack. Eistedd: Margaret (fy mam), Jonathan ac Elizabeth Hughes (fy nhad-cu a'm mam-gu), Anti Mari.

Margaret Griffiths (Maggie), mam fy nhad.

David Thomas Griffiths, yr Hen Foi, sef tad fy nhad yn eistedd gyda fy nhad ar y dde iddo ac Wncwl Doug a finne ar y chwith.

Beti fy chwaer a finne'n ychydig fisoedd oed.

Fy nhad a fy mam, Margaret a John Griffiths (Maggie a Jack), ar ddydd eu priodas.

Y joci bach – nid Gordon Richards!

Plant Llwynbedw: Nesta, Olive, Gareth, fi a Geraint ar ei feic.

Beti fy chwaer yn ei gwisg nyrsio.

Plant fy nosbarth yn Ysgol Penboyr yn 1949 gyda'r prifathro, Evan Powell, a'r athrawes, Mrs Eurwen Rees. Roeddwn i adre'n dost ar y pryd yn dioddef o dwymyn y riwmatic.

Gareth fy nghefnder, fy nhad a fy mam a fi.

Fy nhad a fy mam.

Amser cinio yn Ysgol Penboyr yn 1956 gyda B D Rees y prifathro, Martha Jane Williams, Mam (Mrs Griffiths y cwc) a Miss Maggie Davies Tŷ Gwyn, athrawes y babanod.

Samuel Owens y bardd.

Wrth garreg fedd Samuel Owens: Beti fy chwaer, fi, Margaret Evans (Llywydd y WI a fy athrawes biano gyntaf), May Phillips a'i merch Nanna ac Olive Campden. Roeddem yn byw yn ymyl yr hen fardd.

Staff Ysgol Ramadeg Llandysul yn 1955 gyda'r prifathro T Edgar Davies yn eistedd yn y canol a'r athro Cerdd Ted Morgan y cyntaf ar y chwith yn y cefn.

'Bois y Bogs' yn Ysgol Ramadeg Llandysul. Cefn – Tom Davies Jones, Dai Glover Davies, Ieuan Evans, Ken Thomas, Michael Beynon, Dewi Enoch, Arthur Bonnel Davies, Alan Howells, Aled Gwyn, Dafydd Wyn Jones. Blaen – Meic Jones, Tyssul Williams, fi, Timothy Davies, Gerald Davies a Bryan Lewis.

Ffrindiau da yn Ysgol Ramadeg Llandysul: Merlys a fi gyda Tyssul a Beryl fy nghyfnither.

Cwmni Drama Saesneg Ysgol Ramadeg Llandysul a berfformiodd *Strife* yn 1958 gyda'r ddau athro Saesneg L J Williams a David Howell Jones. Y prif gymeriadau yn y rhes flaen: fi, Dafydd Wyn Jones, Aled Gwyn, Emyr Llywelyn, John Davies a Rosina Davies.

Prif Swyddogion Ysgol Ramadeg Llandysul 1957–8. Cefn: Meuris Jones, Mair James, Janice Thomas, Timothy Davies, Tyssul Williams.
Canol: Barbara Jones, Glenys Davies, Sally Jones, Eunice Evans, Aled Gwyn, Bryan Lewis a finne.
Eistedd: Marion Jones, Mary Roberts, Miss J Owen (Dirprwy), y prifathro Islwyn Williams, Mr G Llewelyn (Dirprwy), Ioan Davies a Dafydd Wyn Jones.

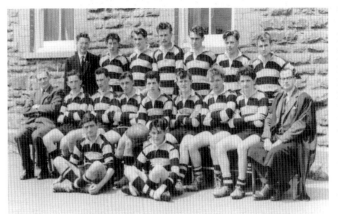

Tîm rygbi'r ysgol yn 1958. Cefn: Bryan Lewis, John Vare, Aled Gwyn, John Hoveland, Elgan Howell, Brian Phillips, Anthony Hughes. Eistedd: Mr Havard, Dewi Daniels, David Davies, Ieuan Jones, Tyssul Williams, Goronwy Evans, Emyr Llywelyn, John Davies, Islwyn Williams y Prifathro. Blaen: fi ac Adrian Maher.

Heb newid dim! Aled Parc Nest a finne'n ddisgyblion diniwed, ac yn eistedd yn yr un lle ddeng mlynedd ar hugain yn ddiweddarach.

Aduniad yn 1991 o'r disgyblion a aeth i Ysgol Ramadeg Llandysul yn 1951 ac yn eistedd yn y canol i'r dde o Tyssul Williams mae Ainsleigh Davies, prifathro Ysgol Dyffryn Teifi ar y pryd.

Stewart Rees fel y diafol a finne'r coblyn yn
y pantomeim enwog hwnnw a berfformiwyd
yn Neuadd y Ddraig Goch, Felindre.

Ann Pash (Winston) a'i chwaer Norma
Winston Jones a fi, buddugwyr yn Eisteddfod
Genedlaethol Abertawe yn 1964.

St. DOGMAELS

FESTIVAL WEEK

A GRAND CONCERT

BY THE

VELINDRE CHILDREN'S PARTY

AT THE

MEMORIAL HALL

on Thursday, August 2nd, 1951

Chairman : T. R. JOSEPH, Esq., C.C.
(Chairman of Pembrokeshire County Council)

Compere : Rev. EIRWYN DAVIES

Doors open at 7 p.m., to commence at 7.30 p.m.

Programme : 6d.   Admission : 2/-

E. L. Jones (Roberts & Son), Printers, Cardigan

Part 1		
1. Choruses	"Spreading the News" "Come to the Fair"	THE SENIORS
2. Duet	"Madam will you walk"	YVONNE and EDWARD
3. Action Song	"Wedding of the Painted Doll"	MARY JAMES and JUNIORS
4. Recitation	"Ymadawiad Nellie"	PETER
5. Mannequin Parade		THE SENIORS
6. Solo	"Pistyll y Llan"	NESTA
7. Action Song	"Where are you going?"	DILWEN, THELMA, IVY, MARION, EDWARD, GARETH, GRAHAM and GERAINT
8. Duet	"Lliw Gwyn, Rhosyn yr Hâf"	ELDA and PETER
9. Harp Solo	"Llanover Reel"	ALUN MORGAN
10. Action Song,	"Rendezvous"	MARY JAMES, YVONNE and CERIDWEN

CHAIRMAN'S ADDRESS

Rhaglen y Velindre Children's Party.

Ennill cadair Eisteddfod Hermon yn Neuadd y Ddraig Goch, Felindre, gydag Aeres Evans yn beirniadu.

Roedd Mam wrth ei bodd wedi i mi ennill fy nghadair eisteddfodol gyntaf yn Eisteddfod Abergorlech yn 1964.

Amlyn ac Amig

(SAUNDERS LEWIS)

Yr Archangel Raffael...........................WILLIAM J. EVANS
Amlyn, Iarll Normandi............................RICHARD LEWIS
Belisent ei briod...............................MAIR WILLIAMS
Ei ddau blentyn........................PETER ac ANTHONY REES
Amig, Iarll a Chyfaill iddo.......................EMYR GRIFFITH
Bardd..DEWI BEBB
Ffŵl ....TOMI SCOURFIELD
Porthor...............................PETER HUGHES GRIFFITHS
Merched...............................CATHERINE WILLIAMS
                                    JOYCE EVANS, MAIR MORGAN

Cast y ddwy ddrama *Amlyn ac Amig* ac *Y Tri Brenin o Gwlen* ar lwyfan Theatr Parry, Coleg y Drindod, Caerfyrddin, Nadolig 1958.

Y mae'r cwbl o'r ddrama yn digwydd mewn Castell yn Normandi, rhwng noswyl Nadolig a'r bore Nadolig, ganrifoedd yn ôl.

Cyfansoddwyd cerddoriaeth yn arbennig gan ARWEL HUGHES.

Aduniad myfyrwyr Cymraeg Coleg y Drindod 1958–60 gyda Norah Isaac yn y canol.

Yr ymryson gyntaf honno yn y Babell Lên yng Ngŵyl Fawr Aberteifi yn 1962. W J Gruffydd (Elerydd), Tomi Evans, Lynn Owen-Rees a fi.

Ennill Cwpan Siaradwr Gorau Ymryson Areithio Colegau Cymru a Chwpan Tîm *Sêr y Siroedd* Sir Aberteifi y BBC yn 1961.

Tîm Talwrn y Beirdd Caerfyrddin nôl yn nechrau'r wythdegau: Maldwyn Jones a fi yn y cefn gyda T Gwynn Jones, Gwyneth Evans a John Davies yn y tu blaen.

Ennill y Fedal Ryddiaith yn Eisteddfod Rhys Thomas James, Llanbedr Pont Steffan, yn 1992 ac 1999 a Thlws y Ddrama yn Eisteddfod Môn yn 1995.

Cloriau rhai o'm llyfrau a rhestr gwerthwyr gorau'r *Cymro*.

Tîm pêl-droed Bargod Rangers, pencampwyr Cynghrair Ceredigion 1946–7. Sefyll: Wil Velindre View, Elfed Vaynor, Mac Henllan, Dai John, Gwyn Post Henllan. Eistedd: John Manorafon, Alun Siop Albert, Rhys Tycoed, Bertie Varteg, Gwyn Penbont. Blaen: Phil Bach a Ieuan Glanpownd. Ond, sylwch ar y bachgen bach yn ei gap a'i got ar y dde tu ôl i'r tîm, Mae'n amlwg fy mod i'n cefnogi'r tîm pan oeddwn yn ddim ond saith oed!

Y gêm gyntaf i mi ei chwarae dros Bargod Rangers pan oeddwn yn 17 oed. Sefyll: Ron Williams y dyfarnwr, fi, Bryan Jones, John Griffiths, Aneurin Jones, Bryan Canell, Mel Thomas ac Eric Davies (Eric Vaynor). Blaen: Les James, Tyssul Williams, Edward Griffiths, Alun Jones a Bryan Davies.

Capten Tîm Coleg y Drindod 1958. Sefyll: G Lindenburn, Ray Parry, Russell Jones, Berwyn Nicholas, Geraint Williams, Des Stone a Garwyn Davies. Eistedd: Robin Huws, Alan Evans, fi, R Davies a G Coats.

Tîm Bargod Rangers, enillwyr Cwpan Roderick Bowen a Chynghrair Ceredigion yn 1966. Cefn: Eifion Davies, John Newcombe, Arwyn Jones, Ashley Davies, Roy Davies, Elgan Jones. Blaen: Wyn Davies, Einsleigh Harries, fi, Dyfrig Davies ac Andy Davies.

Hyfforddi bechgyn dan 11 oed Ysgolion Caerfyrddin.

yn feddygon, pentwr yn athrawon, Edward Griffiths yn weinidog, Brian Thomas yn offeiriad ac ambell un arall yn fanciwr llwyddiannus.

Tad a Mab

Sawl tad a mab sydd wedi chwarae ar lefel cynghrair yn yr un tîm tybed? Dim llawer iawn, am wn i. Ond yr un fu'n chwarae hiraf i dîm Bargod oedd John Newcombe, a Donald ei fab yn chwarae gyda fe am flynyddoedd lawer. Cofiaf i Wyn a Peter Tycoed chwarae unwaith yn yr un tîm â'u tad, Rhys, hefyd.

'Es i ddim i goleg na bant i weitho,' meddai John Newcombe wrtha i pan alwodd e i drwsio'n peiriant golchi ni unwaith. 'A beta i ti, o'r holl fois fuodd yn whare gyda Bargod a sy wedi cyrraedd y top, alle dim un ohonyn nhw riparo mashîn olchi. Felly, rw i'n ystyried mod i cystal ac mor bwysig â nhw!' Gwir pob gair.

Ond, er cystal y talentau amrywiol yn nhîm Bargod yn y cyfnod hwnnw, rhaid cydnabod na allen ni gystadlu â'n harch-elynion, sef tîm pêl-droed Castellnewydd Emlyn. Dyna'r unig dîm yng Nghymru a all ymfalchïo bod pedwar prifardd a thri archdderwydd wedi chwarae yn y tîm ar yr un pryd – Dic Jones, T James Jones, John Gwilym Jones ac Aled Gwyn.

Yn ystod y pumdegau y chwaraewyr eu hunain oedd yn rhedeg pob clwb i raddau helaeth. Pawb yn mynd â'i git chwarae adre gyda fe i'w olchi ac ambell un yn gwrthod rhoi nhw nôl y Sadwrn canlynol os nad oedd e'n cael ei ddewis i chwarae. Rhan amla byddai pob un yn dod â'i siorts ei hun ond byddai'n rhaid i'r crysau a'r sanau bara am flynyddoedd. Rwy'n cofio chwarae yn erbyn Castellnewydd Emlyn ar Ddydd San Steffan a Dydd Calan yn y *local derbys* enwog a sylwi un flwyddyn bod crysau a sanau streipiog coch a gwyn tîm bois Parc Nest wedi ffado ac yn dyllau i gyd. Dyma'r cyfnod pan nad oedd sut beth â noddwyr yn bod. Fe aeth Carl Perry a Glyn Oakwell, dau o'r chwaraewyr, ati o'u pen a'u pastwn eu hunain i brynu cit newydd sbon oddi wrth rhyw gwmni yn Glasgow, ac am y tro cynta ers blynyddoedd roedd hi'n werth gweld tîm Castellnewy' ar y cae.

Ymhen amser fe ddaeth y bil am y cit, ond doedd dim clincen yn y banc! Doedd dim gobaith talu, a dyma'r annwyl Carl Perry yn cael syniad ac yn ysgrifennu yn Saesneg at y cwmni yn Glasgow i ddweud, 'Mae'n ddrwg gyda ni, ond mae'n amhosibl i ni dalu am fod y trysorydd wedi marw!' Gan na chlywyd gair gan y cwmni, a mis wedi mynd heibio, roedd Carl yn ffyddiog na fyddai'n rhaid talu.

Ond ymhen chwe wythnos dyma fil arall yn cyrraedd, a Carl yn ateb unwaith eto, 'Mae'n wir ddrwg gyda ni, ond mae'r trysorydd yn dal yn farw ac mae e wedi ei gladdu erbyn hyn!'

Chwaraewyr Eraill

Cofiaf yn dda chwarae yn erbyn bechgyn fel Vic a Marsden Hubbard, Aberaeron. Doedd neb yn debyg i Vic ar gae pêl-droed. Fe oedd yr unig chwaraewr a welais i erioed yn cymeradwyo'i wrthwynebydd am sgorio gôl dda. Roedd hi'n gryn gamp i fynd heibio i Hywel Teifi Edwards ar Gae Sgwâr Aberaeron – os âi'r bêl heibio iddo nid oedd unrhyw obaith i chi 'i dilyn!

Sgoriodd Dai 'Dynamo' Davies ugeiniau o goliau i dîm Aberaeron yn ei ddydd. Roedd e'n un o'r blaenwyr hynny a godai arswyd arna i wrth amddiffyn. Fe'i clywech chi e'n dod o bell fel tarw yn tuchan a chwythu ac yn rhedeg yn ddi-stop drwy'r gêm. Dyna pam y cas e'r enw 'Dynamo' Davies, mae'n siŵr. Ar ôl gorffen chwarae, mae Dai yn enghraifft wych o un sy wedi gwasanaethu pêl-droed yn lleol drwy fod yn ysgrifennydd, trefnydd gêmau a dyfarnwr yng Nghynghrair Ceredigion ers deng mlynedd ar hugain. Yn yr un modd, bechgyn fel John Walters, Llandudoch, a fu'n drysorydd y gynghrair am bedair blynedd ar hugain cyn dod yn gadeirydd, a Geraint Davies, Aberaeron, swyddog gyda'r NASUWT, sy'n dal yn ysgrifennydd yr un gynghrair er 1976. Mae gen i barch mawr at y bois hyn ac at gannoedd o'u tebyg sy'n rhedeg y cynghreiriau a'r clybiau. Dyna i chi gariad at y gêm.

Ar Gae Sgwâr Aberaeron y chwaraeais i fy ngêm ola a finne ond yn wyth ar hugain oed. Gêm ola'r tymor oedd hi a thrannoeth wrth godi roeddwn yn stiff fel pocer. Roeddwn i'n gyfarwydd â chael 'sgrwb' ar ôl pob gêm, ond wrth godi bob bore trwy'r haf hwnnw yn 1968 roedd fy nghymalau'n dal yn boenus, a phan ddaeth hi'n amser i ailgychwyn ymarfer ar gyfer y tymor newydd allwn i ddim wynebu'r her. O gofio mod i wedi dioddef o *rheumatic fever* yn grwt, fe ddywedodd y doctor wrtha i am baco'r gêm lan, ac felly y bu.

Hyfforddi

A finne bellach yn athro Cymraeg yn Ysgol Uwchradd Dinas yn Aberystwyth fe es i ati i hyfforddi pêl-droed a chydweithio â Huw Powell, y pennaeth chwaraeon, gan gynnal timau pêl-droed yr ysgol gan fod digon o chwaraewyr dawnus yno. Roeddwn i wrthi bob amser cinio a rhyw ddwywaith yr wythnos ar ôl ysgol gyda'r bechgyn ac yna'n trefnu a chwarae gêmau bob bore Sadwrn yn erbyn ysgolion eraill. Dyna oedd y patrwm.

Roedd gan bob ysgol uwchradd nifer o lwfansau ariannol i'w dosbarthu i aelodau'r staff yn y cyfnod hwnnw, sef lwfans cyfrifoldeb arbennig. Am fy mod i'n gwneud cymaint yn ychwanegol i'r oriau arferol, anogwyd fi i wneud cais am yr un lwfans cyfrifoldeb arbennig hwn a ddaeth yn rhydd. Y prifathro oedd yn penderfynu pwy oedd yn haeddu'r lwfans o rai cannoedd o bunnau'r flwyddyn. Chefais i mo'r lwfans – yn hytrach, rhoddwyd ef i wraig a oedd ar y staff a chanddi'r cyfrifoldeb o edrych ar ôl un hysbysfwrdd yng nghyntedd yr ysgol. Do, fe ddysgais i'n go gloi fod gwahanol flaenoriaethau gan wahanol brifathrawon!

Ardal Aberystwyth oedd yr unig ardal yn y gorllewin a'r canolbarth a gynhaliai 'Mini Minor League' ar gyfer timau pêl-droed i fechgyn oed cynradd. Allwn i ddim llai nag edmygu gwaith Ron Cullum, y gŵr a drefnai'r cyfan, a chynigiais ei helpu, a phleser i fi oedd gweld bechgyn yn datblygu'n bêl-droedwyr dawnus. Am y deugain mlynedd nesa fe dreuliais fy holl amser sbâr yn hyfforddi, trefnu a hyrwyddo pêl-droed ymhlith plant a phobl ifanc, a hynny trwy'r ysgolion yn benna.

Ysgolion Dyfed

Wedi symud i Gaerfyrddin i fyw yn 1972, dyma fynd ati i sefydlu timau pêl-droed i fechgyn ysgolion ardal Caerfyrddin oed cynradd a dan bymtheg a dan ddeunaw, a sefydlu Cymdeithas Pêl-droed Ysgolion Caerfyrddin a'r Cylch. Ymhen amser newidiwyd llywodraeth leol a sefydlu sir Dyfed, ac fe es i ati i sefydlu Cymdeithas Pêl-droed Ysgolion Dyfed a gweithredu fel ysgrifennydd rhwng 1982 ac 1996 gan drefnu timau sirol dan bymtheg ac o dan ddeunaw oed. Tan hynny, nid oedd chwaraewyr Penfro, Caerfyrddin na Cheredigion wedi cael eu gweld o gwbl gan y dewiswyr cenedlaethol. Ond, wrth gystadlu yn erbyn timau ysgolion Caerdydd, Abertawe ac eraill gan ennill yn aml, gorfod i ddewiswyr timau ysgolion Cymru dan bymtheg ac o dan ddeunaw oed gydnabod talent y gorllewin. Nid aeth yr un tymor heibio wedyn heb i un o leiaf o'n bechgyn ni ennill eu capiau mewn gêmau rhyngwladol. Fe fyddwn i'n teithio gyda'r timau i bob rhan o Gymru i dreialon rhanbarthol ac yn casglu llawer un o'r gwahanol ysgolion neu o'u cartrefi.

Siom enfawr i fi oedd gweld agwedd nifer o athrawon Addysg Gorfforol ein hysgolion uwchradd tuag at ddisgyblion talentog y gêm bêl-droed, yn gwbl unllygeidiog gan mai dim ond rygbi oedd yn bwysig. Ond diolch am athrawon gweithgar a chefnogol fel Mike Walters, Coedcae, Llanelli, a Peter Duggan, Penglais, Aberystwyth, i enwi dim ond dau oedd yn gofalu bod eu disgyblion yn cael yr un cyfle ym mhob camp. Llwyddodd eu bechgyn nhw i ennill capiau pêl-droed, rygbi a chriced.

Codais i Matthew Jones lawer tro o'i gartref yn Llanelli cyn iddo fynd i Leeds a chwarae dros Gymru maes o law, ynghyd â sawl un arall a aeth yn chwaraewr proffesiynol. Ond y cymeriad na wna i fyth ei anghofio yw Alan Morgan, rheolwr presennol tîm pêl-droed Aberystwyth. Bydde ei fam-gu a'i dad-cu'n dod ag e'n gyson i bob gêm i chwarae dros dîm dan bymtheg Dyfed. Yna, yn syth ar ôl y gêm, bydden nhw'n mynd ag e i Southampton i ymuno â'r academi bêl-droed yno. Roedd dyfodol disglair i Alan yn Southampton a hwythau ar y pryd yn y gynghrair ucha. Newidiwyd y rheolwr a daeth Lawrie McMenemy yno a chael gwared ar y rhan fwya o'r chwaraewyr ac Alan yn eu plith. Bu Alan yn chwarae i Tranmere wedyn am flynyddoedd cyn symud i fod yn hyfforddwr y tîm ieuenctid yno.

Am ryw reswm fe fethodd ei dad-cu a'i fam-gu â chael hyd i'r lle iawn un Sadwrn pan fuon ni'n chwarae'n erbyn Ysgolion Caerdydd dan bymtheg oed yn y brifddinas, ond fe gyrhaeddon nhw erbyn hanner amser a ninnau'n colli o dair gôl i ddim. Dyma ni'n rhoi Alan ar y cae ar gyfer yr ail hanner. Fe enillodd Ysgolion Dyfed y gêm o bedair gôl i dair ac Alan yn sgorio'r pedair. Fe oedd yn gwbl gyfrifol am y fuddugoliaeth a gwelodd pawb fod gan y crwt o Blwmp yng Ngheredigion ddoniau pêl-droed arbennig iawn. Roedd stwffo Ysgolion Caerdydd a'u traddodiad o ennill popeth yn rhoi rhyw bleser mawr i fi.

Y golwr gorau a chwaraeodd i Ysgolion Dyfed oedd Huw Davies, Ysgol y Preseli, Crymych. Bu Dyfrig, ei dad, a fi'n cyd-chwarae i dîm Bargod Rangers. Mae Huw nawr yn Uwch-arolygydd gyda Heddlu Dyfed-Powys. Enillodd ei gap i Ysgolion Cymru o dan ddeunaw oed, ond pan chwaraeodd gydag Ysgolion Dyfed yn Abertawe ni fedrai neb gredu sut y llwyddodd Huw ar ei ben ei hun, trwy'i gampau anhygoel, i rwystro tîm ysgolion y ddinas rhag sgorio. Roedd sgowtiaid tîm Abertawe yno ac fe arwyddon nhw Huw yn y fan a'r lle. Ond, er ei holl ddoniau naturiol, cyfaddefodd Huw nad oedd e'n hoff o'r gofynion ar y chwaraewyr i gadw'n ffit na'r awyrgylch rhegllyd yn Abertawe a daeth yn ôl i chwarae i dîm Caerfyrddin yng Nghynghrair De Cymru. Huw oedd golwr Caerfyrddin pan gawson ni ddyrchafiad i Gynghrair Genedlaethol Cymru yn 1992, ac roedd ei gyfraniad i'r tîm yn ystod y ddwy flynedd gynta'n allweddol. Yn anffodus, roedd gofynion ei swydd gyda'r heddlu'n golygu na allai barhau i chwarae wedi hynny.

Ysgolion Cymru

Fe gefais i'r anrhydedd o fod yn Gadeirydd Cymdeithas Pêl-droed Ysgolion Cymru o 1994 i 1996 ac, yn ogystal â gofalu am Ysgolion Dyfed, roedd e'n gyfle i fod yn rhan o weinyddiaeth y timau cenedlaethol a chyfle i deithio gyda'r timau i chwarae gêmau rhyngwladol ar feysydd fel Rugby Park, Kilmarnock, Windsor Park, Belfast, a Fratton Park, Portsmouth. Wrth arwain ein tîm allan i'r cae yn Fratton Park dyma grwt ifanc yn nhracwisg tîm Portsmouth yn fy nghyfarch yn y twnnel,

'Shw'mae, Mr Griffiths?'

'Be wyt ti'n neud ffor hyn?' meddwn innau.

'O, wi ar gontract blwyddyn 'ma!'

Un o fechgyn Llambed yn nhîm ein hysgolion oedd e, a chlywais maes o law iddo ddod nôl oherwydd hiraeth am y teulu a'i ffrindiau. Ac wrth ddychwelyd o'r Swistir gydag un o'r timau un tro fe gefais i'r cyfrifoldeb gan Manchester United o roi Wayne Evans o Landysul ar awyren arall er mwyn iddo hedfan i Fanceinion ac yntau ond yn bedair ar ddeg oed. Beth ddaeth o'r bechgyn hyn, tybed?

Chwaraeon ni yn Le Havre yn erbyn Ysgolion Ffrainc a chael gwahoddiad i ginio gan y Maer. Eisteddwn yn ymyl y Dirprwy Faer a hwnnw'n dod o Lydaw ac yn medru Saesneg. Y Comiwnyddion oedd yn rheoli'r cyngor yno, gan gyfrannu arian sylweddol at y clwb er mwyn cadw Le Havre yng nghynghrair ucha Ffrainc. Wedi i fi egluro i'r Dirprwy Faer mod i'n dod o Gaerfyrddin a'n bod ni wedi'n gefeillio â Lesneven yn Llydaw fe drodd ata i a dweud, 'My wife is from Carmarthen and her mother lives in Heol Rudd. We visit Carmarthen regularly!' Yn syth ar ôl y bwyd fe aeth e i nôl ei wraig, ac fe aethon ni i'r gêm gyda'n gilydd gan siarad am Gaerfyrddin trwy gydol yr amser. Onid yw'r hen fyd 'ma'n fach?!

Bydde Huw Roberts, sgowt Manchester United, a sgowtiaid eraill yn fy ffonio'n gyson i ofyn pryd y bydde Ysgolion Dyfed yn chwarae a phwy oedd y sêr y flwyddyn honno. Ond wyddoch chi beth? Ni lwyddodd Mark Delaney o Ysgol Abergwaun i gael ei ddewis i chwarae i Ysgolion Dyfed nac Ysgolion Cymru am ei fod e'n rhy fach. Roedd ganddo sgiliau anhygoel ond roedd e'n denau ac yn fregus a phrin yn bum troedfedd. Pan welais i e'n chwarae i dîm Caerfyrddin yn grwt dros chwe throedfedd flynyddoedd yn ddiweddarach, allwn i ddim credu'r peth, ac fe aeth Mark ymlaen i chwarae dros Gaerdydd ac yna Aston Villa a Chymru.

Yn yr un modd Deryn Brace o Ysgol Greenhill, Dinbych y Pysgod. Collodd yntau'i gyfle i chwarae dros Ysgolion Cymru gan iddo dorri ei goes. Chwaraeodd e dros Norwich a Wrecsam ac yna fel rheolwr tîm pêl-droed Caerfyrddin.

Diolch

Er teithio cannoedd os nad miloedd o filltiroedd yn casglu ac yn cario bechgyn o un pen o'r wlad i'r llall, rhyfedd fel y bydd rhai rhieni fel pe baen nhw'n disgwyl i chi roi o'ch amser a'ch profiad er mwyn eu plant. Teimlwn yn aml hefyd fod rhai o'r bechgyn yn meddwl ei bod hi'n fraint i ni eu cael nhw yn ein timau sirol a chenedlaethol, ac y dylem fod yn ddiolchgar iddyn nhw. Ond saif un digwyddiad yn y cof.

Roedd Aled Bebb o Goginan, Aberystwyth, wedi bod yn

chwarae'n dda i dîm Dyfed dan ddeunaw oed ac wedi ennill ei gap dros Ysgolion Cymru. Arwyddodd Aled i Wolverhampton Wanderers gan symud i ganolbarth Lloegr. Yn fuan wedyn fe ddaeth llythyr oddi wrtho yn diolch am fy holl waith dros Ysgolion Dyfed, gan ychwanegu ei fod e bellach yn chwaraewr proffesiynol ac na fydde hynny wedi digwydd heb fy help i. Roeddwn yn gwerthfawrogi'i lythyr yn fawr iawn am ddau reswm. Yn gynta, hwn oedd yr unig lythyr i fi ei dderbyn erioed gan fachgen a gawsai gap neu a ymunodd â chlwb proffesiynol, ac yn ail am fod Aled a Llŷr, fy mab, wedi cyd-sgrechen am y tro cynta yn ward famolaeth Ysbyty Bronglais, Aberystwyth.

Cyn fy nhymor fel Cadeirydd Ysgolion Cymru, doedd dim un o chwaraewyr Cymru o dan bymtheg oed wedi'i anfon o'r maes erioed. Ond wrth chwarae Iwerddon yn Wdig, ychydig cyn hanner amser a ninnau'n colli o un gôl i ddim, anfonwyd blaenwr tîm Ysgolion Cymru oddi ar y cae. Ei enw – Craig Bellamy!

Caerfyrddin

Dim ond timau oedolion oedd yng Nghaerfyrddin pan gyrhaeddais yno yn 1972, ac ar ôl cael fy hyfforddi gan Ron Cullum yn Aberystwyth sut i gynnal timau plant ac ieuenctid fe es ati i sefydlu timau tref Caerfyrddin hefyd. Es ar gyrsiau hyfforddiant Cymdeithas Bêl-droed Cymru ar yr un pryd â Meirion Appleton ac ennill statws Hyfforddwr Swyddogol y Gymdeithas Bêl-droed. Yna, es ati i sefydlu a hyfforddi timau oed cynradd yn gynta, cyn sefydlu timau o dan dair ar ddeg ac o dan un ar bymtheg oed i chwarae yng Nghynghrair Sir Gaerfyrddin a Gorllewin Cymru. Fe ddatblygodd yr holl gynllun o dan adain clwb y dre a heddiw mae rhwydwaith o gyfleoedd i fechgyn a merched o bob oed i chwarae pêl-droed ar wahanol lefelau gyda rheolwyr a hyfforddwyr yng ngofal pob tîm. Bellach, mae academi bêl-droed yn rhan o strwythur y clwb hefyd.

A finne wedi rhoi'r gorau iddi ers blynyddoedd bellach, braf yw mynd gyda Iestyn a Steffan, fy wyrion saith a phump oed, i'r sesiynau hyfforddi bob nos Lun a bore Sadwrn, a diolch fod bechgyn fel Simon Rock a Dafydd Huws ac ugeiniau eraill ar hyd a lled y wlad yn rhoi o'u hamser i drefnu a hyfforddi o hyd.

Gan fy mod i ar staff Coleg y Drindod yn yr wythdegau, dyma fynd ati i gynnal cyrsiau Tystysgrif Athro Pêl-droed y Gymdeithas gyda'r nos. Roedd hyn yn gyfle i ddarpar athrawon baratoi at gael y sgiliau i ddysgu pêl-droed yn yr ysgolion.

Ni allaf lai na rhyfeddu eto at ddyfalbarhad cymaint o 'nghyfeillion yma yng Nghaerfyrddin wrth hyrwyddo a chynnal timau Parc Waundew, cartre tîm pêl-droed Caerfyrddin. Yn ffodus (neu'n anffodus!) mae cefn ein tŷ ni'n llythrennol bymtheg llathen y tu ôl i un o'r goliau ac o'r ystafell ymolchi yn ein tŷ ni gallwn weld pob gêm am ddim pe bawn yn dymuno hynny.

Cae agored gyda reilin o'i gwmpas a hen stand frwnt o'r pumdegau oedd maes pêl-droed Parc Waundew. Y cyfaill Alan Latham, ysgrifennydd y clwb am ddegau o flynyddoedd, a lwyddodd i gadw'r clwb mewn bodolaeth trwy gyfnodau digon diflas. Eto, dyma i chi enghraifft o unigolyn a roddodd ei fywyd i gynnal tîm pêl-droed Caerfyrddin – cymeriad hollol unigryw sy wedi rhoi'r gorau iddi ers sawl blwyddyn, ond sy'n dal yr un mor ffyddlon ac yn ysgrifennu ei golofn ddiddorol yn rhaglen pob gêm ar Barc Waundew.

Mewn erthygl ddiweddar soniodd am ddigwyddiad arbennig ar Barc Waundew flynyddoedd yn ôl, gan awgrymu na ddigwyddodd dim byd tebyg na chynt na chwedyn mewn gêm bêl-droed. Rown i'n bresennol ac yn sefyll o fewn ychydig lathenni i'r digwyddiad hwnnw. Gêm rhwng Rhydaman a Chaerfyrddin oedd hi yn un o rowndiau Cwpan Cymru, ac ar hyd y blynyddoedd bu'r gêmau rhwng y ddau dîm braidd yn danllyd. Fe wnaeth un o amddiffynwyr Rhydaman daclo

Graham Lightfoot, un o ymosodwyr Caerfyrddin, yn gwbl giaidd ac fe gafodd niwed difrifol a'i gario'n anymwybodol oddi ar y cae. Cyn i'r gêm ailddechrau daeth Neville Wiltshire ymlaen fel eilydd i Gaerfyrddin yn lle Graham. Rhedodd Neville ar y cae a mynd yn syth at amddiffynnwr Rhydaman a rhoi ei ddwrn yn ei wyneb nes bod hwnnw'n fflat ar ei gefn ac yn gwaedu fel mochyn. Cafodd Neville Wiltshire yr eilydd y garden goch yn syth. Heb os, chafodd yr un eilydd ei anfon oddi ar y cae yn gynt na hwn erioed.

Un arall a roddodd wasanaeth hir a diflino i Glwb Pêl-Droed Tref Caerfyrddin, ac sy'n dal ati, yw Richard Gealy. Nid yn unig mae wedi chwarae i bob tîm yn y clwb ond mae hefyd wedi rheoli pob tîm yn ei dro, gan gynnwys tîm y merched. Yn y cyfnod pan oedd Richard yn rheolwr ar drydydd tîm Caerfyrddin yng Nghynghrair Ceredigion fe ddaeth Aber-miwl, ger y Trallwng, i chwarae gêm gwpan ar Barc Waundew. Roedd tîm cynta Caerfyrddin yn chwarae ym Mlaenafon yng Nghynghrair y De ar yr un diwrnod.

Er mawr syndod i Richard fe gyrhaeddodd tîm Aber-miwl yn reit gynnar ac mewn dim o amser roedden nhw allan ar y cae yn ymarfer.

'Sut daith geso chi?' holodd Richard eu rheolwr.

'Iawn,' oedd yr ateb, 'er bod y traffic ar yr M4 yn reit drwm.'

'Jiw, ffordd od i deithio lawr o Aber-miwl!' meddyliodd Richard.

Beth bynnag, fe gyrhaeddodd y dyfarnwr ac fe aeth y ddau dîm ar y cae yn barod am y gic gynta. Ond yn sydyn dyma fws yn cyrraedd y maes parcio yn ymyl a llond y lle o fechgyn ifanc yn rhedeg am yr ystafell newid.

'Sorry we're late, but the journey took far more time than we expected,' meddai dyn canol oed wrth Richard.

'Who are you?' holodd Richard yn swrth.

'Aber-miwl. We've come to play you in the Central Wales Cup!'

'Pwy gythrel yw'r tîm 'ma sy ar y cae 'te?' holodd Richard ei hun mewn penbleth. Aeth at *dug-out* y tîm arall a holi, 'What tîm are you?'

'Blaenavon,' oedd yr ateb.

Roedd tîm cyntaf Caerfyrddin wedi mynd i Flaenafon a Blaenafon wedi dod i Gaerfyrddin mewn camgymeriad. Gorfod iddyn nhw ddod oddi ar y cae a gwneud lle i dîm Aber-miwl yn yr ystafell newid. Fe dreuliodd bechgyn Blaenafon weddill y prynhawn wrth y bar yn y clwb ac fe gurodd tîm Richard Gealy Aber-miwl. Gyda llaw, ym Mlaenafon roedd y gêm gynghrair i fod gan i'r dyfarnwr a'i gynorthwywyr fynd yno.

Bugeiliaid Newydd

Trwy ei fab, Rhodri, y des i i adnabod Jeff Thomas. Roedd Rhodri yn un o sêr tîm Ysgolion Dyfed a enillodd ei gap dros dîm Ysgolion Cymru dan ddeunaw oed. Un o Lanaman yn Sir Gaerfyrddin yw Jeff ac mae'n ffrind agos i Dai Davies, y cyngolwr rhyngwladol ac un arall o fois y pentre. Er mai chwarae rygbi dros Glwb yr Aman a wnâi Jeff, fe'i denwyd at y bêl gron trwy Rhodri, ei fab. I Jeff a'i dîm ardderchog o weithwyr mae'r diolch am godi Clwb Pêl-droed Tref Caerfyrddin i'r lefel ucha yng Nghymru. Mae gan Jeff y ddawn o rannu cyfrifoldebau gan sicrhau mai'i gyfrifoldeb yntau yw gofalu bod pawb yn gwneud ei waith. Datblygodd gynllun busnes hirdymor ar gyfer Parc Waundew gan sicrhau bod y maes chwarae gyda'r gorau yn y gynghrair. Codwyd eisteddle i ddal mwy na mil o bobol ac mae'r ystafelloedd newid yn rhan o'r Ganolfan Gymunedol newydd. Felly, mae holl ofynion trwydded FIFA yn eu lle. Dyna oedd nod Jeff a chafodd tîm Caerfyrddin gyfle i chwarae ar lefel Ewropeaidd yn ystod sawl tymor ar Barc Waundew. Er i finne chwarae rhan fechan iawn yng ngweledigaeth Jeff, i'm cyfeillion ymroddgar fel Gareth O Jones, y cyn-ysgrifennydd a'r cadeirydd presennol, a'r criw gweithgar mae'r diolch fod y clwb wedi llwyddo cystal.

Am ddeng mlynedd a mwy yn ddi-fwlch, fe ges i'r gwaith o gyhoeddi dros yr uchelseinydd ar Barc Waundew, a hynny bob amser yn gwbl ddwyieithog. Mae'r clwb yn enghraifft dda o sut y gall clwb pêl-droed sicrhau yr un statws i'r ddwy iaith. Mae'r rhaglenni ar gyfer y gêmau cartre o dan ofal Alun Charles ac eraill, a rhoddir lle amlwg i'r Gymraeg bob amser. Ydy, mae e'n glwb Cymreig a chroesawgar iawn, ac wedi agor y Ganolfan Gymunedol fe fydd yr agwedd gymdeithasol yn datblygu'n fwy byth. Mae bod yn rhan o'r cyffro hwn yn cynnal fy mywyd pêl-droed y dyddiau hyn.

Boddhad

Wrth edrych yn ôl, rwy mor falch fod pêl-droed wedi bod yn rhan mor bwysig a phrysur o'm bywyd gan fy nghadw'n heini wrth imi geisio byw bywyd iach a llawn.

Dim ond seicolegydd, am wn i, a all esbonio beth yn union yn ein cyfansoddiad materol ni sy'n ein gyrru i gyflawni cymaint dros y weithred o gicio pêl. Beth bynnag yw'r ateb, yr unig beth y galla i 'i ddweud yw mod i wedi cael dos dda ohono a, diolch i Dduw, mae e'n dal i 'nghadw i i fynd. Mae fy nyled yn fawr i bêl-droed am roi cymaint o fwynhad i fi.

Ar y Llwyfan Go Iawn

RWY WEDI SÔN AM fy ymddangosiadau cynta ar lwyfan, ac yn eu sgil credai Mam fod yr un doniau eisteddfodol yn perthyn i'w mab bychan ag i'w chwaer hŷn, Beti. Dyna pam y llusgodd hi fi o steddfod i steddfod, ond buan y sylweddolodd mai cymryd rhan sy'n bwysig, nid ennill, a bod hynny'n wir yn fy achos i. Siomwyd Mam yn fawr.

Y Camau Cyntaf

Pan oeddwn i'n blentyn, roedd cyfle i ddweud adnod bob Sul yng Nghapel Closygraig a dysgu'r *Rhodd Mam* ac ennill tystysgrifau llafar yn arholiadau'r Ysgol Sul. Yna, dysgu'r darnau yn *Cerddi Digri a Rhai Pethau Eraill* Idwal Jones a'u cyflwyno yn nosweithiau'r Gymdeithas Ddiwylliadol cyn mentro maes o law ar gystadlu ar yr adroddiad digri mewn eisteddfodau lleol a pherfformio mewn ambell i gyngerdd.

Yn y cyflwyniad i'r gyfrol *Hiwmor Sir Gâr*, rwy'n nodi sut yr aeth yr annwyl Tom Morgan â fi gyda fe'n grwt pymtheg oed i'w helpu i arwain noson yn Neuadd Pentrecwrt – neuadd sy ond tafliad carreg o 'Gwm Alltcafan'. Roedd e'n arweinydd nosweithiau llawen penigamp. Cofiaf am y noson honno, nid am storïau Tom nac am fy adroddiadau inne, ond oherwydd i ni orfod stopio sawl gwaith yn ystod y noson am fod sŵn cawodydd mor drymion o law a chesair ar do sinc y neuadd fel na allai rhywun glywed gair o'r hyn oedd ar y llwyfan. Hon oedd y noson gynta i fi'i harwain erioed, a diolch i Tom

Dancapel (tad-cu Ann Pash a Norma Winston Jones) am y cyfle hwnnw. Does gen i ddim syniad sawl noson lawen, gwahanol gyngherddau a digwyddiadau rwy wedi'u harwain neu eu cyflwyno ers y noson aeafol honno yn Neuadd Pentrecwrt. Cannoedd ar gannoedd mae'n debyg, a hynny ar hyd a lled Cymru. Ond, os na alla i gofio'r nifer na phryd, rwy'n dda am gofio ble – y neuaddau a'r capeli, ac yn fwy na dim sut aeth hi! Rwy'n gallu cofio'n glir sut hwyl gefais i a pha fath o noson oedd hi. Ond rhaid cyfaddef y byddai gorfod croesi i'r gogledd o bont Machynlleth i arwain neu berfformio mewn noson lawen yn ofid i fi gan mai'r dafodiaith fyddai'n aml yn creu'r hiwmor.

Parti'r Drindod

Yn ystod fy nghyfnod fel myfyriwr yng Ngholeg y Drindod rhwng 1958 ac 1960 dyma fynd ati i ffurfio parti noson lawen ac ar ôl cynnal ein noson gynta yn Festri Ffynnon-ddrain ger Caerfyrddin, bant â ni i ddiddanu cynulleidfaoedd ym mhentrefi'r gorllewin. Roedd digon o dalent yn y parti hwnnw gyda Mair Williams (Cooper wedyn) o Fethlehem, Llandeilo, yn canu, iodlo, chwibanu a chwarae'r acordion. Roedd hi'n dalentog iawn. Bydde Dewi Thomas o Ben-y-bont, Dewi Bebb, Frank, Ryan, Edgar a Meirion yn ffurfio partïon canu hyfryd ac Alun Lloyd, Llandybïe, a Robin Huws, Lerpwl, yn adroddwyr penigamp, gydag eraill wedyn yn actio mewn sgetsys neu feim.

Ein cyfeilydd bob amser fyddai Tony Moore o Gaerffili, a arferai lithro allan adeg adroddiad, sgets neu'r egwyl i'r dafarn leol os oedd honno o fewn cyrraedd. Fel y tro hwnnw yn neuadd yr eglwys yn Llanwnnen. Mae drws cefn y neuadd yn llythrennol o fewn deg llath i ddrws cefn y Grannell Arms, a'r noson honno, yn ystod pob eitem angherddorol ac araith hirwyntog y cadeirydd, roedd Tony bach wedi llithro i'r Grannell yn gyson ac wedi cael llawer mwy na'i rasiwns arferol o Buckley's. Bu'n rhaid i rywun fynd i'w nôl er mwyn cyfeilio i'r côr i gloi'r noson. Gyda'r artistiaid i gyd ar y llwyfan, dyma fi'n cyhoeddi, 'A wnewch chi i gyd godi os gwelwch yn dda i ganu ein hanthem genedlaethol?' Yn ei ddiod, beth wnaeth y cythrel ond taro 'God Save the Queen' ar y piano gan greu'r diweddglo mwya anffodus i noson hwylus. Gan i bawb ohonon ni fel myfyrwyr ar y llwyfan wrthod canu'r un gair, fe ypsetiwyd nifer dda o'r menywod eglwysig a oedd yn y gynulleidfa. Aethon nhw ar streic a gwrthod gweini'r lluniaeth na pharatoi'r cwpaned o de arferol ar y diwedd. Er y dadlau a'r rhincian dannedd, fe lwyddodd y ficer yn y diwedd i gocso'r menywod i ferwi'r tegell. Hwn oedd cyfnod fy mhrentisiaeth fel arweinydd a digrifwr, gan ddysgu'r ddawn o barchu cynulleidfaoedd amrywiol a delio â nhw.

Roedd cymdeithas Gymraeg fywiog iawn yng Ngholeg y Drindod yn y cyfnod hwnnw a chefais ddigon o gyfle i gymryd rhan yn y gweithgareddau. Fe fydden ni, fel myfyrwyr, yn trefnu nosweithiau ein hunain fel rhan o'n rhaglenni wythnosol yn ogystal â gwahodd rhai o fawrion y genedl i'n hannerch. Fi gafodd y cyfrifoldeb o edrych ar ôl yr anfarwol Bob Owen Croesor a mynd ag e i swper yn y coleg cyn ei gyflwyno i gyfarfod o'r gymdeithas Gymraeg.

'Fe fydd hi'n anrhydedd o'r mwyaf ichi. Un o fawrion y genedl,' oedd geiriau Norah Isaac wrthyf. Ond fe weles i'n gloi iawn fod yr hen Bob yn cael trafferth i drafod ei gyllell a'i fforc am fod bysedd ei ddwylo'n llawn riwmatic a'r cymalau wedi eu cloi. Yn wir, gorfod i mi ei helpu i dorri'r cig ar ei blât. Siaradai'n ddi-stop wrth fwyta, ac ar ôl gorffen medde Bob wrtha i,

'Mae'n well i mi fynd i'r tŷ bach cyn mod i'n annerch y Gymdeithas, a dw i isho ichi ddod gyda mi!'

'Iawn,' medde finne, heb wybod yn iawn beth oedd arwyddocâd hynny!

Yn y cyfnod hwnnw doedd trowseri gyda sipiau i agor a chau y copish heb eu dyfeisio, ac agor a chau botymau fyddai pawb. A phan wedodd yr hen Bob Owen wrtha i yn y tŷ bach, 'Wnewch chi'n helpu i i agor a chau 'malog?', cyflwr cymalau ei fysedd oedd yn gyfrifol, wrth gwrs. Roedd Bob Owen Croesor yn y cyfnod hwnnw 'run fath â Hywel Teifi Edwards ein cyfnod ni, yn hynod boblogaidd fel siaradwr ac yn denu torfeydd i wrando arno. Gallwn ddweud wrth Norah y bore wedyn mod i wedi agor a chau balog un o enwogion Cymru – anrhydedd o'r mwyaf, ond am ryw reswm ches i fawr iawn o ymateb!

Ymryson Areithio

Pan oeddwn yn y Drindod cefais i gyfle hefyd i gymryd rhan yng nghystadleuaeth Ymryson Areithio'r Colegau a'r rhaglen boblogaidd *Sêr y Siroedd* ar y radio. Byddai myfyrwyr y gwahanol golegau yng Nghymru'n areithio mewn timau ac fel unigolion yn yr Ymryson Areithio a'r anfarwol Sam Jones, Bangor, yn trefnu. Ar ôl cystadlu dros Goleg y Drindod es i'r Brifysgol yn Aberystwyth i ddilyn cwrs astudio dwyieithrwydd yn yr Adran Addysg gyda Jac L Williams, a chael cyfle i gystadlu fel siaradwr unigol. Llwyddais i gyrraedd y rownd derfynol a gynhaliwyd yn stiwdios y BBC yn Newport Road, Caerdydd, yn 1961. Yn cystadlu fel timau ac fel unigolion hefyd roedd Tîm y Coleg Diwinyddol, Aberystwyth, sef W I Cynwil Williams, Cwrtycadno, a D Benjamin Rees, Llanddewi Brefi. John Gwilym Jones o Gastellnewydd Emlyn ac Eirian Rees oedd yn cynrychioli Coleg Coffa'r Annibynwyr. Y testun a osodwyd oedd 'Dy'n ni damaid gwell o ddadlau'. Llwyddais i gipio Tlws Areithiwr Gorau Colegau Cymru y flwyddyn honno.

Y flwyddyn ganlynol dyma ennill Tlws Tîm Siarad Cyhoeddus Eisteddfod Genedlaethol yr Urdd yn Rhuthun wrth gynrychioli Aelwyd Aberystwyth. Y diweddar Rhiannon Howell (Bevan wedyn) yn gadeirydd, finne'n siaradwr a Len Williams o Benrhiwllan yn diolch. Fe roiodd y beirniad, y Parchedig Trebor Lloyd Evans, farciau llawn i fi am fy araith. Cyrhaeddon ni'r rownd derfynol unwaith eto ym

Mhorthmadog yn 1964 a ninnau'n hyderus iawn gan ein bod mor brofiadol erbyn hynny. Ond mae cael stwffad yn gwneud byd o les i bawb ambell dro, a bachgen ifanc o'r enw Eifion Lloyd Jones wnaeth hynny i ni yn y rownd derfynol.

Sêr y Siroedd

Roeddwn i'n cynrychioli Sir Gaerfyrddin yn y gystadleuaeth radio rhwng y siroedd yn ystod y chwedegau. Bydde gan bob sir unawdydd, deuawd, eitem ddigri, bardd yn darllen ei waith a pharti canu a bydde'r siroedd yn cystadlu'n erbyn ei gilydd. Roedd dau feirniad wedyn yn rhoi sylwadau a marciau a'r sir fuddugol yn mynd ymlaen i'r rownd nesa. Yr eitem ddigri oedd fy nghyfraniad i, ac ar ôl mynd i'r coleg yn Aberystwyth fe ges i fy nhrosglwyddo y flwyddyn wedyn i dîm Sir Aberteifi ac fe enillodd Sir Aberteifi bencampwriaeth *Sêr y Siroedd.*

Roeddwn i'n lwcus mai Dai Williams, Tregaron, oedd y beirniad wythnosol, un a edmygwn yn fawr fel arweinydd a digrifwr ac un oedd yn aelod o'r parti enwog hwnnw, Adar Tregaron, gyda Cassie a Neli Davies ac eraill. Ychydig a wyddai Dai wrth i Sir Aberteifi ennill y naill rownd ar ôl y llall mai crwt o fyfyriwr oedd yn ysgrifennu stwff ei hunan oeddwn i, ond gwyddwn i'n dda pa fath o hiwmor roedd Dai yn ei hoffi. Meddai e unwaith, 'Ma pwy bynnag sy'n ysgrifennu'r darnau i'r crwt ifanc 'ma'n deall ei gynulleidfa i'r dim gan ei fod yn cael ymateb mor dda. Mae'i ddarnau'n newydd ac yn ffresh.' A finne bellach yn un ar hugain oed, roedd Mam yn dechrau clebran obiti'r pentre, mae'n debyg, fod 'yr hen grwt yn neud lot gwell na beth o'n i'n dishgwl!'

Doniau'r Dosbarth

Ar ôl cychwyn ar fy swydd gynta fel athro ym Medi 1961 yn yr Ysgol Gymraeg yn Aberystwyth, oedd wedi'i lleoli y pryd hwnnw wrth yr orsaf reilffordd yn Heol Alecsandra, dyma fynd ati eto i sefydlu parti noson lawen o blith athrawon yr ysgol gyda'r enw tu hwnt o wreiddiol Doniau'r Dosbarth.

Y ddawnus Llinos Thomas (Edwards wedyn) o Aber-arth oedd yn ein cyfarwyddo a bydde hithau a John Garnon a'u telynau'n cyfeilio. Nansi Lewis (Hayes wedyn) yn adrodd ac yn adrodd i gyfeiliant telyn hefyd gan iddi hi a Llinos ennill ar y gystadleuaeth hon yn y Genedlaethol. Yna, Will Griffiths, Mair Jenkins ac Edna Jenkins a'r prifathro Hywel Jones yn rhan o'r parti canu ac yn actio yn y sgetsys a finne'n adrodd ac yn arwain. Do, fe gawson ni dipyn o hwyl yn cynnal cyngherddau, yng nghefn gwlad Sir Aberteifi yn bennaf.

Cofiaf un noson yn Neuadd Tysul, Llandysul, a Mam wedi dod i'n gweld ac yn eistedd yng nghefn y neuadd. Y flwyddyn cynt roeddwn i wedi colli Nhad, ac roedd Mam druan yn dal i alaru ar ei ôl. Ar ddiwedd y noson honno yn Neuadd Tysul dyma fi'n mynd i nôl Mam i ddod i gwrdd ag aelodau staff yr ysgol am y tro cynta. Ond am ryw reswm roedd hi'n amlwg ei bod hi o dan deimlad, ac eglurodd ei bod o gefn y neuadd yn gweld Jack, ei gŵr, yn rhan o'r parti ar y llwyfan. Sylweddolais yn sydyn fod Will Griffiths, aelod o'r staff, yn debyg iawn i Nhad, ac o gefn y neuadd, i Mam, gallech feddwl yn rhwydd mai dyna pwy oedd e.

Yr unig aelod o'r staff nad oedd yn aelod o'r parti hwnnw oedd Miss Chamberlain. Hen ferch ar fin ymddeol oedd hi ac athrawes wych a thrylwyr ond yn llawer rhy swil i ymddangos ar lwyfan.

'Shwt fwyd gawsoch chi nos Wener?' fydde cwestiwn cynta Miss Chamberlain ar fore Llun ar ôl i Doniau'r Dosbarth fod wrthi. 'Gesoch chi naiff and fforc neu sandwijis? Gesoch chi gêcs a sbynjis? O! Treiffl, do fe?!'

Ond ar ôl noson mewn festri ym mherfeddion Sir Aberteifi un tro, y cyfan gawson ni oedd dished o de digon diflas a darn o gacen Madeira siop, a phan ofynnodd Miss Chamberlain ei chwestiwn arferol fore Llun yn yr ystafell staff, meddai John Garnon wrthi,

'Chi'n gwbod beth geson ni, Miss Chamberlain? Te lwtsh a cacen felen.'

Fe'i siomwyd yn fawr gan eiriau John, gan y gwyddai'r hen ferch, ond heb yn wybod i ni, mai dwy gyfnither iddi hi oedd yn gyfrifol am 'y te lwtsh a'r gacen felen'. Ni ofynnodd Miss Chamberlain byth wedyn am hynt a helynt Doniau'r Dosbarth ar fore Llun!

Aelwyd Aberystwyth

Bob nos Wener bydde llond y lle o bobol o bob oed yn dod i'r neuadd yn Swyddfa'r Urdd yn Heol Llanbadarn, Aberystwyth. Aelwyd i bawb oedd hon gyda rhaglen wythnosol wedi'i threfnu trwy'r gaeaf ar gyfer 'hen aelodau'r Urdd'.

Braf oedd cael bod yn rhan o'r gweithgarwch hwnnw yn y chwedegau ac o gael arwain yr Adran a'r Aelwyd o dan adain yr Aelwyd fawr. Fe ges i'r cyfle, felly, i ymddangos ar lwyfannau lleol a chenedlaethol yn enw Urdd Gobaith Cymru, a hynny am flynyddoedd maith.

Symudodd Mr a Mrs Emrys Bennett Owen a'u merched Elinor a Menna i fyw i Erw'r Delyn, Heol Llanbadarn, ac fe aeth Emrys ati ar unwaith i sefydlu partïon a chorau yn yr Aelwyd ac fe ddaeth Parti Noson Lawen Aelwyd Aberystwyth yn enwog tua'r un amser â Pharti Aelwyd Brynaman pan oedd Glan Davies ac eraill yn eu hanterth. Dyddiau da oedd y rheiny.

Ar ôl yr ymarferion yn yr Aelwyd fe fyddwn i a John Garnon yn mynd yn ôl i Erw'r Delyn i gael paned a sgwrs, a Mrs Owen mor siriol a charedig ac mor fwyn bob amser yn ein croesawu. Yna, yn ei ddull cartrefol ei hun, bydde Emrys yn trafod pob agwedd ar berfformiadau'r partïon canu a pharti'r noson lawen, gan gynnwys effeithiolrwydd John Garnon a finne fel arweinyddion.

'Arweinydd da yw allwedd pob noson,' oedd geiriau Emrys, a than hynny doedd neb erioed wedi cynnig unrhyw fath o sylwadau ar ein dull o arwain neu gyflwyno storïau. O'm safbwynt i, Emrys Bennett Owen a'm hyfforddodd i fod yn arweinydd noson lawen, cyngerdd a steddfod effeithiol.

'Mae'n bwysig cael pawb mewn hwyliau da ar ddechrau'r noson. Codi hwyl a gweithio'n galed o'r dechrau, ac yna pan fydd pawb yn mwynhau ac wrth eu boddau, dim ond cadw pethe i fynd sy angen wedyn,' oedd geiriau Emrys, a dyna'r athroniaeth rwy i wedi cadw ati am hanner can mlynedd a mwy.

Crwydrodd Parti Noson Lawen Aelwyd Aberystwyth hyd Gymru gyfan ac fe aeth y côr o dan arweiniad Emrys i'r Albert Hall i ganu yn y cyngerdd i ddathlu pen-blwydd y mudiad. Mae fy nyled bersonol i'n fawr iddo a choffa da am un a gyfrannodd drwy'i oes i'r pethe.

Bob haf bydden ni'n cynnal y Welsh Serenades yn Neuadd y Brenin yn Aberystwyth. Aneurin Jenkins Jones aeth ati i gyflwyno adloniant Cymreig i'r ymwelwyr bob nos Fawrth yn wythnosol ac ymhen amser fe ddaeth fy nhro innau i gyflwyno'r noson yn fy Saesneg carbwl ynghyd â chyflwyno gweithiau R S Thomas. Roedd y syniad o gyflwyno Cymru a'i holl ddiwylliant i'r ymwelwyr yn y chwedegau'n gwbl arloesol. Ar ôl dweud hynny, fedra i ddim gweld ein bod ni wedi symud ymlaen fawr ddim yn y maes hwnnw.

29, Heol Alecsandra

Yno, yn 29, Heol Alecsandra, yn yr un stryd â'r orsaf reilffordd, y bues i'n byw am y rhan fwyaf o fy amser yn Aberystwyth trwy'r chwedegau.

Roedd John Garnon a finne'n rhannu fflat yng nghartref Ben a Delia Thomas a'u plant Linda a Wyn. Roedd y lle fel stiwdio gerdd barhaol gan fod Mrs Thomas mor gerddorol ac yn gyd-organydd gyda John yng Nghapel Bethel yn y dref. Byddai John wedyn yn canu'r piano a'r delyn a Linda a Wyn ar eu tyfiant cerddorol wrthi'n ymarfer o fore gwyn tan nos. Fe ddaeth Linda yn athrawes gerdd maes o law ac mae Wyn yn ddarlithydd yn yr Adran Gerdd ym Mhrifysgol Bangor ac yn arbenigwr ar gerddoriaeth a chaneuon gwerin.

Doedd dim angen cloc larwm i'n dihuno ni yn y bore achos byddai Wyn a Linda yn ymarfer ar y piano neu'r ffidil yn gyson am hanner awr wedi saith, a dyw sgrech ffidil pan fo plentyn yn ei chwarae hi ddim yn gyfeiliant pleserus iawn wrth ichi lyncu'ch Weetabix a rhoi marmalêd ar eich tost peth cynta yn y bore!

Rwy'n cofio tynnu coes Mrs Thomas unwaith trwy ddweud wrthi bod dyn insiwleiddio waliau wedi galw pan oedd hi mas, ar ôl iddo gael galwad ffôn.

'Ond sa i wedi ffonio neb i alw i insiwleiddio'r waliau,' medde hithe.

'Na, dyn drws nesa wnaeth!' meddwn inne wrthi, a mawr fu'r chwerthin.

Mae'r caredigrwydd a ddangosodd Ben a Delia Thomas tuag ata i, a finne'n gorfod cau'r hen gartref yn Nre-fach Felindre ar y pryd a dod â Mam i Ysbyty Ffordd y Gogledd yn Aberystwyth, yn gymwynas y bydda i'n ei gwerthfawrogi tra bydda i byw. Roedd y gwmnïaeth a'r glonc cyn noswylio mor ddifyr. Roedd Mr Thomas yn rhedeg siop ddillad enwog Lampeter House yn y dref. Yn ôl Ben Thomas, os na fyddai pethau fel capiau neu hetiau'n gwerthu'n dda, dyna'r cwbl roedd rhaid iddo'i wneud oedd codi ychydig ar y pris a gosod arwydd 'Sale' arnyn nhw ac yna fe fydden nhw'n gwerthu fel pys!

Byddai Ben a Delia Thomas yn gorfod mynd ar hyd y landin bob nos, heibio'n fflat ni, ar eu ffordd i'r gwely ar lawr uchaf y tŷ, a thrwy'r gaeaf fe fydden nhw'n cario eu poteli dŵr twym. Ond fe fydden nhw troi i mewn am glonc, ac yn ddieithriad bron fe fydde'r poteli wedi hen oeri yn dilyn y sgwrsio hir. Fy ngwaith i wedyn fyddai berwi'r tecil a rhoi dŵr berwedig yn y jariau cyn iddyn nhw noswylio. I achub trafferth trefnwyd maes o law iddyn nhw ddod i fyny â'u poteli dŵr poeth yn wag ac fy mod i'n llenwi'r poteli iddyn nhw yn dilyn y glonc!

Delia redodd i mewn i fy ystafell wely ar fore 15 Gorffennaf 1966 tua saith y bore gan weiddi, 'Ma Gwynfor wedi ennill!' Yn naturiol roeddwn i wedi meddwl mai breuddwydio o'n i yn fy nhrwmgwsg a finne wedi blino'n lân ar ôl bod yn helpu yn fy hen ardal ar ddydd yr etholiad. Ond fe ysgydwodd hi'r gwely. 'Ma fe miwn,' medde hi. 'Glywes i fe ar y radio nawr.' A dyna lle'r oedden ni'n un criw hapus yn ein dillad nos yn dathlu buddugoliaeth Gwynfor!

Dyddiau da oedd dyddiau 29, Heol Alecsandra yn Aberystwyth, y cartref mwya diwylliedig i mi fod ynddo erioed, ac yno, yng nghanol yr hwrli-bwrli hapus, bues i'n cyfansoddi caneuon pop ac ysgafn, sgetsys o bob math a chant a mil o bethau eraill.

Bwrlwm y Chwedegau a'r Saithdegau

Yn dilyn noson hwyliog dros ben gan Barti Noson Lawen Aelwyd Aberystwyth i agor Gŵyl Fawr flynyddol Aberteifi mewn pabell fawr yn nechrau'r chwedegau, fe ges i wahoddiad gan yr ysgrifennydd anfarwol hwnnw, Owen M Owen, i arwain noson lawen agoriadol yr ŵyl am bum mlynedd o'r bron. Fy sylw i bob tro y deuai Owen ar y ffôn yn flynyddol oedd, 'Naill ai ma pobol Aberteifi yn lico fi'n ofnadw, neu ry'ch chi'n ffili cael neb arall!'

Ers y dyddiau hynny, mae'n debyg mai fel arweinydd noson lawen mae'r rhan fwya o bobol yn fy adnabod i, a thrwy holl gyffro'r chwedegau a'r saithdegau ces y cyfle a'r fraint o arwain nosweithiau o bob math a chyflwyno'r artistiaid hynny a fu'n rhan o dwf aruthrol canu ysgafn y cyfnod.

Roeddwn i gyda'r cynta i gyflwyno Dafydd Iwan. Roedd hi'n Ysgol Haf y Blaid yn Abergwaun yn 1964 a finne'n arwain a chyflwyno Dafydd ac yntau'n canu 'Wrth Feddwl am fy Nghymru' i gynulleidfa ddelfrydol ei hymateb oedd yn mynnu cael encôr. Hyd y gwn i, dim ond un gân arall oedd ganddo ac fe ganodd 'Gee Ceffyl Bach' fel encôr. Ys gwn i ydy Dafydd yn cofio'r noson a'r anfarwol D J Williams yn llywydd y noson? Hir fu'r cymeradwyo ar ôl gwrando ar DJ yn ystod hanner amser a, phe bai hynny'n bosibl, bydde'r dorf wedi galw am encôr ganddo yntau hefyd.

Fe fues i gyda Hogia Llandegai a Hogia'r Wyddfa niferoedd o weithiau mewn neuaddau gorlawn a phrofi'r cyffro a'r boddhad a gâi'r torfeydd. Ond am ryw reswm anesboniadwy, dim ond deuddeg ddaeth i neuadd bentref Felin-fach i gyngerdd gan Hogia Llandegai a finne. A wyddoch chi beth, cawson nhw ddwyawr lawn o adloniant pur. Ymunodd y dwsin i ganu 'Defaid William Morgan' gydag arddeliad, ac fe aeth Now i ysgwyd llaw â phob un ohonyn nhw yn ystod y gân. Noson ryfedd oedd honno!

Cofiaf arwain ddwywaith yn Neuadd yr Hen Farchnad, Caerfyrddin, a'r tro cynta yn haf 1964. Yn dilyn y farchnad arferol yn ystod y dydd Sadwrn bydde byddin o bobol yn clirio'r stondinau naill ochr, adeiladu llwyfan ar ben y byrddau a gosod saith cant o gadeiriau yn eu lle cyn cychwyn y cyngerdd Swynol Gân am wyth o'r gloch.

Fedra i ddim cofio sawl noson lawen hwyrol yr Eisteddfod Genedlaethol arweiniais i yn y chwedegau a'r saithdegau, ond y Drenewydd oedd y gynta yn 1965. Bydd llawer yn cofio'r nosweithiau'n dechrau am hanner awr wedi deg y nos yn yr adeilad mwya yn yr ardal a phob un o'r nosweithiau'n llawn dop, yn gwrando ar artistiaid gorau Cymru yn cymryd rhan.

Cymaint oedd y galw am docynnau i noson lawen Merched y Wawr yn Eisteddfod Bangor yn 1971 fel y defnyddiwyd sinemâu'r Plaza a'r City i gynnal dwy noson lawen ar yr un pryd gyda'r artistiaid yn symud o'r naill le i'r llall i berfformio. Roeddwn i'n arwain un a Hywel Gwynfryn y llall, a chofiaf yn dda am y diweddar Elfed Lewys (Elfed Bach) yn dod ata i yng nghefn y llwyfan cyn iddo ganu a dweud, 'Os digwydd bod gap gyda ti rhywle a'r artistiaid heb gyrraedd o'r noson lawen arall, wyt ti'n fodlon rhoi sbot i'r crwt ifanc â'i gitâr sy 'da fi fan hyn?'

'Dim gobeth,' meddwn i. 'Sdim ots 'da fi pwy yw e, dyw e ddim ar y rhaglen.'

'Ond ma fe'n canu yn y clwbe ac ma un gân Gwmrâg 'da fe!'

Ar ôl i Elfed orffen ei eitem ar y llwyfan, sylweddolais nad oedd yr un artist arall wedi cyrraedd o'r noson lawen arall, ac wrth i Elfed ddod bant fe ddywedais i wrtho, 'Gwed wrth dy ffrind â'i gitâr i baratoi tra bydda i'n gweud stori, ac fe alwa i fe i'r llwyfan. Beth yw ei enw e?'

Ac ar ôl dweud stori neu ddwy dyma fi'n mynd ati i gyflwyno'r gŵr ifanc o'r de. 'A go brin eich bo chi wedi clywed amdano fe tua Bangor 'ma, er bo fe'n canu tipyn yng nghlybiau'r de, ond am y tro cynta ar lwyfan y noson lawen, rhowch groeso cynnes i Max Boyce!'

Fe dynnodd e'r lle i lawr a chael encôr, a gan mai dim ond un gân Gymraeg oedd ganddo fe aeth e'n ôl a'i chanu hi unwaith eto. Tybed ai fi gyflwynodd Max Boyce i'r genedl Gymraeg am y tro cynta? Fe wnes lawer tro wedyn yn y cyfnod hwnnw.

Dro arall roeddwn i'n arwain noson Pinaclau Pop ym Mhafiliwn Corwen a'r lle'n orlawn. Fe fydda i bob amser yn mynnu bod yr artistiaid y bydda i'n eu cyflwyno wrth ochr y llwyfan yn barod i ddod arno'n syth ar ôl i fi eu cyflwyno. Ond ar y noson arbennig hon roedd Meic Stevens wrthi yn un o'r ystafelloedd cefn yn tiwnio'i gitâr pan es i ato a dweud mai fe oedd nesa. 'Bydda i 'da ti nawr!' oedd ei ymateb a nôl â fi i ymyl y llwyfan. A phan ddaeth hi'n amser i'w gyflwyno i'r gynulleidfa fe roiais i dipyn o ragymadrodd a chanmoliaeth iddo fel un o'n goreuon ac yn y blaen. 'Rhowch groeso,' meddwn i, 'i'r anfarwol Meic Stevens.'

Cymeradwyaeth fyddarol, ond neb yn dod i'r llwyfan! Mae sefyllfa felly'n hunllef i arweinydd, a doedd dim amdani ond rhedeg bant i weld ble roedd e. 'Wi'n ffili cal y blydi gitâr 'ma mewn tiwn,' meddai Meic, 'cyflwyna rywun arall!' A finne ar fy ffordd yn ôl i'r llwyfan, a'r dorf yn aros yn amyneddgar, dyma

Meic yn gweiddi arna i, 'Mae'n OK nawr, gwed stori fach a bydda i 'da ti!' Fe ddywedais i stori arall ac yna ailgyflwyno'r seren, Meic Stevens. A wyddoch chi beth, ddaeth y cythrel ddim ymlaen wedyn, er ei fod wrth ochr y llwyfan, am nad oedd e'n gwbl hapus gyda thiwn ei gitâr. Doedd dim amdani ond cyflwyno rhywun arall a symud ymlaen gyda'r noson a diawlo Meic Stevens dan fy anadl! Wedyn, ac yntau'n hapus gyda'i gitâr, yr hyn a wnes i oedd gadael iddo gerdded i'r llwyfan heb gyflwyniad o gwbl ac, wrth gwrs, fe gafodd groeso twymgalon. Bob tro ar ôl hynny, fe wnes i'n siŵr ei fod e'n cerdded i'r llwyfan gyda fi a byddwn yn ei gyflwyno ac yntau'n sefyll wrth fy ymyl. Mae sawl ffordd o gael Wil i'w wely!

Eisteddfodau'r Urdd

Roedd cael arwain Eisteddfod Genedlaethol yr Urdd yn fraint ac yn bleser bob amser. Ond fe ddaeth arwain Eisteddfod yr Urdd i ben yn reit sydyn yn 1966 yng Nghaergybi. Yr arweinydd fydde'n cyflwyno Llywydd y Dydd bob amser, ac ar y dydd Gwener yng Nghaergybi disgynnodd y cyfrifoldeb o gyflwyno Cledwyn Hughes, Aelod Seneddol Ynys Môn ac Ysgrifennydd Gwladol Cymru ar y pryd, arna i. Roedd ei lywodraeth Lafur yn amhoblogaidd iawn yng Nghymru a'r frwydr dros hawliau'r Gymraeg ar ei hanterth, a phawb yn beio Cledwyn am wneud fawr ddim heblaw sefydlu paneli ymgynghorol. Roeddwn innau hefyd yng nghanol brwydr yr iaith ac yn siomedig nad oedd ein Hysgrifennydd Gwladol, a hwnnw'n Gymro Cymraeg, yn gwneud dim i wella'n hawliau. Yn ôl a gofiaf, byr iawn a ffeithiol oedd fy nghyflwyniad ar lwyfan y brifwyl yng Nghaergybi, a ches i ddim arwain Eisteddfod Genedlaethol yr Urdd byth wedyn.

Er hynny, y flwyddyn ganlynol etholwyd fi'n Gadeirydd Pwyllgor Gwaith Eisteddfod yr Urdd Aberystwyth oedd i'w chynnal yn 1969. A finne ond yn saith ar hugain oed, profiad rhyfedd oedd gorfod cadeirio ac arwain cyfarfodydd gyda mawrion academia'r dre o gwmpas. Fe aeth yr holl drefniadau'n wych iawn hyd nes y penderfynodd mab hynaf y Frenhines ddod i'r coleg yn Aberystwyth am un tymor yn unig, gan ddod i'r Eisteddfod Genedlaethol honno ym Mhlascrug ar ei ffordd i'r arwisgo yng Nghastell Caernarfon.

Holltwyd y Pwyllgor Gwaith a Chymru gyfan lawr y canol. Gwnes innau fy safiad yn erbyn yr holl dwyll ond mynnais barhau fel cadeirydd er mwyn sicrhau bod holl blant Cymru yn cael y cyfle gorau posibl i gymryd rhan yn ein gŵyl genedlaethol er gwaetha pawb a phopeth. Fe'm siomwyd yn ddirfawr o weld diffyg gwir Gymreictod ein harweinwyr Cymreig, o fewn a thu allan i'r Urdd, a hynny'n groes i deimladau ein hieuenctid. Wrth edrych yn ôl bellach ar y cyfnod annifyr hwnnw, mae'n well gen i gofio Eisteddfod Aberystwyth am ddigwyddiadau arbennig fel Gerallt Lloyd Owen yn ennill y gadair, a'i awdl amserol yn cyfleu fy nheimladau.

Fe wrthodais fod yn rhan o'r derbyniad swyddogol i Charles ar faes yr Eisteddfod nac yn rhan o'r seremoni honno ar y llwyfan pan gafodd y Tywysog gyfle i annerch y genedl. Yr hyn rwy'n ei gofio yw i'r ddirprwyaeth swyddogol deithio o babell y derbyniad trwy'r mwd trwchus ar y maes i lwyfan y pafiliwn a finnau'n digwydd bod yno'n gwylio'r Tywysog a'i osgordd o bwysigion a'r heddlu cudd yn cerdded heibio. Ymhell ar eu holau, yn araf ac yn fusgrell, gan straffaglu trwy'r mwd tua'r pafiliwn a neb yn gwneud sylw ohonyn nhw, roedd Syr Ifan a'r Fonesig Edwards. Gwelais bwysigion yr Urdd a'r genedl yn rhoi eu holl sylw i'r Tywysog gan adael i Syr Ifan lusgo'i ffordd tua'r pafiliwn. Fe aeth grŵp ohonon ni at Syr Ifan a'r Fonesig a'u helpu ar draws y cae mwdlyd. Yn sydyn fe ddaeth gwaedd o rywle, 'Syr Ifan, chi yw'n tywysog ni.' Gwir y geiriau ar un o ddiwrnodau mwya diflas fy mywyd.

Yn y cyngerdd ar y nos Sadwrn ola yn y babell fawr a'r holl ieuenctid ar eu traed ac ar y seddau'n canu gyda Dafydd Iwan am 'Carlo, Carlo' a 'Croeso Chwedeg Nain' ac 'Wrth Feddwl am fy Nghymru', fe aeth y lle'n wenfflam pan aeth Dafydd ati i ddarllen rhannau o awdl fuddugol Gerallt,

Wylit, wylit, Lywelyn
Wylit waed pe gwelit hyn.
Ein calon gan estron ŵr,
Ein coron gan goncwerwr…

Fe rown wên i'r Frenhiniaeth,
Nid gwerin nad gwerin gaeth.
Byddwn daeog ddiogel
A dedwydd iawn, doed a ddêl…
Fy ngwlad, fy ngwlad, cei fy nghledd
Yn wridog dros d'anrhydedd.
O, gallwn, gallwn golli
Y gwaed hwn o'th blegid di.

Mae dros ddeugain mlynedd ers y noson gyffrous a llawn o fwrlwm yr ifanc honno yn Aberystwyth ar 31 Mai 1969, a siom yw gorfod cyfaddef nad oes cof gen i am un noson arall mor genedlatholgar ers hynny. O am gael profi noson debyg unwaith eto!

Pinaclau Pop

Roedd angen codi arian ar gyfer Eisteddfod yr Urdd Aberystwyth 1969 ac ar ôl bod yn cyflwyno'r holl artistiaid canu ysgafn ar hyd y chwedegau fe ges i'r syniad o'u cael i'r un lle ar yr un noson mewn gŵyl bop anferth ym Mhafiliwn Pontrhydfendigaid, a'i galw'n Pinaclau Pop.

Dyma'r tro cynta i'r fath ddigwyddiad fod yn hanes canu pop Cymraeg ac ar nos Sadwrn, 29 Mehefin 1968 heidiodd y miloedd i Bontrhydfendigaid. Mae poster yn hysbysebu'r noson, wedi'i fframio'n barchus bellach, yng ngwasg y Lolfa yn Nhalybont. Poster yr ŵyl bop Gymraeg gynta oedd un o'r posteri cynta a argraffwyd gan y Lolfa. Ar y poster hwnnw mae enwau'r artistiaid – Ryan a Ronnie yn cyflwyno ac yn perfformio ynghyd â Hogia Llandegai, Helen Wyn, Dafydd

Iwan ac Edward, Aled a Reg, Mari Griffith, Siwsan a Treflyn, Huw Jones a Heather Jones, y Derwyddon, y Cwiltiaid, y Diliau a'r Pelydrau. Roedd Meinir Lloyd yno hefyd yn canu 'Watsha Di Dy Hun', ac rwy'n cofio dweud wrtha i'n hunan y pryd hwnnw, 'Rwy'n credu y watsha i fwy o hon!'

Wrth drafod pa artistiaid i'w gwahodd i'r noson, cofiaf Gwilym a Megan Tudur yn awgrymu'r ddeuawd o Sir Fôn, Tony ac Aloma. Doedd neb arall wedi clywed amdanyn nhw ar y pwyllgor trefnu, ond fe fynnodd y ddau ein bod ni'n eu gwahodd. Mae gweddill y stori'n wybyddus i bawb!

Gwerthwyd rhyw ddwy fil o docynnau wythnosau ymlaen llaw, ac fe wnaeth Alun Williams recordio rhaglen hanner awr a'i chyflwyno ar y radio. Mae'r tâp o'r rhaglen honno gen i o hyd. Meddai Alun ar y rhaglen, 'Diolch i Peter Hughes Griffiths a'r holl griw am eu gweledigaeth yn cynnal yr ŵyl bop Gymraeg gynta. Nid hon fydd yr ola, rwy'n siŵr.' Geiriau ola Ryan Davies o'r llwyfan ar y noson ryfeddol honno oedd, 'Mae hwn yn gam mawr ymlaen yn hanes pop Cymraeg.'

Mae'r sîn bop a roc Cymraeg wedi datblygu'n anghredadwy ers y dyddiau cynnar hynny, ond roedd rhaid dechrau'n rhywle!

Y Genedlaethol

Symudon ni i Gaerfyrddin i fyw ar y Sadwrn cyn Eisteddfod Genedlaethol Hwlffordd yn 1972 a honno oedd y gynta i fi ei harwain o'r llwyfan os cofiaf yn iawn. Cynigiodd pwyllgor lleol Sir Benfro enwau'r arweinyddion i Gyngor yr Eisteddfod, a bu i Syr David Hughes Parry ac eraill wrthod fy enw am fy mod i 'yn ormod o genedlaetholwr amlwg'! Wedi'r cwbl, roeddwn i'n gweithio i Blaid Cymru yn y gorllewin. Ond chwarae teg i bobol y 'wes wes' am ddadlau fy achos, oherwydd fe ges i arwain y flwyddyn honno a sawl tro wedi hynny hefyd.

Yr anfarwol Carwyn James oedd y llywydd ar ddydd

Mawrth y steddfod honno yn Hwlffordd, a do, fe wnes i well job o gyflwyno Carwyn nag a wnes i o gyflwyno Cledwyn! Onid oedd y gŵr hwn wedi arwain y Llewod i fuddugoliaethau syfrdanol yn Seland Newydd y flwyddyn cynt? Ar glawr cefn ei lyfr *Carwyn – Un o 'Fois y Pentre'* a gyhoeddwyd yn 1983, mae'r golygydd John Jenkins wedi dyfynnu darn bychan o 'nghyflwyniad ar y llwyfan,

> Dim ond dweud y gair 'Carwyn' ac fe fydd Cymru gyfan yn gwybod am bwy rydych chi'n sôn. Nid yn aml y cawn ni Lywydd y Dydd yn yr Eisteddfod Genedlaethol a phob 'Working Men's Club' yng Nghymru'n gwybod amdano fe... a bob amser, yng nghanol y clod a'r bri mynega Carwyn yn glir a chroyw mai Cymro Cymraeg a Chenedlaetholwr yw e.

Yng nghorff y gyfrol mae John Jenkins wedi cynnwys yr araith honno'n llawn. Mae'n gyfrol sy'n dangos dyfnder meddwl Carwyn a'i weledigaeth fawr. Da chi, darllenwch hi. Mae'n amlwg nad oedd awduron y rhaglen deledu a ddarlledwyd am Carwyn yn 2009 yn gwybod fawr ddim am yr athrylith hwn!

Teledu

Meredydd Evans, fel Pennaeth Adloniant Ysgafn y BBC, roddodd wahoddiad i fi fod ar banel y gêm *Mi Hoffwn I*. Fe ddaeth hi'n rhaglen boblogaidd iawn gyda Marian Arthur Jones (mam Arthur Emyr a'i frodyr) ac Eurwen Richards o Lanymddyfri a finne'n ceisio dyfalu beth oedd 'mi hoffwn i...' y cystadleuwyr. Roedd hi'n rhaglen hwyliog iawn ac yn yr ail gyfres fe ges i'r cyfle i fod yn gyflwynydd gyda Dan Roberts o Lanrwst ac Ann Griffiths o Gastellnewydd Emlyn, gydag Eurwen Richards ar y panel.

Er i Merêd drefnu rhai cymeriadau diddorol i fod yn gystadleuwyr, yr un a'n curodd ni'n rhacs oedd y 'mi hoffwn i' gorau o'r ddwy gyfres sef, 'Mi hoffwn i weld fy hunan fel mae eraill yn fy ngweld i.'

Yn fuan ar ôl priodi yn 1969 fe ddaeth gwahoddiad gan Merêd i Meinir a finne'r tro hwn gyflwyno'r gêm newydd *Dyfal Donc*. Bydde rhes o luniau ar y sgrîn o flaen y cystadleuwyr a bydde Meinir yn chwarae alawon o bob math ar y piano yn gysylltiedig â phob llun, a'r gamp oedd adnabod yr alaw a'i chysylltu â'r llun cywir. Ymddangosodd gŵr ifanc o'r enw Moses Pritchard ar y rhaglen. Brodor o Lerpwl oedd e, yn y coleg yng Nghaerdydd yn astudio cerddoriaeth. Fel llawer o bobol ifanc y cyfnod roedd ei wisg a'i ddull o lefaru braidd yn hipïaidd a'i wallt yn hir. Er syndod i fi, roedd ganddo Gymraeg graenus a phan chwaraeodd Meinir yr alaw gynta dyma Moses yn gwasgu'r botwm yn syth a gweiddi 'Trên Bach yr Wyddfa!' 'Anghywir,' meddwn innau, ac fe aeth Meinir rhagddi i chwarae'r ail alaw. Ar ôl saib hir dyma Moses yn gwasgu'r botwm eto a gweiddi 'Trên Bach yr Wyddfa!' Roeddwn i fel cyflwynydd mewn panic llwyr ar ôl iddo weiddi 'Trên Bach yr Wyddfa' ar ôl y drydedd alaw ac ymddiheurodd yntau am ei fethiant wrth i fi geisio achub rhaglen drychinebus. Chwaraeodd Meinir yr alaw nesa a gwaeddodd Moses gyda gwên am y bedwaredd waith, 'Trên Bach yr Wyddfa!' 'Cywir,' meddwn innau gyda chryn ryddhad, a'i longyfarch am gael un yn gywir beth bynnag.

Ar ddiwedd y rhaglen daeth Merêd i'r stiwdio i ddiolch i'r holl gystadleuwyr gan droi at Moses Pritchard a dweud wrtho, 'Diolch i chi am fod yn chi eich hun!' Ymhen amser ac ar ôl darlledu'r rhaglen, daethon ni i wybod nad oedd sut greadur â Moses Pritchard yn bod ac mai'r tynnwr coes poblogaidd Moi Parri oedd y cystadleuydd ffug. Dros baned yng nghynhadledd y Blaid yn Llandudno yn 2009 atgoffodd Moi fi o'r digwyddiad a'r rhaglen na fu ei thebyg na chynt na chwedyn!   .

Roedden ni'n byw ym Maes Ceiro wrth Gapel y Garn, Bow Street, ar y pryd ac yn teithio i Gaerdydd yn gynnar bob bore

Sadwrn. Yna, gadael Llŷr yn fabi bach gyda Beti, fy chwaer, yn Llansawel ger Castell-nedd. Fe fydden ni'n recordio dwy raglen fel arfer cyn codi Llŷr eto a theithio adre. Ond, dyna fe, roedden ni'n ifanc y pryd hwnnw!

Cyflwynais a chymryd rhan mewn nifer dda o gyfresi teledu ar hyd y blynyddoedd – rhaglenni fel *Taro Bargen* gydag Elinor Jones a *Sbecian* gyda Vaughan Hughes yn ateb cwestiynau ar hen glipiau teledu. Adrodd storïau digri oedd y rhaglen *Dawn Dweud* gyda nifer o storïwyr fel Dilwyn Edwards a Mair Garnon James yn cymryd rhan.

Noson Lawen

O safbwynt ymddangos ar y teledu, bydd y mwyafrif yn fy nghysylltu â'r rhaglen boblogaidd *Noson Lawen*. Ar ffarm Treruffydd yn Nhrewyddel, Sir Benfro, y gwnes i arwain am y tro cynta yng nghwmni Jac a Wil, Meinir a Beti a Jean, y Diddanwyr o Gaerfyrddin a Phil Davies, Hermon. Fe fues i wrthi am bum mlynedd ar hugain yn ddi-fwlch gan gyflwyno artistiaid o bob math un flwyddyn ar ôl y llall o sguboriau a siediau a chanolfannau chwaraeon, a phawb yn eistedd ar fêls gwellt cyn i bobol iechyd a diogelwch ddod heibio. Fe gollwyd tipyn o'r naws werinol wedi i'r bêls ddiflannu.

Rwy'n cofio cyflwyno'r delynores Catrin Finch yng nghartref Dafydd Edwards ym Mhlasybryniau a hithau'n rhyw dair ar ddeg oed a sylwi bod yna ddawn fawr ar gerdded.

'Ble ry'ch chi'n cael yr holl storis 'na?' bydd llawer un yn gofyn. Wedi'r cwbwl, roedd angen rhyw bump ar hugain ar gyfer pob recordiad o'r *Noson Lawen* gan fod angen rhyw dair neu bedair stori rhwng pob eitem tra bydde'r criw'n symud y piano a'r offer ar y llwyfan o eitem i eitem.

Mi fyddwn i'n casglu storïau ar hyd y flwyddyn, a bydde dau o'n ffrindiau gorau yn Nre-fach Felindre yn gwneud yr un peth. Do, fe ges i ddwsinau o storïau gan Eirwyn Evans (Eirwyn Maesyberllan) a llawer, llawer mwy gan Gwynfor Jones, cyfaill oes i fi. Mae'r ddau wedi'n gadael bellach ac rwy'n gweld eisiau Gwynfor yn fawr iawn gan mai fe i fi oedd llais fy hen fro. Fe fuodd e'n byw yno ar hyd ei oes, yn ŵr diwylliedig, yn Gymro da ac yn ddyn pêl-droed dwl fel finnau. 'Shwt wyt ti'r hen bartner?' fydde'i gyfarchiad cynta bob amser, ac yna, 'A glywest ti hon?' gan adrodd y stori ddiweddara iddo ddod ar ei thraws. Cymeriad hoffus iawn oedd Gwynfor, partner da a 'halen y ddaear' ei fro.

Pen-blwydd Hapus

Fe ddarlledwyd sawl cyfres o'r rhaglen deledu boblogaidd *Pen-blwydd Hapus*, gydag Arfon Haines Davies yn ei chyflwyno. Y syniad oedd dal amryw o unigolion yn ddirybudd ar ddydd eu pen-blwydd, eu cludo i ganolfan lle byddai criw mawr o ffrindiau a theulu wedi ymgasglu, ac yna byddai gwahanol bobol yn cyflwyno anrhegion iddyn nhw. Cyflwynais y syniad i S4C ac fe gafodd ei dderbyn.

Roeddwn i wrthi'n gosod y set y tu ôl i'r llenni rhwng dwy ddrama yn ystod Gŵyl Comedïau Flynyddol *Cwlwm* yn Neuadd San Pedr tra bod T Gwynn Jones yn diolch i lywydd y noson am ei bresenoldeb. Gwahoddodd fi i ymuno ag e o flaen y gynulleidfa i dderbyn gwerthfawrogiad ac anrheg am drefnu'r ŵyl ddrama am ddeng mlynedd. Wrth ddiolch i Gwynn, gwelais gamera'n dod tuag ata i o gefn y neuadd ac, o'r tu ôl i'r llenni, dyma rywun yn rhoi'i law ar fy ysgwydd a dweud 'Peter Hughes Griffiths, pen-blwydd hapus!'

Dyna beth oedd sioc yn wirioneddol, ac am unwaith roeddwn i'n hollol fud. Y noson ganlynol fe ges fy nghludo i Theatr Felin-fach heb wybod dim beth oedd yn fy aros.

Ac eithrio bod mewn cynhebrwng ac wrth alaru a ffarwelio â rhywun annwyl, nid wyf yn un sy'n colli dagrau o gwbl, ac yn hynny o beth gallwch ddweud mod i'n greadur reit galed a fawr o sentiment yn perthyn i fi. Ond, y noson honno yn

Felin-fach, rhaid i fi gyfadde, pan gerddodd Ieuan Jones (Ieuan Cwmdu), fy ffrind ysgol, i mewn trwy'r gynulleidfa i'r llwyfan, a finne heb ei weld ers deugain mlynedd am ei fod yn byw yn Zimbabwe, roeddwn i o dan deimlad dwys. Fe fuon ni'n dau'n cadw cysylltiad trwy lythyr a galwad ffôn bob hyn a hyn, ond ychydig iawn a feddyliais y cwrddwn i ag e. Doedd ei wraig, Megan, erioed wedi bod allan o Zimbabwe, er ei bod o dras Gymreig, ac roedd hi gyda fe.

Fe gawson ni dreulio ychydig ddyddiau yng nghwmni'n gilydd yng Nghaerfyrddin cyn iddo fynd yn ôl, ac fe aethon ni allan un noson am bryd o fwyd i'r Llwyn Iorwg yng Nghaerfyrddin i ddathlu'r achlysur. Pan ddaethon ni allan tua'r un ar ddeg, roedd hi'n bwrw eira'n drwm a thrwch ar lawr. Yn sydyn, dyma Megan, gwraig Ieuan, yn rhoi'r sgrech fwya ofnadwy a rhedeg mas i ganol yr eira â'i breichiau yn yr awyr. Yna, fe aeth hi ar ei phenliniau a chodi'r eira a'i daflu i bob man gan ddal i sgrechian yn ei hapusrwydd. Pan eglurodd Ieuan nad oedd hi erioed wedi gweld eira yn ei bywyd, gallwn i ddeall ei hymateb, ac fe gawson ni gryn drafferth i'w chael hi'n ôl i'r gwesty.

Mae Cwmdu yn dal yn Zimbabwe, ac ers colli Megan dyw e ddim yn ymateb ond rhyw unwaith y flwyddyn yn awr ar ffurf e-bost. Rwy'n dal i anfon e-byst ato trwy'i ddau fab sy'n byw ym Mhrydain, ond oherwydd yr holl broblemau yn Zimbabwe does dim sicrwydd ei fod e'n eu derbyn.

Radio

Pan oeddwn yn Aberystwyth yng nghanol y chwedegau, cysylltodd Thomas Davies o Adran Chwaraeon y BBC â fi i ofyn a allwn i roi adroddiadau chwaraeon y canolbarth ar ei raglen wythnosol. Doedd dim stiwdio o unrhyw fath yn y cyfnod hwnnw, dim ond bocs a meic a chlustffonau yn ystafell gefn festri Capel Seilo, ac oddi yno bob nos Lun roeddwn i'n darlledu'n fyw.

Thomas Davies oedd yr arloeswr ym myd darlledu chwaraeon trwy'r Gymraeg. Dyma gyfarwyddwr yng ngwir ystyr y gair. Mynnai Gymraeg cywir ond rhwydd a naturiol gan ei ddarlledwyr, ac ar ôl pob rhaglen bydde'n adolygu'r cyfraniadau a rhoi cynghorion. Bu farw Tom yn 2009 yn ei gartref yn Rhaeadr Gwy, a chofiaf amdano fel un o'r ychydig a ofalodd fod chwaraeon trwy'r Gymraeg ar y radio'n rhywbeth cwbl naturiol ac yn llawn cyffro.

Fe ges i'r cyfle i gymryd rhan mewn amrywiol raglenni ysgafn ar hyd y blynyddoedd o dan ofal Alwyn Samuel. Roedd hi'n arferiad recordio pob math o raglenni mewn neuaddau ar hyd a lled Cymru, cynnal sgyrsiau â gwahanol gymeriadau a chael eitemau gan dalentau lleol. Er i fi gael y cyfle i fod yn gyflwynydd ar nifer o raglenni o'r fath, am ryw reswm doeddwn i ddim yn dda iawn, a buan y sylweddolais i hynny hefyd!

Dros Ben Llestri Eto

Yn ystod yr wythdegau fe fues i ar sawl rhaglen banel neu gystadlaethau ysgafn fel *Hel Sgwarnog*, ond tua diwedd yr wythdegau a thrwy'r nawdegau tyfodd y rhaglen *Dros Ben Llestri* i fod yn un o raglenni ysgafn mwya poblogaidd Radio Cymru. Dau yn cystadlu'n erbyn dau arall oedd y rhaglen honno gyda Huw Llywelyn Davies yn cyflwyno. Fedrwn i ddim llai nag edmygu hiwmor ac ymateb hwylus Huw ar y rhaglen ac ef yn fwy na neb a lwyddodd i asio'r holl ddigrifwch a fydde'n hedfan o gwmpas neuaddau a festrïoedd y wlad. Fel arfer, bydden ni'n recordio dwy raglen ar yr un noson a bydde torf dda yn ymateb yn wych i'r panelwyr.

Un noson roedden ni'n recordio yn neuadd y Non-Political Club ym Mhontypridd, neuadd hyfryd yn dal rhyw ddau gant o bobol a'r cadeiriau coch wedi'u gosod allan mewn rhesi destlus. A ninnau'n barod i ddechrau, yr unig un yn bresennol oedd un hen gyfaill a eisteddai ar ei ben ei hun reit yn y cefn, ac meddai Huw wrtho'n garedig,

'Croeso i chi ddod 'mla'n aton ni fan hyn i'n helpu gyda'r chwerthin. Dowch ymlaen.'

'I don't know what the hell you're on about!' meddai'r cyfaill. 'I'm only here to open and lock up after you!'

A do, fe recordiwyd y rhaglen honno heb un copa gwalltog yn bresennol, ond pan ddarlledwyd y rhaglen roedd ymateb y gynulleidfa ffug yn ardderchog!

Lyn Ebenezer fydde fy mhartner i'n amal, a gan ein bod ni'n cydweithio'n dda fe gawson ni nosweithiau bythgofiadwy am ddegawd a mwy. Am ryw reswm mae'r nosweithiau a gawson ni yn Llan-non, Penrhyn-coch a Thalgarreg yng Ngheredigion ac yng Nghlwb Rygbi Hendy-gwyn ar Daf yn fyw yn y cof. Cofiaf y noson honno yn festri Aberduar, Llanybydder, pan lwyddodd y diweddar Ray Gravell i gynnal y noson gyda'i hiwmor naturiol. Mwynhad pur oedd gwrando ar Ifan Gruffydd a Tegwyn Jones ar eu gorau a chael gweld cynulleidfaoedd yn ymateb i'w clyfrwch geiriol. Rwy'n ystyried y rhaglen *Dros Ben Llestri* gyda'r gorau i fi fod yn rhan ohoni. Ceisiwyd ei throsglwyddo i'r sgrîn fach, ond ni fu'n llwyddiant.

Rwy'n dal i ddarlledu ryw ychydig o hyd a bydd Radio Cymru'n ogystal â'r teledu'n cysylltu i ofyn am gyfweliad neu am fy ymateb i ddigwyddiadau'r dydd yn lleol ac yn genedlaethol. A phan ges i wahoddiad i fod yn westai ar raglen *Beti a'i Phobol* gyda Beti George, doeddwn i ddim yn siŵr beth oedd arwyddocâd hynny. Yn wir, fedrwn i ddim llai na chofio geiriau Carwyn James tua diwedd ei yrfa fel chwaraewr rygbi pan ddywedodd e, 'Rwy'n ofni bod mwy o orffennol i fi nawr nag sy o ddyfodol!'

Drama

Y ddrama go iawn gynta i fi actio ynddi, yn rhyfedd iawn, oedd y ddrama Saesneg *Strife* pan oeddwn i yn y chweched dosbarth yn yr ysgol, a chafodd ei pherfformio yn Neuadd Tysul, Llandysul. Aled Parc Nest, Emyr Llew, Dafydd Wyn

Jones, John Dai, Rosina Davies a finne oedd yn y prif rannau gydag Emyr Llew yn chwarae rhan allweddol y rebel ac arweinydd y rhai oedd yn diodde. Dyna i chi gastio da gan David Howell Jones ac L J Williams, yr athrawon Saesneg. Mae'n amlwg eu bod nhw wedi gweld rhinweddau arbennig yng nghymeriad Emyr hyd yn oed yn y dyddiau hynny!

Ond Norah yng Ngholeg y Drindod a roddodd y cyfle i fi, fel i gymaint o fyfyrwyr eraill, feithrin a datblygu ein doniau llefaru ac actio. Fe gafodd cymaint ohonon ni'r cyfle i fod yn rhan o'i chynyrchiadau. Alla i ddim anghofio'r hyn ddigwyddodd cyn y perfformiad o *Amlyn ac Amig* gan Saunders Lewis yn Theatr Parry cyn y Nadolig yn 1958. Cymerwyd y prif rannau gan Emyr Griffith, Aberystwyth (Amlyn), a Richard Lewis, Ton Pentre (Amig). Roedd Mair Williams, Bethlehem, Dewi Bebb a Tomi Scourfield, Catherine Williams, Joyce Evans a Mair Morgan gyda Peter ac Anthony Rees, gefeilliaid wyth oed y darlithydd Mathemateg D D Rees, yn y cast hefyd .

Porthor yn llefaru dwsin o eiriau oeddwn i a phawb wedi bod yn ymarfer yn galed ers wythnosau ar gyfer dau berfformiad ar y nos Wener a'r nos Sadwrn. Ar y penwythnos cyn y perfformiad bu farw chwaer Richard Lewis ac o ganlyniad nid oedd neb yn siŵr a fydde Dic yn medru bod gyda ni gan y bydde angladd ei chwaer ar y dydd Iau cyn y perfformiadau. Galwodd Norah fi i'w hystafell gyda'r gorchymyn mod i i fynd ati'n syth i ddysgu rhan Amig gan nad oedd sicrwydd y bydde Dic Lewis yn gallu cymryd rhan. Yn grwt deunaw oed a heb unrhyw brofiad gwerth sôn amdano, es i ati i ddysgu'r rhan. Erbyn yr ymarfer ola nos Iau roedd y cyfan yn hunllef. Sut yn y byd y gallwn i gofio'r rhan a'r symudiadau a finne mor ansicr? Doeddwn i ddim hanner parod ac roeddwn i a phawb arall yn gwybod hynny.

A ninnau ar fin dechrau'r ymarfer ola ar y nos Iau, pwy gerddodd i mewn ond Dic Lewis ei hun. Roedd Dic wedi cael nerth o rywle i ddod o angladd ei chwaer i'r ymarfer ola ac fe ges i fy rhyddhau o'm gwewyr. Sut y llwyddodd Dic i gynnal ei hun a chofio'i eiriau wrth sôn am farwolaeth yn y ddrama, wn i ddim. Fedrwn i ddim llai nag edmygu cryfder ei gymeriad ers y dyddiau hynny ac fe aeth Dic ymlaen i fod yn arloeswr ym maes cynhyrchu gyda'r BBC.

Fe aeth Norah â ni i Neuadd Albert yn Llundain i gyflwyno meim yng nghyngerdd Gŵyl Ddewi Cymry Llundain yn 1960 ac, erbyn hyn, allai Mam ddim credu bod ei Peter Bedw hi wedi bod ar lwyfan yr Albert Hall yn Llundain cyn ei fod yn un ar hugain oed ac wedi cyflawni llawer mwy na'i chwaer Beti, er mai ganddi hi roedd y dalent! Mae rhyw foddhad hyfryd mewn balchder mam.

Fe wyddon ni, wrth gwrs, fod Norah wedi sefydlu'r adran ddrama Gymraeg gynta mewn unrhyw goleg yng Ngholeg y Drindod gan feithrin cenhedlaeth ar ôl cenhedlaeth o actorion a fu'n sail i ddatblygu'r ddrama Gymraeg i'r hyn yw hi heddiw ar lwyfan ac ar y cyfryngau. Digon yw dweud bod Cefin a Rhian Roberts yn enghreifftiau gloyw o ddisgyblion Norah.

Gan mai cwrs dwy flynedd oedd cwrs athro'r adeg honno, trefnodd Norah i fi, Garwyn Davies a Peter Richards wneud blwyddyn ychwanegol gyda'r Athro Jac L Williams yn yr Adran Addysg yng Ngholeg y Brifysgol, Aberystwyth, ac i ddilyn cwrs addysg ddwyieithog gan arbenigo mewn dysgu Cymraeg fel ail iaith. Dyma ymuno â chwmni drama Cymraeg y coleg a chael cyfle i actio yn y ddrama *Meini Gwagedd* gan Kitchener Davies. Emyr Jenkins oedd yn cynhyrchu gyda Menna Gwyn, Gareth Francis, Eirlys Rees, Margaret Jones, Eurion John a Julianna Williams yn cymryd rhan hefyd. Ar ôl perfformio yn y coleg, dyma gystadlu yng Ngŵyl Ddrama Ceredigion.

Roedd 15 Mawrth 1961 yn ddyddiad pwysig iawn yng nghalendr fy mywyd i gan mai'r parti pen-blwydd yn un ar hugain oed fydde'n rhoi'r allwedd swyddogol i weddill fy mywyd. Faint o'm cenhedlaeth i sy'n cofio'r pen-blwydd yn un ar hugain oed, a hwythau'n fyfyrwyr ar y pryd? Pan

gyhoeddodd Emyr mai ar noson fy mhen-blwydd arbennig
y bydden ni'n actio yn Nhalybont yn yr ŵyl ddrama honno
gorfod i fi benderfynu ar fy mlaenoriaethau! Fe ddewisais yn
ddoeth gan i ni ennill y gystadleuaeth ddrama honno.

O gael swydd dysgu yn yr Ysgol Gymraeg yn Aberystwyth
ym Medi 1961 dyma barhau gyda 'niddordeb mewn drama
ac ymuno â Chwmni Ceredigion a bod yn rhan 'o'r criw a
gyflwynodd olygfa ar y Mimosa yn y pasiant i ddathlu canrif
y daith gynta honno i Batagonia yn Eisteddfod y Drenewydd
yn 1965 yn ogystal â pherfformio *Dedwydd Briodas* yng
Ngŵyl Ddrama Llangefni yng nghwmni Ithel a Falmai Jones,
Talybont, Alwyn a'i frawd, Gwyn Jones, Olifer a Lenna
Williams, Cwm-ann, a Nansi Hayes a llawer un arall.

A finne bellach wedi cael peth profiad ym maes actio,
fe wahoddodd Alun Lloyd fi i gymryd rhan yn y ddrama
Gŵr Llonydd gan John Gwilym Jones ar y teledu. Roedd
Alun ynghyd â George P Owen, dau o gyn-fyfyrwyr Norah,
yn gweithio i Adran Ddrama'r BBC, ac ar 6 Mai 1965 fe
chwaraeais ran Robin gyda J O Roberts, Rachel Thomas, Non
Watkin Jones a Prysor Williams yn y ddrama a oedd ar faes
llafur cwrs Safon A Cymraeg y flwyddyn honno. Recordiwyd
y ddrama yn ddi-fwlch yn ystod gwyliau'r Pasg ac o ganlyniad
fe ges i gynigion eraill i actio mewn dramâu teledu. Bydde
hynny'n golygu rhoi'r gorau i'm swydd saff fel athro a symud
i Gaerdydd. Fe wrthodais y cynigion gan ddewis actio yn fy
amser hamdden gyda Chwmni Ceredigion. Rwy'n falch i fi
wneud y dewis iawn!

Pan ddes i nôl i Gaerfyrddin i fyw yn 1972, roedd Norah
yn dal wrthi ac yn paratoi'r cynhyrchiad o *Iolo* ar y pryd ar
gyfer Eisteddfod Bro Myrddin yn 1974. Yna, am y pymtheng
mlynedd nesa fe fues i'n rhan o bopeth bron a gynhyrchodd
Norah a dyma fynd ati'n gynta i sefydlu Cymdeithas Ddrama
Bro Myrddin gyda'r unig fwriad o fynd â'r ddrama i ganol
y bobol. Dewisodd Norah y gomedi glasurol *When We Were
Married* gan J B Priestley wedi'i throsi i'r Gymraeg gan Mary

Lewis, Llandysul, sef *Dedwydd Briodas*. Fe lwyddwyd i'w pherfformio ddeg ar hugain o weithiau ar lwyfannau bach a llwyfannau mawr iawn!

Bydde Norah a finne'n mynd ati i osod y dodrefn a'r props ar y llwyfan ymlaen llaw a chanfod y problemau fydde'n wynebu ein hactorion. Yn y ddrama *Dedwydd Briodas* mae tri chwpwl yn barhaol ar y llwyfan ynghyd â'r dodrefn Fictorianaidd trwm a bydd llawer ffrind yn ymweld ar yr un pryd.

Rwy'n cofio un nos Wener pan oedden ni'n perfformio yn Neuadd Talog a'r llwyfan yn gyfyng iawn, iawn. Roedd y cymeriadau ar ben ei gilydd a'r holl symudiadau'n gawl potsh. Y noson ganlynol roedden ni yn Neuadd y Dref, Maesteg, bro enedigol Norah, wrth gwrs. Roedd y llwyfan yno'n anferth a chymaint â hanner maint Neuadd Talog i gyd. O'r fath hwyl!

Chwarae rhan y ffotograffydd meddw oeddwn i, a dyma un o'r rhannau mwya anodd i fi 'i chwarae erioed gan fod actio dyn meddw'n broblem. Ni fethodd *Dedwydd Briodas* yn unman gan y bydde Norah hyd yn oed yn castio rhannau i'r gynulleidfa hefyd. Bydde hi'n mynnu bod John Jenkins a Vernon Davies ac un neu ddau arall yn dod gyda ni a sicrhau eu bod nhw'n eistedd yng nghanol y gynulleidfa. Comedi glasurol yw *Dedwydd Briodas*, felly cyfrifoldeb John a Vernon oedd arwain yr ymateb a'r chwerthin a chodi hwyl y gynulleidfa'n gynnar yn y ddrama. Roedd y tactics yn gweithio bob tro a phawb mewn hwyliau da erbyn diwedd yr act gynta. Yn ddiarwybod i Norah, bydde John a Vernon yn llithro allan wedi'r act gynta ac yn mynd am beint neu ddau ac yna'n llithro'n ôl eto tua'r diwedd i'r cefn i arwain a chynnal cymeradwyaeth fyddarol. Mae Eldon ac Ella Smith a Marian, gweddw Vernon Davies, yn f'atgoffa'n aml am y noson honno yn neuadd yr eglwys ym Meidrim. Mae hi'n neuadd hyfryd gyda llwyfan da, ond mae'r ystafell newid o dan y llwyfan a'r unig ffordd o gyrraedd cefn y llwyfan o'r ystafell honno oedd trwy ddringo ysgol gul. Gyda'r cast niferus yn mynd a dod a'r holl wragedd yn eu gwisgoedd Fictorianaidd mawr a hir yn mynd lan a lawr roedd llawer mwy o ddrama'n mynd ymlaen y tu ôl i'r set nag ar y llwyfan!

Yn dilyn perfformiad o'r *Fflam Leilac* yn Theatr Felinfach un tro, roedd Norah wedi trefnu cyw yn y fasged i ni yn nhafarn Blossom, New Inn, Pencader, ar y ffordd adre. Fe aeth hi'n hwyr a phan gyrhaeddodd y bws y dafarn fe welwyd ei bod hi ar dân a'r rheswm oedd bod y perchennog wedi cadw'r saim coginio'n dwym wrth aros yn hir amdanon ni ac i hwnnw fflamio. Crëwyd cryn ddifrod a gorfod i ni fod heb ein cyw a sglodion.

Yna, fe gafodd Norah y syniad mai ein dyletswydd fel Cymry oedd cofio am ein henwogion ac fe sefydlwyd Cwmni Cofio ym Medi 1985 yn dilyn marwolaeth Saunders Lewis. Perfformiwyd *Gwaed yr Uchelwyr*, drama Gymraeg gynta Saunders, ar dair noson yn olynol. Yr unig beth rwy'n ei gofio am y perfformiadau hynny yw mod i wedi cael y cyfrifoldeb o wneud sŵn ci'n cyfarth gan Norah rhywle yn y ddrama, ac yn ôl rhai pobol roedd fy nghyfarthiadau'n effeithiol dros ben – ac yn well na'r actio!

Aeth Norah ati wedyn i ysgrifennu cyfres o raglenni a phasiantau 'Cofio'. Perfformiwyd *Y Penadur* ar Ddydd Gŵyl Ddewi 1990 yn yr Eglwys Gadeiriol yn Nhyddewi i gofio marw Dewi, ein nawddsant, bedair canrif ar ddeg yn ôl. Yna *Corlannu Pobl* i gofio tri chanmlwyddiant geni Griffith Jones. Bydde Norah yn mynnu trefnu popeth bron, ac yn dilyn ymarfer brynhawn Sadwrn cyn y perfformiad gyda'r hwyr yn Eglwys Llanddowror a'r Esgob George Noakes yn cymryd rhan hefyd, gwaeddodd Norah ar bawb, 'Dilynwch yr Esgob a fi, mae'r te wedi'i drefnu,' gan ein harwain ar hyd y pentre i'r caffi sydd ar y chwith ar fin y ffordd. Chwarae teg iddi, roedd Norah wedi ffonio ymlaen llaw i ddweud y bydde criw ohonon ni'n dod i de yno. A dyma gychwyn ar y bererindod fer o'r eglwys i'r caffi. Yn ei diniweidrwydd, ni wyddai Norah mai *transport cafe* oedd y caffi hwnnw a dim ond ar ôl mynd i mewn y sylweddolodd hi hynny wrth sylwi ar bosteri mawr o ferched noethlymun ar hyd y waliau. Ni fu'r esgob na Norah yn hir cyn llyncu'r cwpaned te, ond bu caffi Llanddowror yn destun tynnu coes am flynyddoedd lawer!

Yna cafwyd ail berfformiad o *Iolo* i ailagor Theatr y Lyric yng Nghaerfyrddin ar 13 ac 14 Tachwedd 1992. Roedd y cyflwyniad bron yn dair awr o hyd a Iolo ar y llwyfan gydol yr amser. Fe ddewisodd hi Llŷr, y mab, i chwarae rhan Iolo. Yn ôl Llŷr, ni chyflawnodd gamp debyg na chynt na chwedyn! Fe alla i ddeall hynny'n rhwydd gan nad oes rhan mor hirfaith erioed wedi'i hysgrifennu yn y Gymraeg i unrhyw actor. Iestyn Garlick gymerodd ran Iolo yn y perfformiad adeg Eisteddfod Genedlaethol Bro Myrddin ac fe ddaeth Iestyn i weld yr unig berfformiad arall o'r ddrama. Cyfaddefodd ar ôl gweld y perfformiad yn y Lyric na allai gredu iddo ddysgu'r rhan. Wrth ysgrifennu mynnai Norah ddweud y cyfan a doedd cynildeb ddim yn rhan o'i mynegiant. Diolch iddi am roi cymaint o fwynhad i fi ym myd y ddrama a pherfformio ar lwyfan.

Steddfota

A finne'n fyfyriwr bach llwm yng Ngholeg y Drindod, fe ddaeth galwad gan Norah Isaac i fynd i'w gweld hi yn ei hystafell yn Hostel Non.

'Peter Hughes Griffiths! Ble roeddech chi nos Wener ddiwetha?'

'Fe es i lawr i gystadlu ar yr adroddiad digri yn Eisteddfod Bancyfelin, Miss Isaac. A fe enilles i gini!'

'Rhag cywilydd i chi a minne wedi trefnu i Waldo ddod i siarad â'r myfyrwyr. Ie, Waldo Williams – a chithe'n mynd i Steddfod Bancyfelin i gystadlu ar yr adroddiad digri. Chlywes i erio'd shwt beth!'

Ar waetha'r storom honno yn ystod fy nghyfnod fel

myfyriwr, fe wnes i barhau i 'fynd o steddfod i steddfod' i ennill arian poced digon derbyniol ar y pryd. Wedi'r cwbl, roedd steddfota yn fy ngwaed i ers i Mam fynd â fi gyda fy chwaer, Beti, i gystadlu.

Ni allwn anghofio'r argraff a gawsai Lloyd Davies, Talybont, Ceredigion, ar gynulleidfa eisteddfodol. Dotiai pawb at gymeriad, llais ac osgo y cantor o fri. Flynyddoedd yn ddiweddarach, fe ddes i ar ei draws e'n gofalu am un o'r adeiladau yn yr Amgueddfa Werin yn Sain Ffagan. Er ei fod wedi marw ers blynyddoedd maith erbyn hyn, hoffwn i wybod mwy o lawer amdano.

Rwy wedi adrodd y stori fythgofiadwy hon am Lloyd Davies laweroedd o weithiau ar fy nheithiau ar hyd a lled Cymru ac mae'n hanesyn cwbl wir.

Mae pob beirniad sy wedi bod yn Eisteddfod Talgarreg yn gwybod yn dda ei bod hi'n eisteddfod hwyr iawn. Un flwyddyn roedd hi'n hwyrach nag arfer ac un gystadleuaeth ar ôl, sef yr Her Unawd, a hithau'n chwarter wedi dau'r bore. Pan welwyd bod dros ddwsin yn cystadlu penderfynodd y beirniad canu, Gerallt Evans, Caerdydd, y byddai'n gwrando ar bob cystadleuydd am ychydig o funudau'n unig a phan fyddai'n tapio'r bwrdd gyda'i bensel byddai'n rhaid gorffen canu â'r gân ar ei hanner. Doedd y cystadleuwyr ddim yn hapus gyda'r penderfyniad o gwbl, ond felly y buodd hi.

Daeth tro Lloyd Davies, Talybont, i ganu'r gân ddramatig 'Merch y Cadben' gan R S Hughes sy'n disgrifio storom arw iawn ar y môr, merch y capten yn cael ei thaflu i'r môr ac un o'r criw yn neidio i'r dŵr ar ei hôl i'w hachub. Ond pan oedd Lloyd wrthi'n disgrifio'r olygfa yn y gân a'r ferch yn y dŵr ac yntau'n datgan, 'Mae'n boddi. Mae'n boddi,' dyma'r beirniad yn tapio'i bensel ar y bwrdd. Stopiodd y canu a bu tawelwch mawr. Cerddodd Lloyd i flaen y llwyfan ac meddai'n flin wrth y gynulleidfa, 'Wel, bodded i ddiawl â hi 'te!'

Coffa da hefyd am Berwyn Davies, Felin-fach, a'i lais baswr dwfn yn canu 'Mae mulod trwm yn sangu'r tir.' Yna,

Alun Roberts, Penrhiwllan. I fi, doedd neb yn canu 'Arafa, Don' fel Alun. The (Theophelus) Jones, Blaenbowi, Capel Iwan, oedd pencampwr y canu emyn dros chwe deg oed ac yntau ymhell yn ei saithdegau. Rhoddodd The y gorau iddi pan enillodd e'r saith deg wythfed cwpan am ganu emyn – un am bob blwyddyn o'i oes. A beth am Glyn Morlogws a Dic Maesyrhaf, Capel Iwan? Dyma'r unig ddeuawd i fi'i gweld yn cael encôr hyd yn oed mewn eisteddfod!

D J Lloyd, Danfforddgaer, Peniel, yn adrodd 'Colli'r Cwrcyn' a Phil Davies, Triolbach, Hermon, a'r 'Dyn Bach Od!' oedd yn sgubo'r adroddiadau digri ymhobman. Yn sŵn a chyffro'r cystadleuwyr hyn y ces i 'nghodi. Mawr oedd fy mraint, ac mae'r hen elfen gystadleuol honno wedi bod yn rhan ohono i erioed.

Fe fues i mor haerllug unwaith â chystadlu, ac ennill, ar y 'Solo Twps' mewn eisteddfod ysgafn yma yng Nghaerfyrddin a finne'n Faer ar y pryd. Fe ddysgodd Meinir fi i ganu'r gân boblogaidd 'Y Dymestl' gan R S Hughes. I ychwanegu at ddifrifoldeb y gystadleuaeth fe wisgais siwt hwyrnoson ddu gyda dici bow. Fe wnes i efelychu Lloyd Talybont yn fy symudiadau ac fe gafodd y gynulleidfa gythrel o sioc pan lwyddais i fwrw'r G gwaelod wrth ganu'r geirie 'a'r cread atseinia!' gyda Meinir yn taro'r nodyn sawl gwaith ar y piano wrth i fi gynnal y sillaf ola... 'atsein-ia'. O'm holl ymddangosiadau ar lwyfan dyna'r gymeradwyaeth hiraf a mwya boddhaol i fi 'i derbyn erioed. Fe es i ati i fanteisio ar y sefyllfa a thynnu fy macyn poced gwyn allan a'i chwifio yn null Pavarotti.

Os cofiaf yn iawn, Mair Garnon James, Llandudoch, oedd yn beirniadu ac, er bod gwell cantorion yn y gystadleuaeth, ni allai fentro rhoi'r wobr gynta i neb arall.

Hon oedd awr fawr fy mywyd cerddorol, a gan fod Gerwyn Griffiths wedi recordio'r cyfan ar dâp fe aethpwyd ati i werthu casetiau o'r datganiad a'r elw'n mynd at achosion da. Ar glawr y casét mae'r teitl crand – 'Peter Hughes Griffiths yn canu Y Dymestl a Chaneuon Eraill o Eisteddfod y Blaid 1979. Pris 99c.' Fe baratôdd J Towyn Jones boster mawr ohono i yn canu yng ngwisg y Maer er mwyn chwyddo'r gwerthiant. Bellach mae'r casét hwnnw yn rhan o 'nghasgliad helaeth o gryno-ddisgiau a chasetiau ac mae ar y silff nesa at Bryn Terfel!

Beirniadu

Ar nos Fercher, 8 Chwefror 1961, a finne'n fyfyriwr un ar hugain oed yn Aberystwyth y gwnes i feirniadu fy eisteddfod gynta, ac er nad ydw i'n un trefnus o ran cadw pethau, yn rhyfedd iawn mae rhaglen yr eisteddfod honno gen i o hyd. Eisteddfod leol agored Capel Bethel yn y dre oedd hi. Y gystadleuaeth gynta oedd adrodd dan chwech oed y darn 'Myfi Fy Hun' gan J M Edwards, a gwnes nodiadau manwl o gyflwyniad pob un o'r cystadleuwyr. Dyma fynd ati wedyn i ddarllen fy nodiadau a fy sylwadau am y saith, ond fedrwn i ddim penderfynu pa un oedd y gorau gan fod fy nghanmoliaeth mor debyg i bob un. Rwy'n siŵr i fi siomi sawl mam y noson honno. Dyna pryd y sylweddolais fod rhaid i bob beirniad roi marc i bob cystadleuydd yn ogystal â pharatoi sylwadau. Bydda i'n marcio allan o 20 bob amser ers y noson honno yn festri Bethel.

Mae'n siŵr fod cannoedd wedi cael cam gen i dros y blynyddoedd ond rwy'n mentro dweud nad oes bron yr un eisteddfod islaw pont Machynlleth na fues i yno'n beirniadu rywbryd. Wrth deithio heibio ambell neuadd neu gapel, melys cofio am eisteddfod neu noson lawen a gynhaliwyd yno. Wrth deithio trwy Boncath yn ddiweddar a meddwl sawl gwaith y bues i yno'n beirniadu yn y neuadd sinc ar fin y ffordd, syndod oedd gweld ei bod hi wedi diflannu a thai newydd bellach ar y safle. Roeddwn i'n beirniadu'r adrodd un flwyddyn mewn eisteddfod yno pan enillodd fy ffrind Len Williams o Benrhiwllan, a churo'i dad am y tro cynta ar yr unawd bas. Yn ôl Len, 'Doedd yr hen foi ddim yn hapus iawn mod i wedi'i guro, ac fe ballodd e siarad â fi wedyn am wythnos.' Peth rhyfedd yw cythrel canu!

Wrth glywed enw lle ar y radio neu ddarllen amdano yn y papur, mae'n rhyfedd beth fydd dyn yn ei gysylltu â'r lle hwnnw. Bydd clywed yr enw Llansawel yn fy atgoffa am Meinir Richards a finne'n beirniadu eisteddfod yno oedd yn dechrau am dri o'r gloch y prynhawn. A hithau'n saith o'r gloch yr hwyr roedd boliau'r ddau ohonon ni'n dechrau rwmblan gan nad oedd neb wedi'n gwahodd i gael dished o de, a'r ddau ohonon ni wedi bod wrthi'n galed am bedair awr.

'Wy'n mynd mas i'r cefen i weld os ca i rywbeth i fyta,' meddwn i wrth Meinir, a mas â fi i'r ystafell y tu ôl i'r llwyfan ac, yn wir, dyna lle'r oedd bwrdd bychan chwarae cardiau gyda lliain drosto ond dim byd arno. Doedd neb i'w weld o gwmpas nes i rywun ddod o rywle. 'Eisteddwch fan'na,' meddai'r wraig yn groesawgar, 'fe ddwa i â dished i chi nawr. Y'ch chi'n cymryd siwgir a lla'th?' Ac yn garedig iawn, o fewn dim, fe ddaeth y ddished de ynghyd â phlât bychan ac arno ddwy sandwij fechan ddi-grystyn a darn o gacen felen Madeira. Gosodwyd y wledd o'm blaen a diflannodd y wraig i'r gegin. Ai dyma fy nhe a fy swper? Llyncais y wledd dryw bach a mynd yn ôl i'r neuadd ac eistedd yn ymyl y beirniad cerdd.

'Gesoch chi rywbeth?' holodd Meinir fi. 'Wi biti starfo!'

'Gwrandwch,' meddwn innau, 'ma gwledd yn 'ych aros chi. Fe gewch chi 'ych synnu!'

Pan gyhoeddwyd y gystadleuaeth adrodd nesa, dyma Meinir allan fel bollt ac yn eiddgar am y wledd oedd yn ei haros. Chwarae teg i Meinir, pan ddychwelodd hi roedd gwên ar ei hwyneb. 'Mi ofynnes i am ail ddished a mwy o sandwijis,' meddai, 'wi'n fwy ffit na chi, ac fe ges i ail bishin o'r gacen felen 'fyd!' A dyna pam mae Eisteddfod Llansawel yn sefyll yn y cof i fi a Meinir. Ond cefais eglurhad llawn cyn diwedd y noson anffodus honno. Roedd yr ysgrifennydd gweithgar ers mwy na chwarter canrif wedi'i daro'n wael a chael strôc wythnosau ynghynt a'r trefniadau arferol heb eu gwneud. Doedd Meinir a finne ddim yn gwybod hynny, wrth gwrs, ac felly roedd rhaid derbyn y sefyllfa a maddau i bawb.

Fe fyddwn i wrth fy modd yn mynd i feirniadu i Eisteddfod Gwener y Groglith a Sadwrn y Pasg Llangadog ac roeddwn i yno am y tro cynta yn 1965 yn yr eisteddfod gynta ar ôl yr hanner canfed, ac mae'n dal i fynd. Yr hyn sydd yn rhyfedd am Eisteddfod Llangadog oedd bod yr anfarwol W T Morgan, yr ysgrifennydd, yn byw yn Llundain a'i fod yn rhedeg y cyfan o 13/15 Gower St., WC1. Brodor o Langadog oedd e, wrth gwrs, a byddai'n aros yn y pentre dros benwythnos yr eisteddfod.

Roedd eisteddfodau rif y gwlith yn Sir Aberteifi yn y chwedegau a'r saithdegau a gan fod John Garnon a finne'n rhannu fflat yn Heol Alecsandra yn Aberystwyth fe fydden ni'n cyd-feirniadu'n gyson – John ar y canu a finne'r llên ac adrodd. Bydde'r Cardis wastad yn gofyn ar ddiwedd y noson, 'Faint sy arnon ni i chi?' chwarae teg, ac eithriad oedd cael trysorydd fel trysorydd Eisteddfod Dihewyd pan ddaeth e aton ni ar ddiwedd yr eisteddfod a dweud, 'Ry'ch chi 'di dod gyda'ch gilydd mewn un car, siŵr o fod! Faint sy arnon ni i chi am betrol?'

Rwy wedi bod fwy nag unwaith yn Eisteddfod Capel Bryngwenith ger Henllan, Llandysul, yn beirniadu a dyma'r unig eisteddfod i fi ddod ar ei thraws lle maen nhw'n cynnig y gadair ar gyfer y rhai sydd heb ennill cadair o'r blaen. Y tro cynta i fi feirniadu yno yn y saithdegau fe enillwyd y gadair gan Gwyn Parc Nest, tad Jim, John ac Aled a thad-cu Tudur Dylan. Fe fydda i bob amser yn atgoffa bois Parc Nest, 'Cofiwch chi bois, fi roiodd y gadair gynta i'ch tad a sa i wedi cadeirio un ohonoch chi erio'd!'

Am y tro cynta erioed y llynedd, fe fues i'n beirniadu dwy eisteddfod Saesneg, un yn Nhroedrhiwdalar, sef y capel sy ar fin y ffordd rhwng Beulah a'r Bontnewydd ar Wy, ac yn Eisteddfod y Trallwng ym Mhontsenni ym Mhowys. Mae eisteddfodau trwy'r Saesneg yn gyffredin yn yr ardaloedd hyn ac yn dal yn llewyrchus iawn er bod hawl cystadlu mewn unrhyw iaith. Profiad rhyfedd oedd traddodi'r feirniadaeth am waith llwyfan a llenyddol yn Saesneg am y tro cynta. Mae'r eisteddfodau hyn yn union fel pob eisteddfod leol arall ond eu bod trwy gyfrwng y Saesneg.

Pobol daer iawn yw ysgrifenyddion yr eisteddfodau lleol a wnân nhw ddim derbyn 'na' o gwbl wrth ofyn i chi ddod atyn nhw i feirniadu. Os digwydd bod esgus da gyda chi i wrthod eleni gellwch fentro mai brawddeg ola'r sgwrs fydd, 'Bydda i ar 'ych ôl chi'r flwyddyn nesa 'to!' Rhaid gorfod derbyn maes o law. Ond rwy am ymddiheuro'n gyhoeddus i Rose, ysgrifenyddes weithgar Eisteddfod Garndolbenmaen. Gwahoddodd Rose fi i feirniadu yno'n ddi-fwlch am bum mlynedd yn olynol ac, er i fi addo unwaith, gorfod i fi dynnu'n ôl. Maddeuant? Rose!

Y tro diwetha i fi feirniadu'r llefaru yn y Genedlaethol oedd yn Eisteddfod Bro Ogwr sawl blwyddyn yn ôl bellach, ac mae'n amlwg fod llai a llai o 'frigâd y gwalltiau gwynion' yn cael eu gwahodd y dyddiau hyn, sy'n beth da wrth gwrs.

Rwy wedi beirniadu'r adrannau cyfansoddi yn y Genedlaethol laweroedd o weithiau ar hyd y blynyddoedd, yr elfen ysgafn neu ddychanol ran amlaf. Wn i ddim ers pryd rwy wedi bod wrthi'n beirniadu Limrig y Dydd yn y Babell Lên yn ystod Ymrysonau'r Beirdd. Bydd rhaid i chi ofyn i Dafydd Islwyn. Yn wir, fedra i ddim llai na rhyfeddu at gampau ugeiniau o ymgeiswyr dyddiol ac at eu ffraethineb diddiwedd. Mae pobol fel Dai Rees Davies, Emyr Davies a Hedd Bleddyn yn llwyddo i ennill yn llawer rhy aml ac maen nhw bellach yn trefnu i eraill gopïo eu limrigau ar ddarn o bapur rhag ofn mod i'n adnabod eu hysgrifen!

Pedr Lawen

Rwy bron yn siŵr mai Norah Isaac oedd wedi cyflwyno fy enw i dderbyn y wisg wen ac Urdd Derwydd er Anrhydedd yn yr Orsedd yn Eisteddfod Dinefwr yn 1996. Fedrwn i ddim llai na gwerthfawrogi'r fraint ac yn ystod yr un seremoni derbyniwyd tri ohonon ni fois Dre-fach Felindre gan yr Archdderwydd Dafydd Rowlands, sef y meddyg disglair Gareth Crompton, Danffynnon, Cwmpengraig, Roy James, Alltpenrhiw, Prif Arolygydd Ysgolion Cymru, a finne. Ie, cyn-ddisgyblion Ysgol Penboyr a ninne hefyd wedi bod yn chwarae gyda'n gilydd dros Bargod Rangers. Yn ogystal, yn yr un seremoni urddwyd fy nghyfaill y seiciatrydd ymgynghorol Dr Huw Edwards, Caerfyrddin, sy'n awdur dylanwadol yn ei faes yn y Gymraeg.

Roeddwn i'n digwydd bod yn un o arweinyddion y llwyfan hefyd yn Eisteddfod Dinefwr a chefais y cyfle i gyflwyno ar y llwyfan y pêl-droediwr rhyngwladol Mark Aizlewood yn Ddysgwr y Flwyddyn. Tan yn ddiweddar, bu Mark yn hyfforddi tîm pêl-droed Caerfyrddin ac roedd yn cael cyfle i ymarfer ei Gymraeg yn ein plith. Yn y clwb pêl-droed y lansiwyd ei lyfr, *Amddiffyn Fy Hun*, adeg y Nadolig yn 2009.

Mae steddfota wedi bod yn rhan annatod o 'mywyd i ers y dyddiau pan lusgwyd fi gan Mam o neuadd i neuadd i adrodd a chanu, a diolchaf am y pleser a'r boddhad yr wyf wedi'u cael wrth fod yn rhan o'r diwylliant arbennig hwn sy'n perthyn i ni fel cenedl.

Y Llwyfan Crefyddol

ROEDD MAM A NHAD yn aelodau ffyddlon yng Nghapel y Methodistiaid Calfinaidd yng Nghlosygraig ym mhentre bach Drefelin, ryw filltir o'n cartre, Llwynbedw, yn ymyl Dre-fach Felindre. Cwrdd am ddeg y bore, Ysgol Sul yn y prynhawn am ddau a chwrdd nos am chwech oedd y patrwm bob Sul i Mam, Nhad a finne. Ond, yn rhyfedd iawn, bydde Beti, fy chwaer, yn mynd i Eglwys Sant Barnabas yng nghanol y pentre. Wnes i erioed ddeall pam, ac eglwyswraig fu Beti trwy'i hoes. Yr unig esboniad a gefais i unwaith oedd mai dechrau mynd gyda'i ffrindiau wnaeth hi, yn hytrach nag o ran egwyddorion cred, ac nid oedd gwrthwynebiad gan ein teulu.

Pan oeddwn i'n blentyn ac, yn wir, yn ystod fy ieuenctid, bydde nifer yn gofyn i fi, 'A ydych chi'n perthyn i'r Parchedig Peter Hughes Griffiths, y pregethwr enwog a gweinidog Charing Cross, Llundain?' Yr ateb oedd 'na' wrth gwrs, ond yn naturiol fe ymddiddorais yn fawr mewn person o'r un enw â fi sy â'i hanes yn y *Bywgraffiadur Cymreig*. Ei ail wraig oedd gweddw'r enwog Tom Ellis. Gyda llaw, mae yna un Peter Hughes Griffiths arall hefyd a fu'n feddyg yn Ninbych ar un amser. Cofiaf gwrdd ag e yng nghynhadledd Plaid Cymru unwaith a'i gyfarch trwy ddweud 'snap' wrtho ac ysgwyd ei law.

Rhodd Mam

Mae brith gof gen i am fy ngweinidog cynta, y Parchedig J H Davies, brodor o Ynysforgan, Cwmtawe, a fu farw yng nghanol ei waith yn 1947. Y farn gyffredinol oedd ei fod e'n 'pregethu'n ddwfn iawn'.

Tybed ai fy nghenhedlaeth i oedd yr ola i astudio'r *Rhodd Mam*? Arferen ni fynd draw at Menna Jones, Glanpownd, i ymarfer yn wythnosol ar ein ffordd i'r Band of Hope yn y festri. Llyfryn bychan ar ffurf cwestiwn ac ateb i blant oedd y *Rhodd Mam* ac mae'r atebion i'r holl gwestiynau hynny'n dal yn y cof. Mae fy hen gopi darniog gen i o hyd ond, ar ôl i fi annerch mewn gwasanaeth Gŵyl Ddewi ar y cynta o Fawrth 2006 yng Nghlosygraig, cyflwynodd fy hen ffrind Olive Campden gopi arall i fi gyda stamp swyddogol Capel Closygraig arno. Rwy'n ei drysori. Mae'n llyfryn o ddeuddeg pennod a rhwng pymtheg a deunaw o gwestiynau ac atebion i bob pennod.

1. Pwy wnaeth y byd?
   Duw.
2. Ai Duw a'n gwnaeth ni?
   Ie, Duw a'n gwnaeth ac Ef a'n piau.
3. Pa sawl Duw sydd?
   Un Duw sydd.

Dyna'r cwestiynau a'r atebion agoriadol. Fe es i ati i ailddarllen *Rhodd Mam* o glawr i glawr yn ddiweddar, a rhaid cydnabod bod ei gynnwys yr un mor berthnasol i ni'r Cristnogion heddiw, y wybodaeth Feiblaidd o'i fewn yn rhyfeddol a'r cynghorion yn yr atebion yn arweiniad pendant i bob un ohonon ni.

Y Parchedig M L Thomas

Ym Medi 1948 daeth gweinidog newydd ifanc i Glosygraig – y Parchedig Michael Lewis Thomas, yn wreiddiol o Lanberis – a bu'i ddylanwad yn fawr ar ei aelodau a'r holl gymdogaeth, ac yn bendant arna i. Roedd e'n bregethwr hawdd gwrando arno ac yn graff ei sylwadau. Sefydlodd gymdeithas ddiwylliadol a chwmni drama a threfnodd gyfarfodydd i ddathlu dau can mlwyddiant yr achos yn 1954. Fe gawson ni fel ieuenctid y cyfle i gymryd rhan yn holl weithgarwch y capel.

A finne tua'r un ar bymtheg oed ac yn adnabod fy ngweinidog yn dda erbyn hynny, fe'm gwahoddodd i'r Mans un noson am sgwrs. Trafododd gyda fi fy syniadau am y dyfodol a gofynnodd i fi ystyried y posibilrwydd o fynd i'r weinidogaeth. Pwysleisiodd nad oedd am ddylanwadu arna i'r naill ffordd na'r llall, ond eglurodd ei fod ar gael bob amser i drafod ac i ateb unrhyw gwestiynau pe teimlwn ryw ddymuniad neu alwad i wasanaethu'r Arglwydd. Yn fy niniweidrwydd, doedd y peth ddim wedi croesi 'meddwl i er i'r capel chwarae rhan mor bwysig yn fy ieuenctid. Ar ôl mynd adre y cwestiwn cynta gan Mam oedd, 'Beth oedd y gweinidog ishe 'da ti?'

Wedi egluro iddi, teimlai Mam yn falch dros ben fod ei gweinidog wedi siarad â'i chrwt, ond ni phwysodd hithau arna i chwaith. Er i fi ystyried yn ddwys eiriau'r gweinidog, es i ddim yn ôl ato i drafod y peth ymhellach ac ni soniodd e ddim mwy am y posibilrwydd.

Fe soniais mod i wedi dod i adnabod fy ngweinidog yn dda, a hynny trwy ffyrdd braidd yn anarferol yng ngolwg nifer o aelodau Capel Closygraig. Ardal y ffatrïoedd gwlân oedd Dre-fach Felindre a chanran uchel o'r boblogaeth yn dal i weithio yn y ffatrïoedd a'r traddodiad Llafur yn gryf iawn. Onid oedd y gweithwyr wedi dioddef o dan law'r perchnogion a'u cyflogau'n bitw? Ar y llaw arall, roedd Rhyddfrydiaeth y ffermwyr a'r ardal wledig o gwmpas yn dal yn gryf.

Fe ddangosodd y gweinidog ifanc gryn ddewrder, felly, trwy fynd ati i sefydlu cangen o Blaid Cymru yn yr ardal gyda chefnogaeth ei ben diacon, Tom Morgan – y gŵr a roddodd y cyfle i fi arwain y noson lawen gynta honno yn Neuadd Pentrecwrt. Yn grwt pymtheg oed fe ymunais â'r Blaid adeg Etholiad Cyffredinol 1955 gyda Jennie Eirian Davies yn sefyll dros Blaid Cymru am y tro cynta yn etholaeth Caerfyrddin.

Bu isetholiad wedyn yn 1957 yn dilyn marwolaeth Syr Rhys Hopkin Morris gyda Jennie yn codi'r bleidlais yn sylweddol. Yn ystod y ddau etholiad bu Tom Morgan, finne a'r gweinidog yn teithio yn ei gar o un cyfarfod cyhoeddus i'r llall gyda'r hwyr. Bydde'r Parchedig M L Thomas yn siarad yn y cyfarfodydd hyn a dyna pryd y ces i'r cyfle i wrando ar Gwynfor a Jennie yn annerch ac yn tanio'r cynulleidfaoedd. Y gweinidog felly a 'nghyflwynodd i i wleidyddiaeth ac i achos Plaid Cymru ac os na lwyddodd i wneud gweinidog ohono i, fe lwyddodd i 'ngwneud yn genedlaetholwr cadarn. Ers dyddiau Jennie Eirian fel ymgeisydd, felly, rwy wedi bod yn rhan o'r ymgyrch genedlaethol honno'n ddi-fwlch, ac rwy'n dal wrthi!

Bu'n gyfnod caled i'r gweinidog ifanc ond ni wnaeth esgeuluso ei gyfrifoldeb tuag at ei braidd a'i gapel a bu'n ŵr poblogaidd iawn yn ein plith. Yna derbyniodd alwad a symud i Wyddelwern ym Meirion. Ymddeolodd ef a'i wraig hawddgar i Fangor maes o law, ac mae Mrs Thomas yn dal i fyw yno. Fe fydden ni'n cwrdd yn flynyddol yn yr Eisteddfod Genedlaethol ac ym mhob sgwrs ar y maes fe fydde'n holi fy hynt a'n helynt gyda diddordeb mawr, a theimlwn ei fod yn cael rhyw foddhad mewnol o wybod bod y crwt o Glosygraig yn dal ati, a bod Sir Gaerfyrddin wedi'i hennill i'r Blaid ac yntau wedi bod yn rhan o'r cyffro cynta hwnnw.

Santa Closygraig

Go brin y bydde coeden Nadolig mewn unrhyw gartre yng nghyfnod fy mhlentyndod. Bydde pob capel ac eglwys yn cynnal eu 'Noson Christmas Tree' eu hunain yn y festri, ac roedd y noson honno yng Nghapel Closygraig gyda'r nosweithiau pwysica yn y flwyddyn i ni'r plant. Dim ond i'r noson honno y bydde Santa Clôs yn dod (nid Siôn Corn oedd e'r dyddiau hynny!).

Bydde'r plant a'r oedolion yn cael parti Nadolig, gyda digon o fwyd ac eitemau o bob math gan yr aelodau i ddilyn. Tua diwedd y noson, bydden ni'r plant i gyd yn mynd i sefyll yn yr iard tu fas i'r festri i ddisgwyl dyfodiad Santa Clôs. Yna'r gweiddi a'r cynnwrf wrth weld goleuadau car Santa Clôs yn dod i lawr y rhiw yn araf bach tuag at y festri, a'i weld wedyn yn camu allan o'r car. Y ddefod nesa oedd i bob plentyn redeg yn ôl i'r festri ac eistedd yn y tu blaen nes clywed y gnoc enfawr ar ddrws y festri a phawb yn amneidio a gweiddi, 'Ma fe 'ma! Ma fe wedi dod!' Yna, bydde'r gweinidog yn agor y drws ac yn estyn croeso i Santa Clôs a phawb wedyn yn curo dwylo. Bydde Santa yn eistedd yn y tu blaen yn wynebu'r gynulleidfa, a phob plentyn yn ei dro'n mynd allan i dderbyn ei anrheg syml.

Yn ôl y traddodiad, y dasg nesa i bawb, ar wahân i'r plant, fyddai ceisio dyfalu pwy oedd y Santa. Roedd y gyfrinach flynyddol yng ngofal Alun Siop Albert. Alun fydde'n trefnu popeth a mawr fydde'r dyfalu. Ond cyn i Santa adael y festri fe fydde'r sibrydion rhwng yr aelodau wedi dadansoddi'n gywir pwy oedd e'n flynyddol – heblaw am un tro.

A'r tro hwnnw fe ofalwyd bod y farf wen a'r aeliau a'r mwstash yn fwy trwchus nag arfer dros ei wyneb o dan y clogyn coch. Gwisgai fenig rhag i neb weld ei ddwylo ac fe wrthododd siarad heblaw am ambell ebychiad pwrpasol. A dyna'r unig dro i'r holl aelodau fethu'n llwyr yn y dasg flynyddol o adnabod Santa Closygraig. Mawr fu'r dyfalu am ddyddiau lawer. 'Alun wedi dod â rhywun o Gyfyrddin a neb yn 'i nabod e,' oedd y farn gyffredinol. 'Na, Sais o'dd e. 'Na pam nath e ddim siarad,' oedd cynnig gwraig Tŷ Capel. Pwyswyd ar y gweinidog i gyhoeddi ar ddiwedd y gwasanaeth y Sul canlynol pwy oedd Santa Closygraig y flwyddyn honno, ac fe wnaeth hynny ar ôl i Alun rannu'r gyfrinach ag e.

'Wel, gyfeillion, Mr Jack Griffiths, Llwynbedw, oedd Santa Closygraig eleni,' meddai gan droi at fy nhad a eisteddai gyda Mam a finne yn y sedd flaen i'r chwith o'r pulpud. Nodiodd Nhad i gadarnhau'r cyhoeddiad. Plentyn oeddwn i ac fe allai'r aelodau faddau i fi am beidio ag adnabod Nhad yn ei ddillad Santa Clôs. Ond beth am Mam? Fe ddechreuodd hi gochi ac ysgwyd ei phen mewn rhyfeddod llwyr. Ni allai gredu'r peth, yn enwedig gan ei bod hi wedi bod gyda'r ucha ei chloch yn ceisio dyfalu pwy oedd Santa Closygraig y Nadolig hwnnw.

Druan o Mam, fe dynnwyd ei choes am wythnosau. 'Synnu atoch chi, Mrs Griffiths, ddim yn adnabod eich gŵr!' ac 'O leia wi'n gwbod ble ma 'ngŵr i bob amser!' Do, fe gafodd Nhad bryd o dafod nes ei fod e'n tasgu gyda Mam, yn dilyn y cyhoeddiad mai fe oedd Santa Closygraig a hithe heb wybod hynny!

Dyn swil a thawel iawn oedd Nhad. Heblaw am wasanaethau'r Sul, gartre y mynnai fod. Gwyddai Alun, trefnydd Santas Closygraig, na fydde aelodau'r capel byth, byth yn dychmygu y gallai Nhad chwarae rôl yr hen Santa. Amhosibl! Sut y darbwyllodd Alun e i wneud ei unig ymddangosiad cyhoeddus gerbron cynulleidfa, wn i ddim, achos pan adawodd Mam a fi'r tŷ am 'Noson Christmas Tree' Closygraig y noson honno roedd Nhad yn eistedd yn ei oferôls o flaen y tân yn smocio'i wdbeins yn braf. A phan ddaethon ni adre, doedd e ddim wedi symud modfedd o'r fan! A dyna hanes Santa Clôs Closygraig yn 1948.

'Watch Night'

Dyna'r enw ar y noson i groesawu'r flwyddyn newydd i mewn gyda'n gilydd fel aelodau, eto yn y festri. Bwyd i bawb yn gynta, yna'r eitemau arferol a chyfle i finne gyflwyno rhai o'm hadroddiadau digri a chyd-ganu a digon o sgwrsio. Yna, ychydig cyn hanner nos, bydde'r gweinidog yn ein harwain mewn gwasanaeth a chroesawu'r flwyddyn newydd i mewn. Roedd hon yn noson boblogaidd iawn ymhlith yr aelodau.

Y Gymdeithas Ddiwylliadol

Y Parchedig M L Thomas sefydlodd y Gymdeithas Ddiwylliadol, a ddaeth ag agwedd newydd gymdeithasol i fywyd Capel Closygraig. Bydde'r Gymdeithas yn cwrdd bob pythefnos gyda phwyslais ar weithgareddau gan yr ieuenctid.

Dw i'n cofio i fi gael y cyfrifoldeb o fod yn ysgrifennydd a finne ond yn bymtheg oed, a'r gweinidog yn gofyn i fi ddweud gair o ddiolch – a hynny heb rybudd ymlaen llaw – i Gymdeithas Capel Drindod, Aberbanc, am ymweld â ni. Dyna'r feithrinfa werthfawr y bues i'n rhan ohoni a'r gweinidog yn rhoi'r cyfle i bobol ifanc ei gapel fentro.

Yn ystod wythnos gynta'r flwyddyn newydd bydde criw'r Gymdeithas Ddiwylliadol yn mynd o gwmpas y pentre gyda'r nos i ganu ac i gasglu tuag at achosion elusennol a'r gweinidog yn arwain. Prin iawn oedd goleuadau'r stryd y pryd hwnnw, dim ond ambell lamp hwnt ac yma, ac yn ddiarwybod i'n gweinidog llithrai parchusrwydd y cwmni bob hyn a hyn pan ddeuai ambell wich fach ogleisiol o'r tywyllwch, a bydde colli un neu ddau o'r cwmni yn ystod y noson yn beth cyffredin!

Roedd dau drip y flwyddyn ddechrau'r haf – trip yr Ysgol Sul i bawb, a thrip y Gymdeithas i'r bobol ifanc. O ganlyniad fe ddes i i adnabod mannau fel Porthcawl a'r Barri yn dda, a do, fe ges innau flasu'r *chips* blasus yng Nghross Hands ar y ffordd adre laweroedd o weithiau. Eistedd ar y prom ar drip yr Ysgol Sul i Aberystwyth oedd Lisi Tŷ Draw ac Alis May pan wedodd Lisi wrth edrych mas i'r môr, 'Jiw, sa i wedi gweld cymaint o ddŵr â hyn erio'd,' ac ateb Alis May oedd, 'A cofia, dim ond 'i dop e ti'n gallu gweld!'

Tua dechrau mis Mai bob blwyddyn fe fyddai arolygwr yr Ysgol Sul yn cyhoeddi, 'A wnewch chi gyd aros ar ôl am ychydig o funudau i drafod ble bydd yr Ysgol Sul yn mynd am drip eleni?' Fel arfer roedd dewis y gair 'munudau' yn gwbl anaddas gan y byddai anghydweld mawr gyda rhai'n dweud 'Rhy bell', eraill wedyn yn holi 'Beth wnawn ni os bydd hi'n bwrw glaw?' a 'Cwato yn Woolworth' fyddai ateb siarp un o'r dynion.

Ond un flwyddyn aeth pethau'n bersonol ac yn draed moch cyn y diwedd.

'I ble ry'ch chi ishe mynd leni?' holodd yr arolygwr er mwyn gwahodd cynigion. Ond ar ôl trafodaeth faith ac amynedd yr aelodau'n raddol brinhau am fod ambell un yn benstiff ei farn, meddai Florie Davies yn gwbl ddiniwed,

'Licen i fynd i rywle ar lan y môr, ta beth, fel bo ni'n gallu bracso a golchi'n tra'd yn nŵr y môr. Ffiles i olchi'n nhrad llyne yn Llanwrtyd achos sdim môr 'na.'

'Cytuno,' medde Mrs Jenkins y Plas yn wawdlyd a hithe'n casáu'r hen Florie. 'Mae'n bwysig bo ni gyd fel Florie yn cael cyfle i olchi'n traed o leia unwaith y flwyddyn ta beth!'

Roedd hi'n ergyd gas gan y gwyddai pawb nad oedd traed a choesau Florie druan gyda'r glana o blant dynion!

'Sdim ishe siarad fel'na,' gwaeddodd rhywun o'r cefn.

'Stwffwch 'ych trip,' meddai ffrind i Florie a chodi a mynd mas.

'Bydd hi siŵr o fwrw glaw ta beth! Gwell 'da fi aros getre,' ychwanegodd Jac y Gof, ac fe aeth popeth yn ffliwch. A dyna'r unig flwyddyn yn hanes Capel Closygraig pan fethwyd penderfynu ar y trip Ysgol Sul blynyddol. Ond fe drefnwyd mabolgampau i'r plant ar gae Ffynnondudur yn lle'r trip ar brynhawn Sadwrn yng nghanol Mehefin. Sylwodd pawb nad oedd Florie Davies yno!

Trip y Gymdeithas i'r Rhyl yng nghanol y pumdegau oedd f'ymweliad cynta â gogledd Cymru. Wrth deithio yno yn y bws drwy'r canolbarth fedrwn i ddim credu i ble roedden ni'n mynd wrth weld enwau rhyfedd fel Chancery, Bow Street, Furnace a Chorris. Yr unig beth arall rwy'n ei gofio am y trip hwnnw oedd i'r bws dorri i lawr yn Llanrwst ar y ffordd adre, ond fe lwyddodd Les Crompton i'w gael e i fynd eto tua'r deg o'r gloch. Yn anffodus, y Marine Lake yn y Rhyl a Llanrwst ar nos Sadwrn oedd yr unig ddelweddau o ogledd Cymru a fu gyda fi am flynyddoedd lawer wedyn!

Cymanfaoedd

Roedd capeli dosbarth Llanpumsaint yn cynnal rihyrsals a chymanfaoedd canu'n flynyddol mewn gwahanol gapeli yn y cylch. Mynd erbyn deg y bore i Lanpumsaint neu Gynwyl Elfed i Gymanfa'r Plant, yna cinio yn y festri, yr oedolion a'r plant eto yn y prynhawn, te wedyn a Chymanfa'r Oedolion yn yr hwyr. Meddyliwch, treulio diwrnod cyfan yn Llanpumsaint! Does dim rhyfedd i fi ddod i adnabod y lle'n dda. Ond cawson ni'r plant ddysgu cyfoeth o'r emynau a gyhoeddwyd yn y *Detholiad* blynyddol a chlywed yr oedolion yn canu eu hemynau a'u hanthemau, rhywbeth nad yw plant na phobl ifanc heddiw'n ei brofi. Trysoraf y profiadau gwerthfawr hynny.

Fe fydden ni'n cynnal Cymanfa Bwnc hefyd yng Nghlosygraig ac yn llafarganu darn o'r ysgrythur cyn cael ein holi gan y gweinidog. Wrth baratoi ar gyfer y gymanfa honno fe fydde angen dewis anthem i'w chanu ac ymarfer ymlaen llaw. Dyma'r cyfnod yn fy ieuenctid pan ddysgais ddefnyddio fy sgiliau sol-ffa i ganu anthemau gyda'r baswyr. Yn dilyn cwrdd y bore un Sul dyma Donald Johnson, arweinydd y gân yng Nghlosygraig, yn gofyn i'r aelodau, 'Pa anthem ddewiswn ni i'w chanu eleni?' Dyma rhywun yn cynnig 'Teyrnasoedd y Ddaear' ac yna dyma Tom Morgan yn dweud, 'Beth am yr anthem "Efe a Ddaw"? Os na ddaw e cyn hynny wrth gwrs!' Dyna oedd hiwmor gwreiddiol y capel ar ei orau!

Cyrddau Mawr

Yn ystod haf 2009 roeddwn i ym Mhen Llŷn ac fe arhosais wrth Gapel Coffa Tom Nefyn yn y Pistyll i weld y penddelw ohono ar wal y capel. Trist oedd gweld cyflwr yr adeilad ac mae'r lle'n haeddu gwell gofal i gofio am un o bregethwyr mwya ein cenedl ni.

Ar ddydd Gwener y Groglith y cynhaliwyd Cyrddau Mawr Blynyddol Capel Closygraig ac rwy'n cofio'n dda i fi fynd yno i wrando ar M P Morgan, Blaenannerch, a'r diwinydd treiddgar J R Jones, Abertawe. Ond Tom Nefyn Williams oedd ffefryn pobl Closygraig a bydde'n dod yn amlach na neb arall. Fe gafodd e effaith fawr arna i un tro, a chofiaf yn dda ei bregeth am 'y gannwyll yn llosgi, ond ni ddiffydd byth'. A dyna'r unig dro yn 'y mywyd i fi deimlo'r ysbryd yn fy nghario a bod yr Iesu yn siarad â fi'n bersonol trwy Tom Nefyn. Fe ges i 'nghyffroi'n llwyr. Ymhen amser fe ddarllenais bopeth oedd ar gael am y pregethwr arbennig hwn ac fe gafodd gryn effaith arna i'n ysbrydol. Pan wnaethpwyd ffilm am fywyd Tom Nefyn ychydig o flynyddoedd yn ôl a Llŷr y mab yn aelod o'r cast, braf oedd sôn wrtho gymaint o effaith a gafodd un o'i bregethau arna i.

Capel Penrhiw

Mae cof clir gen i o fynd i wasanaethau prynhawn Sul yn ystod yr haf i Benrhiw, capel yr Undodiaid yn Nre-fach Felindre. Hwn yw'r capel sy yn yr Amgueddfa Werin yn Sain Ffagan er 1956. Yn ei lyfr *Crwydro Sir Gâr* mae Aneirin Talfan Davies yn egluro mai o ganlyniad i ddadleuon diwinyddol rhwng yr Arminiaid a'r Calfiniaid yng nghapel anghydffurfiol Drefach yn y ddeunawfed ganrif y sefydlwyd Penrhiw. I'r gwasanaethau hyn yn yr haf byddai croeso agored i'r ardalwyr droi mewn a dyma'r unig gof sy gen i o ganu emynau mewn gwasanaethau heb gyfeiliant organ. Byddai Tom Morgan fel arfer yn pitsho'r canu a phawb yn ymuno cyn diwedd y llinell gyntaf. Capel heb organ fu Penrhiw erioed ac ar lafar gwlad roedd llawer o holi ynglŷn â'r gwahaniaeth rhwng Undodiaid Penrhiw a Bedyddwyr Capel Bethel, Drefach, yn ymyl. Mae'n debyg i ryw Fedyddiwr lleol lunio pennill fel hwn rywbryd:

Cwpwl bach sy ym Mhenrhiw
Yn gwadu nad yw Crist yn Dduw.
Onid yw'n drueni trist
Fod Twm Warden heb un Crist?

Ond dyma ateb Twm:

Nid oes sôn ym Meibl Crist
Am drochi dyn dros ben ei glust.
Ni ddywedodd Crist eriod
Am daflu dyn i Bwll y Rhod.

Pwll y Rhod oedd bedyddfan y Bedyddwyr yn lleol.

'A beth yw'r gwahaniaeth rhwng eich capeli anghydffurfiol chi yng Nghymru a'ch eglwysi chi?' holodd rhywun i un o fois Parti Menlli un tro pan oedden nhw ar daith i Ganada.

'Wel, mae'r ateb yn syml,' meddai. 'Mae cloch ar ben pob eglwys, ond does dim clychau gan y capeli!'

Mae'n bosibl fod mwy o wirionedd yn y gosodiad hwn na feddylion ni ac rwy i'n hoffi meddwl mai yn ein dulliau o addoli mae'r gwahaniaethau mwya. Mae ymweld â Chapel Penrhiw yn yr Amgueddfa Werin yn brofiad hiraethus i fi bob amser ac yn dwyn i gof brofiadau melys dyddiau 'mhlentyndod.

Blaenor

Fe gedwais fy aelodaeth yng Nghapel Closygraig er mod i'n athro yn Aberystwyth. Fe fyddwn i'n mynd adre bron bob penwythnos at Mam, gan iddi golli'i hiechyd yng nghanol y chwedegau. Yna, gorfod i fi fynd â hi'n ôl gyda fi i Ysbyty Ffordd y Gogledd yn Aberystwyth a bu hi yno am gyfnod hir wedyn hyd at ei marwolaeth yn 1970.

Yn dilyn y Parchedig M L Thomas, fe ddaeth y Parchedig Gwilym Rees ac yna'r Parchedig Hartwell Morgan ar ei ôl yntau yn weinidogion ar Glosygraig. Yn gwbl annisgwyl, etholwyd fi'n flaenor yn 1967 er nad oeddwn wedi meddwl y bydde'r fath gyfrifoldeb wedi dod i'm rhan. A finne'n dal i gadw'r cartre yn 3, Llysnewydd, Felindre, ac yn dal i fynd adre ar benwythnosau fe dderbyniais y swydd o flaenor. Gwyddwn hefyd y bydde Mam yn cael tipyn o foddhad ac esmwythder meddwl am mod i bellach yn sêt fowr Closygraig.

Yn 1968 fe gyflwynais rybudd gynnig gerbron Cyfundeb Methodistiaid De Ceredigion yn Ffos-y-ffin yn gofyn i Gymanfa Gyffredinol y Methodistiaid Calfinaidd yng Nghymru beidio ag anfon eu cynrychiolwyr i'r arwisgiad yng Nghaernarfon. Yn flaenor wyth ar hugain oed, fe ges i'r cyfle i siarad a chyflwyno fy achos gerbron y Sanhedrin! Cofiaf i ni gael trafodaeth boeth iawn ond fe gollais y bleidlais ac fe ymunodd Methodistiaid Cymru â'r sbloet honno yng Nghaernarfon.

Er hynny, rwy'n credu ein bod fel Cymry wedi aeddfedu yn ein hunan-barch a bod agwedd pobol wedi newid. Go brin y bydde un o'r enwadau am fynd yn agos i ddigwyddiad tebyg heddiw!

Dathlu

Yn grwt pedair ar ddeg oed, rwy'n cofio bod yn rhan o ddathliadau'r achos yng Nghlosygraig yn ddeucant oed. Yn y llun a dynnwyd yn 1954 mae'r aelodau gyda'r Parchedig M L Thomas yn sefyll y tu allan i'r capel ac yn y tu blaen mae Mrs Jones, Graigwen, a ddaeth yn enwog maes o law fel Nel Fach y Bwcs.

Braint i fi oedd cael mynd yn ôl a bod yn siaradwr gwadd yn y gwasanaeth ar 15 Mai 2004 i ddathlu bod yr achos wedi cyrraedd deucant a hanner oed. Fe lwyddodd Alun Lewis Jones (Alun Brynafon i bawb) i gyfleu teimladau plant ac aelodau Closygraig yn ei englyn sydd ar daflen y dathliad hwnnw:

Dyma ein hysgol a'n coleg – a gradd
    Closygraig fu'n hanrheg;
    O fwynhau dau gant pum deg,
    Mae chwennych am ychwaneg.

Methodist ac aelod yng Nghapel Salem, Cyffylliog, oedd Meinir ac ar ôl priodi yno yn 1969 dyma ymaelodi â'r

Methodistiaid yng Nghapel y Garn, Bow Street, a ninnau'n byw yn ein cartre cynta ar stad Maes Ceiro wrth y capel. Y Parchedig D R Pritchard oedd ein gweinidog hawddgar ac ef a fedyddiodd Llŷr, y mab, yn 1970. Cofiaf yn dda am ei bregethau treiddgar a'i anogaeth glir ar i ni gadw'r ffydd.

Capel y Priordy

Yna yn 1972 dyma symud i fyw i Gaerfyrddin gan feddwl ymaelodi â'r Methodistiaid eto, ond ar ôl cyrraedd Richmond House, 20 Richmond Terrace, Caerfyrddin, dyma gnoc ar y drws a phwy oedd yno ond y Parchedig T James Jones (Jim Parc Nest) ac yntau'n byw yn yr Elmwydd bron gyferbyn â ni ac yn weinidog ar gapel Annibynwyr y Priordy rownd y gornel i'n cartre newydd. Mewn dim roedd e wedi'n hargyhoeddi ni mai yn y Priordy y dylen ni fod ac fe drodd dau Fethodistyn yn Annibynwyr dros nos. Doedd dim unrhyw sail ddiwinyddol nac athronyddol i'r newid o gwbl!

Yma yn y Priordy mae'n cartre ysbrydol ers hynny. Yma y codwyd Llŷr a Meleri yn yr Ysgol Sul a phob agwedd ar fywyd y capel o dan ofalaeth y Parchedigion T James Jones, L Alun Page, W J Edwards a'r presennol Beti-Wyn James. Yn y Priordy y priodwyd Meleri y ferch â Michael ac mae eu plant hwythau, Iestyn a Steffan, wrth eu boddau'n cymryd rhan yng ngweithgareddau amrywiol y capel. Fe fedyddiwyd Gwern, eu trydydd mab, yno yn 2010. Mae gweld hyd at hanner cant o blant a phobl ifanc o gwmpas Beti-Wyn o Sul i Sul yn tystio i'r bwrlwm sy'n parhau yn y Priordy.

Nodwedd arall sy'n perthyn i fywiogrwydd y·lle yw *Papur Priordy* a gyhoeddir ar y Sul cynta bob mis o dan olygyddiaeth Tina ac Alun Charles. Fe noddir y cylchgrawn gan deuluoedd a ffrindiau ac fe gaiff ei ddosbarthu'n rhad ac am ddim. Mae pob rhifyn yn cynnwys tua hanner cant o dudalennau maint A5 ac mae'n llawn newyddion, erthyglau, adroddiadau, digon o luniau a rhaghysbysebion am ddigwyddiadau yn y capel a'r dre. Sawl sefydliad crefyddol arall trwy Gymru gyfan sy'n cyhoeddi cylchgrawn o'r fath? Cyhoeddwyd rhifyn 225 yn ddiweddar.

Bellach mae Meinir a finne'n rhan o fywyd Cristnogol Capel y Priordy – Meinir yn un o'r pedair organyddes, a finne'n ddiweddar wedi cael yr anrhydedd o gael fy ethol yn ddiacon. Ys gwn i pa mor anghyffredin yw hi i rywun fod yn flaenor ac yna'n ddiacon? Ond, ar ôl meddwl, fe ddigwyddodd yr un peth i Nathan Hughes, fy nhad-cu. Fe ddaeth e'n flaenor yng nghapel Methodistiaid Tŷ Hen ar ôl bod yn ddiacon yng nghapel yr Annibynwyr Blaenycoed. Ydy, mae'n hen bryd mynd ati o ddifri i uno'r enwadau!

Cristion a Heddychwr

Rwy'n ystyried fy hunan yn Gristion ac yn heddychwr, ac mae'r grefydd Gristnogol wedi bod yn elfen bwysig iawn yn fy mywyd gan i fi geisio seilio fy holl egwyddorion ar yr athrawiaeth honno. Dyna pam na alla i ddeall sut y gall unrhyw Gristion gefnogi militariaeth o unrhyw fath, ac rwy'n teimlo euogrwydd am fethu gwneud mwy dros heddychiaeth. Mae'n gas gen i weld milwyr a gweld pobol yn eu cymeradwyo wrth iddyn nhw orymdeithio. Mae'r sefydliad Prydeinig yn arbenigwyr ar hyrwyddo militariaeth, gan ddenu a dysgu'n pobol ifanc i ladd a'u clodfori am hynny.

Er i fi drefnu ambell wasanaeth a chymryd rhan mewn gwasanaethau a chael y cyfle i annerch mewn oedfaon megis Gŵyl Ddewi a Gŵyl y Capeli yn Ffynnon Henri, a mynd yn ôl i Glosygraig i siarad yn Noson Cymdeithas y Beiblau yn ddiweddar, rwy wedi osgoi'r holl geisiadau i gymryd gwasanaethau ar y Sul mewn gwahanol gapeli. Mae'r Sul i fi erioed wedi bod yn ddydd o fod gartre a mynd i'r capel, bron yn ddieithriad. Ac felly rwy am iddo fod.

Y Llwyfan Gwleidyddol

Y<small>MGYRCHOEDD</small> J<small>ENNIE</small> E<small>IRIAN</small> D<small>AVIES</small> dros Blaid Cymru yn Sir Gaerfyrddin yn etholiad seneddol 1955 a'r isetholiad wedyn yn 1957 a'm denodd at y Blaid. Mae'r cyfarfod hwnnw yn Neuadd y Ddraig Goch, Felindre, yn dal i sefyll yn glir yn y cof a'r lle'n orlawn, a'r ferch ifanc o Lanpumsaint yn creu'r fath gyffro gwleidyddol newydd gyda'i hareithiau ysgubol. Dyna pryd y gwelais i'r anfarwol Glyn James o'r Rhondda am y tro cynta a chael clywed Gwynfor Evans yn annerch.

Pwy oedd y bobol hyn a ddaethai i ganol gweithwyr y ffatrïoedd gwlân i herio'u teyrngarwch i Lafur a theyrngarwch ffermwyr i Ryddfrydiaeth Syr Rhys Hopkin Morris? Beth oedd bwriad y Blaid newydd hon yn dod i'w canol am y tro cynta?

'Pwy fydde'n edrych ar ôl 'ych plant chi, tasech chi'n ennill?' oedd y cwestiwn cas i Jennie y fam ifanc o'r llawr yn ystod ymgyrch etholiad 1955.

Atebodd hithau fel fflach, 'Syr Rhys Hopkin Morris, wrth gwrs, achos bydde fe mas o waith!'

Profiad anghysurus i fi, yn grwt ifanc, oedd cael fy ngwawdio gan rai o drigolion y pentre am fod yn Bleidiwr. Do, fe waeddodd sawl menyw eiriau reit gas wrth i fi gerdded heibio adeg yr etholiadau poeth hynny. Ond 'newid ddaeth o rod i rod' a bellach fy nghyfaill John Crossley yw cynghorydd sir Plaid Cymru dros yr hen ardal ers blynyddoedd lawer, Rhodri Glyn Thomas yn Aelod Cynulliad ac yna Adam Price a bellach Jonathan Edwards yn Aelodau Seneddol dros etholaeth Dwyrain Caerfyrddin a Dinefwr. Braf yw gweld bod yr hen fro wedi symud at y Blaid ac ni alla i lai na gweld yn fy nychymyg y wên lydan ar wynebau'r Parchedig M L Thomas a Tom Morgan am fod yr hedyn a blannwyd ganddyn nhw wedi dwyn ffrwyth a bod cangen Bargod Teifi yn dal i weithredu hanner can mlynedd yn ddiweddarach.

Ymgyrchu

Gyda ffrindiau fel Aled Parc Nest ac Emyr Llew a Dafydd Wyn Jones (tad Ceri Wyn) yn y chweched dosbarth, doedd dim amdani ond sefydlu cangen answyddogol o'r Blaid yn Ysgol Ramadeg Llandysul. Mae'r llythyron a dderbyniais gan J E Jones, Ysgrifennydd Cyffredinol y Blaid, am gasglu chwech ac yna ddau ar hugain o aelodau ifanc gen i o hyd. Rwy'n eu cadw rhwng cloriau *Tros Gymru: J. E. a'r Blaid*. Yn ei lythyr cynta dyddiedig 6 Chwefror 1957, mae'n dweud,

'Y mae'n llawen gen i groesawu chwech aelod newydd o Blaid Cymru, mudiad rhyddid a ffyniant ein cenedl ni. Er mwyn Cymru, er mwyn ei rhyddid a'i dyfodol, a wnewch chi eich gorau i ennill eraill?'

A dyna wnaethon ni, mae'n debyg, gan i'r llythyr nesa dyddiedig 12 Mawrth 1957 i fi ac i D Aled Jones, y trysorydd, ddweud,

'Yr wyf yn llawen o glywed am y 22 aelod newydd eto, gwych iawn. Clywais hefyd am eich gwaith yn yr isetholiad... Anfonaf hefyd 22 bathodyn a bydd gair am eich Cangen yn y *Welsh Nation* Ebrill.'

Hywel Heulyn Roberts safodd dros Blaid Cymru yn etholaeth Caerfyrddin yn etholiad 1959 ac fe aeth criw bach ohonon ni fyfyrwyr Coleg y Drindod i'w helpu yn y dre. Talcen caled oedd stad dai Park Hall a Belvedere a Ross Avenue ac yno ces i'r profiad cynta o gnocio drysau. Dyna oedd bedydd tân! A phan ddaethon ni'n ôl at gar Hywel ar ôl y canfasio, roedd y ddwy olwyn flaen yn fflat. Doedd dim amdani ond pwmpio'r

Cadeirydd Cymdeithas Pêl-droed Ysgolion Cymru 1994–6.

Gyda Dai Davies a Gordon Banks, y ddau golwr rhyngwladol, yng Nghinio Blynyddol Clwb Pêl-droed Tref Caerfyrddin yn 2001.

Cyn-chwaraewyr tîm pêl-droed Bargod Rangers wedi dod ynghyd yn Nhachwedd 2008 i noddi'r gêm rhwng Caerfyrddin a Dinas Bangor ar Barc Waundew. Yn eistedd ar y chwith imi mae Gwynfor Jones, fy nghyfaill gorau. Cefn: Michael Griffiths, Glanville Evans, Aled Evans, Aneurin Jones, Eifion Davies a Paul Evans. Eistedd: Aneurin Jones, fi, Gwynfor Jones, Terry James a Bernard Davies.

Swyddogion ac aelodau Aelwyd Aberystwyth yng nghanol y chwedegau.

Staff Ysgol Gymraeg Aberystwyth yn 1962. Cefn: William Griffiths, Miss Chamberline, Mair Jenkins a Hywel Jones (Prifathro). Blaen: John Garnon, Edna Jenkins, Nansi Hayes, Llinos Edwards a finne.

Parti Aelwyd Aberystwyth yng Nghyngerdd Dathlu 40 Mlynedd Urdd Gobaith Cymru yn yr Albert Hall, Llundain, yn 1962 gyda'r arweinydd Emrys Bennett Owen ac Eurion Lewis y cyfeilydd.

Noson dathlu pen-blwydd Aelwyd Aberystwyth yn 70 oed yn 2003 yng nghwmni criw y chwedegau. Dic Pugh, Glyn Griffiths Jones, Lona Jones, fi, June a Dai Griffiths.

J O Roberts fel Glyn a finne fel Robin yn nrama deledu John Gwilym Jones *Gŵr Llonydd* yn 1965.

Panel y gêm deledu *Mi Hoffwn I* yn ceisio dyfalu beth yw dymuniad cudd y cystadleuwyr. Marian Arthur Jones, fi ac Eurwen Richards, Llanymddyfri.

Rhai o gyflwynwyr y rhaglen *Noson Lawen* go iawn ar y teledu yn y nawdegau.

Cast y ddrama *Cwpaned* gan Norah Isaac.

Y rhaglen *Pen-blwydd Hapus* yn y flwyddyn 2000 gyda Ieuan Jones fy ffrind ysgol a deithiodd o Zimbabwe i roi cythrel o sioc i mi.

Cael fy urddo i'r Orsedd yn Eisteddfod Genedlaethol Dinefwr yn 1996.

Aelodau a phlant Capel Closygraig yn dathlu deucanmlwyddiant yr achos yn 1954 gyda'r gweinidog y Parchedig M L Thomas yn sefyll yn y canol. Y trydydd i'r chwith o'r gweinidog (ac o fy mlaen i'n grwt) mae Tom Morgan yr arweinydd a roddodd y cyfle cyntaf i mi arwain Noson Lawen. Y wraig fechan gyda'i ymbarél yn y tu blaen yw Nel Fach y Bwcs.

Diaconiaid presennol Capel y Priordy, Caerfyrddin, gyda'n gweinidog y Parchedig Beti-Wyn James yn y canol. Cefn: Gwynfor Davies, Alun Charles, Sulwyn Thomas, Arwyn Davies, David Lloyd, Adrian Evans, Tudur Dylan Jones, Elis Jones. Blaen: fi, Rhian Evans, Parch. Denzil James, Parch. Beti-Wyn James, William Morris, Cenwyn Rees, John Reynolds a Keith Phillips.

Llanybydder (0570) 480907

Talar Wen
Pencarreg
Llanybydder
Dyfed

24 Medi 1997

Annwyl Meinir a Peter,

Caredigrwydd nodweddiadol ohonoch oedd eich llythyr tra charedig, a chalondid mawr oedd ei dderbyn. Plesar digymysg fu mwynhau eich cyfeillgarwch a chael eich cydweithrediad cwbl ymroddgar trwy faith flynyddoedd. Arwerddrog yw bod eich doniau mawr chi eich dau wedi eu cyflwyno mor llwyr i wasanaeth Cymru, a'ch bod wedi magu Llŷr a Melai yn y traddodiad hwnnw.

Fel arfer mwynheais yn fawr eich storïau chi Peter yn rhaglen y Noson Lawen ychydig nosau yn ôl, a hefyd eich cyfraniadau i Carmarthenshire Life.

Gyda'n dymuniadau gorau i chi eich pedwar.

Cofion cynnes

Gwynfor

Llythyr o werthfawrogiad gan Gwynfor i fi a Meinir. Rwy'n ei drysori'n fawr iawn.

Ymgeisydd am y tro cyntaf dros Blaid Cymru mewn etholiad i Gyngor Tref Aberystwyth yn 1964.

Cyfarfod o ymgeiswyr a chynrychiolwyr Plaid Cymru yn Llandrindod i baratoi ar gyfer Etholiad Cyffredinol 1979.

Gwynfor a finne yn ystod ei cyfnod fel Aelod Seneddol yn y saithdegau.

Fi wrth y penddelw o Gwynfor ar ddydd ei ddadorchuddio yn Llyfrgell y Barri, Gŵyl Ddewi 2010.

Pedwar Cynghorydd Plaid Cymru gyda John Dixon, sy'n cynrychioli tref Caerfyrddin ar Gyngor Sir Caerfyrddin er 2008. Alan Speake, fi, John Dixon, Arwel Lloyd a Gareth O Jones.

Ar ddydd ein priodas yng Nghapel Salem, Cyffylliog, Hydref 1969.

Fe ddaeth y teulu ynghyd ar noson fy sefydlu'n Faer Caerfyrddin am y tro cyntaf ym Mai 1981. Sefyll: Mari, Morfudd, Elwyn, Geraint, Morien, Wncwl Doug, John, Kay, Bronwen, Graham a Bet. Eistedd: Anti Sal, Beti fy chwaer, Meinir a fi, Trevor a Ceinwen Lloyd, tad a mam Meinir. Blaen: Llŷr, Meleri a Lowri.

Llŷr yn Faer Tref Caerfyrddin gyda Dr Hedydd Davies, trefnydd Ras Elusen y Maer am 25 o flynyddoedd, a fi.

Pwyllgor Cymdeithas Rhieni Ysgol y Dderwen, Caerfyrddin, ar ymddeoliad y prifathro John Phillips a Miss Muriel Evans yn 1984.

Meinir a finne gyda Yann Iestyn a'i ddiweddar wraig Malou, ein ffrindiau o'n gefaill dref Lesneven yn Llydaw ers 30 o flynyddoedd.

Fel Maer Caerfyrddin yn llongyfarch Matthew Stevens, un o fechgyn y dref, am ddod yn Bencampwr Snwcer yn 2003. Roedd fy mam a mam-gu Matthew yn gyfnitherod cyntaf.

Derbyniad swyddogol gan y Maer i Norton's Coin y ceffyl lleol ar Sgwâr y Clos Mawr, Caerfyrddin, wedi iddo ennill y Cwpan Aur yn Cheltenham yn 1990.

Côr Telynau Tywi, y côr merched y bu Meinir yn ei arwain am 13 mlynedd.

Meinir yn ei gwisg Gymreig ar un o'i theithiau tramor.

Anrhydeddu Nan Lewis, Elgan Thomas a Bryan Walters ar ôl blynyddoedd maith o wasanaeth i Ŵyl Flynyddol Comedïau *Cwlwm*, ein papur bro.

Gorfodwyd fi i gael *facelift* a thrin a lliwio fy ngwallt cyn cyfarfod Bill a Hillary.

Pan oeddem yn Buenos Aires ar ein ffordd i ymweld â Phatagonia cafodd Meinir a finne gyfle i ddawnsio'r 'Tango' enwog ar y stryd.

Meinir a finne'n derbyn Gwobr Goffa Dr John a Dr Margaret Evans am ein cyfraniad i fywyd tref Caerfyrddin gan Quentin MacGarvie, Llywydd y Gymdeithas Ddinesig yn 2003.

Cael fy nerbyn yn Gymrawd Anrhydeddus Coleg y Drindod, Caerfyrddin, gan Dr Medwin Hughes, y pennaeth, yn 2007 gyda'r Dr John Walters a'r Parch. Tom Evans a'm cyflwynodd.

Derbyn y wobr Gwasanaeth yn y Gymuned – 'Gwasanaeth Uwchlaw'r Hunan' – gan Glwb Rotari Caerfyrddin ym Mehefin 2010 yng nghwmni Anthony Jenkins a'm cyflwynodd, Jeff Thomas y Llywydd, Ifan Davies (Ifan JCB) ac Alun Williams.

Priodas Meleri a Michael, haf 1999.

Priodas Llŷr a Delyth, haf 2002.

Meinir a finne gyda Beti fy chwaer a'i gŵr Graham ym mhriodas eu mab John. Bu'r ddau farw yn 2005.

Kay a John, plant fy chwaer Beti a Graham.

Y dair chwaer, Meinir, Morfudd a Bronwen, a'u gwŷr, fi, Morien ac Elwyn. Bu Morien farw yn Awst 2009.

Lansio'r llyfr *Hiwmor Sir Gâr* gyda Robat Gruffudd, Y Lolfa, yn 2007.

Y teulu cyfan. Tynnwyd y llun yn Rhagfyr 2009. Cefn: Meleri a Michael ac Ifan Gwern, Llŷr a Delyth ac Anest Mair. Canol: Steffan Llwyd, Meinir a finne. Blaen: Bedwyr Clwyd, Osian Gwyn ac Iestyn Rhys.

Lansio'r llyfr *Bro a Bywyd Gwynfor Evans* gan Barddas yn yr ystafell yn y Guildhall, Caerfyrddin, lle y cyhoeddwyd canlyniad yr isetholiad enwog yn 1966.

Cynhebrwng Gwynfor Evans a'r archgludwyr Adam Price, Simon Thomas, Elfyn Llwyd, Hywel Williams, fi a Rhodri Glyn Thomas.

Rhai o gynghorwyr Plaid Cymru ar Gyngor Sir Caerfyrddin gyda Chadeirydd y Cyngor Tyssul Evans yn croesawu cyn-arweinydd y grŵp Neil Baker yn ôl yn dilyn ei gyfnod yn gweithio ar ynys Canna yn yr Alban.

olwynion a'r trigolion yn cael rhyw foddhad maleisus ac yn gwenu'n braf arnon ni. Ychydig a feddyliais i'r pryd hwnnw mai fi fydde cynghorydd sir a thref y stadau hyn dros Blaid Cymru yn 2010!

Am y Tro Cyntaf

Yr annwyl Lili Thomas, y ferch gynta i ennill gradd dosbarth cynta mewn Mathemateg yng Ngholeg y Brifysgol yn Aberystwyth ac a fu'n ddarlithydd yng Ngholeg y Drindod ac yn Adran Addysg y Brifysgol yn Aberystwyth, a'm perswadiodd i sefyll dros Blaid Cymru mewn etholiad am y tro cynta. Dewisodd cangen tref Aberystwyth Edward Millward a Nel Gwenallt Jones i sefyll yn Ward 1, Tegwyn Jones yn Ward 2 a Lili Thomas a finne yn Ward 3 ar gyfer etholiadau bwrdeistref Aberystwyth ar 7 Mai 1964. Nid etholwyd yr un ohonon ni, ond dyna gychwyn gweithgarwch oes i fi yn rhengoedd y Blaid fel ymgyrchydd etholiadol. Ymgyrch y Dr Gareth Evans wrth iddo sefyll am yr ail waith yn 1964 ac Edward Millward yn 1966 oedd y rhai seneddol cynta i fi fod yn rhan ohonyn nhw.

Gyda help llawer iawn o bobol, fe es i ati i sefydlu canghennau'r Blaid ar hyd a lled Ceredigion ac fel ysgrifennydd y Pwyllgor Etholaeth fe drefnais gyfarfodydd misol yn y Feathers, Aberaeron, ac erbyn i Hywel ap Robert gael ei ddewis i sefyll dros y Blaid yng Ngheredigion yn etholiad 1970 roedd gyda ni beirianwaith ymgyrchu reit effeithiol. Yn wir, llwyddodd Hywel i ennill 19.6% o'r bleidlais. Hwn oedd fy etholiad cynta fel cynrychiolydd etholiadol i ymgeiswyr y Blaid ac yn ddi-fwlch ers hynny rwy wedi bod yn gynrychiolydd neu'n drefnydd ymgyrch ym mhob etholiad seneddol neu etholiad y Cynulliad.

Roedd y bargyfreithiwr Hywel ap Robert yn gawr o ddyn ymhell dros ei chwe throedfedd ac yn pwyso dros bymtheg stôn. Ar ddechrau'i ymgyrch etholiadol yng Ngheredigion fe benderfynodd Hywel y bydde'n dda iddo fynd ati i golli pwysau, ac fe aeth ar ddeiet o frecwast da yn unig ac yna yfed dŵr am weddill y dydd – galwyni ohono. O ganlyniad roedd ceisio trefnu'i ymweliadau'n gryn ben tost am ei fod am fynd i'r tŷ bach mor aml, a dyw hynny ddim yn waith hawdd wrth gnocio drysau a chwrdd â phentrefwyr rhwng Aberystwyth, Pontrhydfendigaid a Thregaron! Er mai bargyfreithiwr oedd Hywel ar y pryd, galla i ddweud ei fod wedi torri'r gyfraith ddwsinau o weithiau bob dydd trwy neidio allan o'r car wrth fwlch cae neu gornel sied ar hyd y ffordd.

Mae gen i barch aruthrol at yr holl ymgeiswyr y ces i'r fraint o weithio gyda nhw yng Ngheredigion a Chaerfyrddin. Roedd gweld eu hymrwymiad diflino wrth adeiladu'r mudiad a pharatoi'r ffordd i eraill yn rhywbeth i'w edmygu'n fawr. Dr Gareth Evans, Tedi Millward, Hywel ap Robert, Clifford Davies a'r Dr Dafydd Huws yng Ngheredigion cyn dyddiau Cynog Dafis, Simon Thomas ac Elin Jones. Yna, Jennie Eirian, Hywel Heulyn, Hywel Teifi Edwards a Gwynfor Evans cyn dyddiau Rhodri Glyn Thomas, Adam Price a Jonathan Edwards yn Sir Gaerfyrddin.

Lluniau Aneurin

Y ddau gynrychiolydd o gangen Aberteifi ar y Pwyllgor Etholaeth yn Sir Aberteifi oedd Gwynfi Jenkins ac Aneurin Jones. Roedd Aneurin yn athro Celf yn Ysgol y Preseli ar y pryd, ac yn garedig iawn yn cyflwyno dau o'i baentiadau i ni'n gyson ar gyfer gwobrau i'r raffl flynyddol i godi arian. O bryd i'w gilydd bydde Aneurin yn dod â'i ddarluniau gwreiddiol i'r pwyllgor yn Aberaeron i geisio'u gwerthu'n rhad i ni. Rwy'n amau a lwyddodd e i werthu'r un! Ychydig a feddyliwn y pryd hwnnw y bydde paentiadau Aneurin Jones yn dod yn drysorau celfyddydol ein dyddiau ni. Pwy bynnag enillodd y gwobrau raffl o waith Aneurin, gobeithio'u bod nhw'n sylweddoli'r cyfoeth sy yn eu meddiant. Mae'n llawer rhy hwyr i finne nawr ddiawlo fy hun am golli'r cyfle i brynu cymaint o'i weithiau.

Cassie

Ar dudalen gynta ei hunangofiant, *Hwb i'r Galon*, a gyhoeddwyd yn 1973 mae Cassie Davies yn dweud fel hyn:

> Peter Hughes Griffiths yn galw gyda phentwr o bapurau ganddo, llenyddiaeth i'w rhannu, ffurflenni aelodaeth i'w llenwi, tocynnau i'w gwerthu. Angen trefnu pwyllgor, trefnu ffair, galw cyfarfod a chenhadu mwy. Alla i ddim gwrthod i Peter sy wrthi ddydd a nos yn teithio a threfnu ac annerch. Mae'n codi cywilydd arna i. Rhaid i fi ddyblu fy egnïon, er mwyn DJ a JE a Gwynfor – er mwyn Cymru. Nid dyma'r amser i laesu dwylo a'r deffro mawr, a'r diodde a'r aberthu ymhlith yr ifanc.

Braint fawr oedd cael adnabod a bod yn ffrind i Cassie Davies, Tregaron. Dyma enghraifft o un o laweroedd yn y cyfnod anodd hwnnw a roddodd ei chyfan dros y mudiad cenedlaethol ac a adawodd ei holl eiddo ar ei hôl i gynnal y Blaid.

Wedi oes o wasanaeth diarbed hyd y diwedd dros ei chenedl bu farw Cassie yn naw deg oed ar 21 Ebrill 1988 a dyma englyn Dic Jones a ddarllenwyd yn y gwasanaeth ar ddydd ei hangladd:

> Lleihau wnaeth dy gannwyll wen, – a breuhau
> Wnaeth braich dy ganhwyllbren,
> Aeth y cwyr a'r babwyren
> Yn ara bach bach i ben.

Fe rown y byd pe gallwn trwy ryw wyrth ddangos i Cassie a'i thebyg yr adeilad hwnnw a elwir yn Senedd sy gyda ni yn y Bae yng Nghaerdydd. Ni fu eu llafur yn ofer!

Llawn Amser

Yn y cyfnod hwnnw fe gymerais y cam o adael swydd saff fel athro yn Aberystwyth a mynd i weithio'n llawn amser i'r Blaid a symud i fyw i Gaerfyrddin yn 1972. Fe gymerais y cyfrifoldeb o ddatblygu holl waith Plaid Cymru yn Nyfed gan ganolbwyntio'n benna ar etholaeth Caerfyrddin gan i Gwynfor golli'r sedd yn 1970.

A dyma ddechrau'r bartneriaeth glòs o gydweithio â Gwynfor am ddegawdau. I fi, heb os, dyma Gymro mwya'r ugeinfed ganrif a'r un a arweiniodd ein cenedl tuag at ei rhyddid a'i hannibyniaeth sydd bellach ar y gorwel. Diolchaf i Dduw fod Gwynfor o leia wedi cael gweld agor yr adeilad yn y Bae a gweld aelodau o'r Blaid yn rhan o'r Cynulliad. Yn bendant, ni fydde'r Cynulliad hwnnw'n bodoli heddiw oni bai am Gwynfor Evans a bydd haneswyr y dyfodol yn gweld hynny'n glir.

Dyma fynd ati'n gynnar yn y saithdegau i sefydlu canghennau'r Blaid ar hyd a lled Sir Gaerfyrddin, ac ychydig cyn etholiadau 1974 roedd deg ar hugain o ganghennau gweithgar gyda ni'n ymestyn o Frynaman i Bant y Caws ar y ffin â Sir Benfro yn ardal Efail-wen. Roedd D J Williams wedi agor swyddfa newydd Plaid Cymru yn 8, Heol Dŵr, Caerfyrddin, ar ddydd Calan 1970 ac oddi yno y bues i'n trefnu holl waith Gwynfor a'r Blaid am y degawd nesa.

Ennill Eto

Mae pawb yn cofio am yr Etholiad Cyffredinol yng ngwanwyn 1974 pan gollodd Gwynfor o dair pleidlais, a ninnau'n derbyn ymddiheuriadau diddiwedd ar ôl hynny gan bobol yn teimlo mor euog am na fuon nhw'n pleidleisio i Gwynfor, gan gynnwys teulu o bump o dopiau Llanllwni yn cael olwyn fflat ar eu ffordd i'r bwth a hwnnw wedi cau pan gyrhaeddon nhw!

Fe wnaeth pawb yn siŵr eu bod yn pleidleisio yr hydref canlynol gan i Gwynfor ennill trwy gael 23,325 (45.1%) o bleidleisiau ac mae llun Gwynfor yn cyfarch y dorf yn Sgwâr Nott yn y dre yn un enwog iawn erbyn hyn. Hon oedd yr unig sedd i Lafur ei cholli trwy Brydain gyfan yn etholiad Hydref 1974.

Roedd y cyfrif ar gyfer yr etholiad ym mis Hydref 1974 wedi'i symud o Ystafell y Llys yn y Guildhall, lle cwbl anaddas gan fod pobol yn gorfod cyfrif ar feinciau a seddau, i Neuadd San Pedr lle'r oedd byrddau addas. Ond mae cyfrif Etholiad Cyffredinol 1979 yn un y mae gen i amheuon dwfn ynglŷn â'r gwir ganlyniad. Roedden ni ymhell dros hanner ffordd trwy'r cyfrif yn Neuadd San Pedr a Gwynfor ar y blaen yn weddol glir i Roger Thomas, yr ymgeisydd Llafur. Yn sydyn, fe gliriwyd pawb o'r adeilad gan yr heddlu gan eu bod wedi derbyn galwad i ddweud bod bom wedi'i osod yn y neuadd. Ni chafodd neb fynd yn ôl yn agos i'r lle, ac fe ddywedwyd wrthon ni y bydde'r pleidleisiau yn cael eu trosglwyddo i swyddfeydd y Cyngor Dosbarth yn 3, Heol Spilman, ryw ganllath oddi yno, ac y bydde'r cyfrif yn ailddechrau am naw o'r gloch y bore wedyn. Yng nghantîn bach cwbl anaddas y Cyngor a phawb ar ben ei gilydd driphlith draphlith yr aethon nhw ati i ailgyfrif, ac fe gollodd Gwynfor o 1,978 pleidlais. Rwy'n gwbl, gwbl argyhoeddedig mai cynllwyn gan rym y sefydliad Prydeinig oedd yr alwad ffug fod bom yn yr adeilad, gan na ddaethpwyd o hyd i unrhyw ddyfais. Pwy fu'n gyfrifol am gario'r 61,714 o bapurau pleidleisio ganllath o un adeilad i'r llall a'u gosod allan eto ar y byrddau yng nghantîn adeilad y Cyngor Dosbarth? Doedd dim tystion niwtral i'r holl drosglwyddo.

Gallai unrhywbeth fod wedi digwydd, ac fe ddigwyddodd rhywbeth rhyfedd iawn. Onid oedd hi'n bwysig cael gwared ar Gwynfor Evans o Dŷ'r Cyffredin yn Llundain? Roedd y sylw a'r effaith a gawsai'n ddraenen yn ystlys y sefydliad Prydeinig a phobl fel George Thomas a'i debyg. Mae trefnu canlyniadau etholiadau'n beth digon cyffredin bellach ar draws y byd. Alla i ddim profi bod canlyniad Etholiad Cyffredinol etholaeth

Caerfyrddin, a gyhoeddwyd ddiwrnod wedi'r etholiad, ar 4 Mai 1979, wedi'i 'rigo' ond fe ddigwyddodd pethau anarferol ac amheus iawn y noson honno ac fe lwyddwyd i gadw Gwynfor o San Steffan!

Gwynfor y Gyrrwr

Roedd yna un broblem barhaol wrth drefnu ymgyrchoedd Gwynfor os oedd angen teithio i rywle yn y car. Mynnai Gwynfor yrru ei hun bob amser a hynny am reswm syml iawn. Bydde'n mynd yn sâl swp mewn dim mewn car os na fydde fe'n gyrru.

Adeg ymgyrchoedd etholiadol ac yntau'n Llywydd y Blaid ac yn gorfod teithio i bob cornel o Gymru ac yna i annerch cyfarfodydd yn ei etholaeth ei hun a mynd o ardal i ardal i ganfasio, doedd dim dewis, roedd rhaid i Gwynfor yrru. Fe deithiais i laweroedd o weithiau'n gwmni iddo ac mae dweud mod i ar bigau'r drain yn awgrymu safon ei yrru!

Mae Branwen hithau'n gwmws fel ei thad. Fe atgoffodd fi'n ddiweddar am y daith fuddugoliaethus honno ar y trên i Lundain ar ôl ennill yn 1974 ac yna am gael tacsi o Paddington i San Steffan. Gorfod iddyn nhw stopio'r tacsi sawl gwaith er mwyn i Gwynfor a Branwen daflu i fyny yn eu tro. Mae hi'n dal yr un fath heddiw, meddai hi.

Hiwmor Gwynfor

Person llawn hiwmor oedd Gwynfor Evans a dim ond y rhai oedd yn weddol agos ato oedd yn gwybod amdano fel storïwr hwylus. Wrth gyd-deithio byddwn wrth fy modd yn gwrando arno'n traethu, a bob amser fe fydde fe'n chwerthin yn iach ar ben ei storïau ei hunan!

Yn ôl Gwynfor dim ond wrtho fe a Saunders Lewis y byddai D J Williams yn adrodd ei storis cochaf, ond adroddodd e 'run o'r rheiny wrtha i erioed!

'Roedd gan DJ stôr anferth o storïau a'r rheiny mor

amrywiol a rhai'n goch iawn,' meddai Gwynfor, 'ond chlywes i erioed mohono'n ailadrodd ei hun.'

Fe soniodd wrtha i wedyn am DJ yn dweud wrth Lewis Valentine fod yr arbenigwr wedi dweud wrtho mai dim ond tair blynedd oedd gyda fe i fyw ar y mwyaf.

'Beth y'ch chi am wneud, DJ?' oedd cwestiwn Valentine.

'Gweitho fel y blac,' oedd ei ateb.

Fe deithiodd Gwynfor filiwn a mwy o filltiroedd yn ei gar ar hyd ffyrdd Cymru, ond byddai wastad yn dod adre ar ôl ei gyfarfodydd a phrynu sglodion wedyn ar y ffordd.

'Rwy'n awdurdod ar siopau tsips,' medde fe wrtha i unwaith, 'ac rwy'n meddwl ysgrifennu llyfr am siopau tsips Cymru!'

Ei hoff stori am etholiad 1966 oedd amdano ym mart Caerfyrddin ar y dydd Mercher cyn yr etholiad ac yn sefyll gyda'r ffermwyr wrth y cylch a Bob Jones yr arwerthwr wrthi'n derbyn cynigion am ryw fuwch ac yn troi at Gwynfor.

'Y'ch chi miwn, Mr Evans?' gwaeddodd.

'Fe fydda i nos yfory,' atebodd Gwynfor i gymeradwyaeth y dorf.

Roedd Gwynfor yn llwyrymwrthodwr, ond er hynny ymhell o fod yn gul ei feddwl tuag at ddiotwyr, a mwy nag unwaith fe weles i e'n talu am rownd i'w ffrindiau, ac yn aml byddai'n adrodd am bobl yn cyflawni pob math o ddwli yn eu medd-dod. Storis gwir oedd storis Gwynfor bob amser ac nid yr hyn a alwen i'n jôcs.

Fe adroddodd wrtha i unwaith am yr hen Ddaniels Bach, Pont-ar-Dywi, a arferai weithio yn Nhai Gerddi Gwynfor yn Llangadog.

Mab i sgweier bach cyfoethog oedd Daniels ac wedi etifeddu tair fferm. Ond, gan mai unig blentyn oedd e, cafodd ei sbwylio'n lân gan ei fam, ac ymhen amser datblygodd syched mawr arno a gorfod iddo werthu ei eiddo i dalu am yr holl ddiota.

Yn ôl Gwynfor, Daniels ei hun oedd yn adrodd amdano fe'n mynd i weld Dr Lawson, y doctor lleol, yn ei hen ddyddiau am ei fod yn achwyn bod poen ofnadwy yn ei wddwg.

Agorodd Daniels ei geg yn llydan er mwyn i'r doctor edrych i lawr ei gorn gwddwg gyda help golau fflash fechan.

'Sa i'n gweld dim byd,' meddai Dr Lawson.

"Na beth od,' meddai Daniels Bach, 'achos mae tair ffarm lawr 'na rywle!'

Trip i'r Alban

Er cymaint yw'r demtasiwn yn dilyn f'adnabyddiaeth bersonol o Gwynfor i draethu'n hir amdano ac am ei rinweddau fel person cwbl unigryw, rwy'n mynd i gyfyngu fy sylwadau i ryw dri digwyddiad yn unig. Mae digon wedi'i ysgrifennu amdano ar hyd y blynyddoedd ac mae'i hunangofiant *Bywyd Cymro* yn dangos yn glir gyfraniad diflino'r gŵr hwn i'w genedl. Mae'r llyfr diweddar *Bro a Bywyd Gwynfor Evans* hefyd yn dangos hanes ei fywyd yn llawn mewn llun a gair.

Bydde Gwynfor yn cael gwahoddiadau cyson i gynadleddau Plaid Genedlaethol yr Alban (yr SNP) ac fe ges i wahoddiad i fynd gydag e i'r gynhadledd yn Oban yng nghanol y saithdegau a theithio ar y trên i Glasgow. Ond och a gwae! Roedd car wedi'i drefnu i gwrdd â ni yn yr orsaf ddiwedd y prynhawn glawog hwnnw er mwyn ein cludo i Oban bell. Y lleia o'r ceir Citroën Ffrengig dau ddrws oedd yn ein disgwyl ac wedi i fi stwffio i mewn i'r sedd gefn a'r cesys gyda fi, fe wasgodd Gwynfor i mewn i'r sedd flaen yn ymyl y gyrrwr. Mewn dim o amser sylweddolodd Gwynfor a finne mai Stirling Moss oedd ail enw'r gyrrwr hwn gan iddo yrru fel cath i gythrel a gwau'i ffordd yn gythreulig o fentrus trwy'r traffic hwyrol. Fedrwn i ddim llai na sylwi bod Gwynfor yn cael ei daflu'n ddidrugaredd o un ochr i'r llall ac yna ymlaen ac yn ôl fel io-io wrth i'r gyrrwr frêcio'n sydyn.

'Ydych chi'n teimlo'n iawn, Gwynfor?' holais yn Gymraeg

wrth i'r gyrrwr gwyllt adael goleuni Glasgow. On'd oeddwn i'n gwybod bod Gwynfor yn deithiwr sâl?

'Rwy wedi bod yn gweddïo am y rhan fwya o'r daith hyd yn hyn a'm llygaid ar gau yn y gobaith nad yw'r diwedd yn ymyl!' oedd ei ateb. 'Sa i wedi cael amser i feddwl am fynd yn sâl. Rwy'n canolbwyntio ar gael bod yn fyw,' ychwanegodd yn llawn o'i hiwmor nodweddiadol.

Fe atebwyd gweddïau Gwynfor gan i ni gyrraedd y gwesty wrth y môr yn Oban erbyn swper ac meddai gyda gwên lydan ar ei wyneb, 'Dyna'r daith fwya ofnadwy erioed, ac eto, fues i ddim yn sâl! Rhyfeddol.'

The Cheviot, the Stag and the Black, Black Oil

Bydde Gwynfor a finne'n atgoffa'n gilydd yn aml am yr hyn a ddigwyddodd yn neuadd y dref yn Oban ar y nos Sadwrn i gloi'r gynhadledd honno. Roedd Cwmni Theatr Teithiol yr Ucheldir yn cyflwyno'r rhaglen *The Cheviot, the Stag and the Black, Black Oil*. Dyma'r cyfnod pan oedd Lloegr yn hawlio pob ceiniog o elw'r olew oddi ar arfordir yr Alban ac roedd y teimladau'n gryf iawn yn y gynhadledd honno.

Eisteddai Gwynfor a finne yn y canol ryw dair rhes o'r tu blaen yn y neuadd yng nghwmni Robert McIntyre, Llywydd yr SNP, ac Winnie Ewing. Ar hyd ochr y neuadd roedd byrddau wedi'u gosod i ffurfio bar hir gan i fi ddeall ei bod hi'n arferiad gan yr Albanwyr i gael tot bach neu ddau yn ystod yr egwyl a sawl tot arall ar ôl y perfformiad. Roedd y neuadd dan ei sang gyda rhyw wyth cant yn bresennol.

Hwn oedd y cyflwyniad mwya syfrdanol a chynhyrfus i fi fod ynddo erioed. Cyflwynwyd i ni ddarluniau diflewyn-ar-dafod o'r ffordd roedd y Saeson wedi trin yr Albanwyr ar hyd y canrifoedd a'r tyddynwyr yn dioddef dan law'r landlordiaid Seisnig. Roedd y golygfeydd hynny gyda'r dwysaf, a phawb o'n cwmpas yn llythrennol yn eu dagrau a finne gyda nhw. Pan ddaeth hi'n amser egwyl ymhen yr awr roedd pobman fel y bedd. Wnaeth neb guro dwylo, ni fu unrhyw gyffro yn y gynulleidfa – dim ond tawelwch llethol a phawb yn fud. Felly y bu hi am ryw bedair munud a dyma fi'n sibrwd wrth Gwynfor o dan fy anadl, 'Beth sy'n digwydd 'ma, Gwynfor?' Ond ddaeth dim ateb.

Yn y distawrwydd llethol hwnnw, cerddodd Robert McIntyre ymlaen i'r llwyfan a gofyn i'r cwmni ailgychwyn. Ac felly y bu hi, a'r olygfa nesa yn portreadu Margaret Thatcher yn trin ei phypedau, sef yr aelodau Torïaidd yn yr Alban, a hynny ar ffurf cân actol gan ddangos sut i ddwyn yr olew gwerthfawr. O fewn eiliadau roedd pawb yn rholio chwerthin ac yn ymollwng yn llwyr wrth i'r perfformwyr gyflwyno'r safbwynt cenedlaethol. A dyna a gafwyd am awr arall, golygfa ar ôl golygfa yn llawn hiwmor a difrifoldeb gwir sefyllfa'r Alban. Ni ches i brofiad tebyg na chynt na chwedyn. Roedd y gymeradwyaeth ar y diwedd yn fyddarol a phawb ar eu traed neu ar eu seddau'n curo dwylo a gweiddi. Roedd y lle'n wenfflam! Wrth i'r cymeradwyo barhau a pharhau, fe aeth Robert McIntyre a Gwynfor i'r llwyfan ac fe waeddodd Llywydd yr SNP, 'This is what my life, Gwynfor's and yours are all about.' Ni ddywedodd fwy gan i'r bonllefau gychwyn eto wrth iddo godi braich Llywydd Plaid Cymru i'r awyr, ac wrth i'r ddau ysgwyd llaw ag aelodau'r cast ar y llwyfan roeddwn i'n sefyll yno'n llawn emosiwn ac yn diolch am gael bod yn rhan o'r profiad bythgofiadwy hwnnw. Yn ôl Winnie Ewing, dyma'r tro cynta iddi fod mewn unrhyw ddigwyddiad erioed yn yr Alban lle nad oedd yr un person wedi cyffro o'i sedd a mynd at y bar yn ystod yr egwyl. Ni fu dwthwn fel y dwthwn hwnnw!

Yn ôl i Glasgow

Yna, ar ôl cinio dydd Sul roedd yr SNP wedi trefnu car i'n cludo o Oban yn ôl i Glasgow, a rhyddhad i Gwynfor a finne oedd gweld car Humber mawr du a chyfforddus cyfreithiwr o Glasgow yn tynnu lan wrth ddrws y gwesty yn hytrach na'r gyrrwr gwyllt a'i gar bach Citroën. Doedden ni ddim wedi teithio mwy na rhyw ugain milltir cyn i Gwynfor ofyn i'r gyrrwr sefyll am ei fod yn teimlo'n sâl. Roedd e'n wyn fel y galchen ac allan ag e am dro i anadlu'r awyr iach. Tra bu allan, fe eglurais y sefyllfa i'r gyrrwr caredig a bu sawl stop arall cyn i ni gyrraedd y gwesty yng nghanol dinas Glasgow ac wyneb Gwynfor bellach yn wynnach na'r galchen hyd yn oed!

'Fe a' i i f'ystafell wely,' meddai Gwynfor wrtha i yng nghyntedd y gwesty. 'Fydda i ddim yn dod lawr i swper! Wela i chi bore fory.'

Ac yn achlysurol ers y daith honno yn ôl ac ymlaen o Glasgow i Oban, bydde Gwynfor yn cyfeirio at y ceir gyda rhyw wên ddychanol ar ei wyneb.

'Does fawr o olwg gyda fi ar y ceir Humber mawr 'ma. Rwy'n credu y pryna i'r hen gar bach Ffrengig Citroën y tro nesa y bydda i'n newid 'y nghar!'

Fe fentrais i ei ateb un tro trwy ddweud, 'A ma nhw'n dweud wrtha i fod gweddïau'n cael eu hateb mewn Citroën!'

Sianel Deledu Gymraeg

Cyhoeddodd Gwynfor Evans bamffled yn dilyn darlith a draddododd yn Eisteddfod Genedlaethol Llandybïe yn 1944 yn gofyn am radio annibynnol i Gymru, ac mewn araith yn Nhŷ'r Cyffredin ar 3 Rhagfyr 1969 dywedodd y dylai un o'r pedair sianel deledu gael ei neilltuo i raglenni yn yr iaith Gymraeg. Hyn oedd cychwyn yr ymgyrch genedlaethol am sianel Gymraeg ac meddai Gwynfor yn 1972, 'Fy marn i yw mai'r hyn y dylem fynd amdani yw Sianel Genedlaethol a ddarlledai 24 i 25 awr o Gymraeg yr wythnos... Ers pymtheng mlynedd gwnaeth teledu Saesneg anrhaith torcalonnus ar yr iaith ymhob cymdogaeth trwy'r wlad. Rhaid dwyn yr anrhaith hwn i ben yn fuan.'

Fe fu hi'n ymgyrch ffyrnig i sicrhau sianel deledu

Gymraeg drwy'r saithdegau a hynny ar gost carchariad hir i rai ac ymddangosiadau cyson yn y llysoedd a dirwyon trwm i eraill. O ganlyniad ymrwymodd pob un o'r prif bleidiau yn eu maniffesto yn yr Etholiad Cyffredinol fis Mai 1979 i sefydlu sianel deledu ar wahân ar gyfer rhaglenni Cymraeg. Ond ar 12 Medi y flwyddyn honno yng Nghaergrawnt cyhoeddodd yr Ysgrifennydd Cartref, William Whitelaw, na fydde'r llywodraeth yn anrhydeddu'i haddewid i sefydlu'r sianel deledu Gymraeg yr oedd hi a Llafur wedi'i haddo fel ei gilydd.

Mewn ymateb, dyma Gwynfor yn gofyn i fi a'r staff yn y swyddfa yn 8, Heol Dŵr, Caerfyrddin, drefnu ymgyrch genedlaethol yn gwahodd pobol i beidio â phrynu trwydded deledu ac i dalu'r arian, yn lle hynny, i gronfa arbennig. Erbyn dechrau 1980 roedd bron dwy fil a hanner wedi ymuno â'r ymgyrch ac wedi addo peidio â chodi trwydded deledu. Anfonwyd at Gymry blaenllaw ac enwog ym mywyd y genedl yn ogystal â phawb arall y gallen ni gysylltu â nhw, gan gynnwys rhai a weithiai yn y cyfryngau, a'u gwahodd i ymuno yn yr ymgyrch. Mae enwau a chyfeiriadau pob un o'r ddwy fil a hanner a addawodd beidio â chodi trwydded deledu gen i o hyd. Cefais fy nhemtio'r adeg honno, a hyd yn oed heddiw, i restru'r rheiny a wrthododd ein gwahoddiad. Mae rhai ohonyn nhw'n Gymry amlwg iawn, ac yn eu plith ddwsinau o unigolion a wnaeth fywoliaeth fras maes o law trwy gyfrwng S4C. Ond, nac ofnwch, mae'r gyfrinach honno'n ddiogel – ar hyn o bryd, beth bynnag!

Ymprydio

Rywbryd yn ystod gwanwyn 1980, gwahoddodd Gwynfor fi a Dafydd Williams, Trefnydd Cyffredinol Plaid Cymru ar y pryd, i'w gartref yn Nhalar Wen, Llangadog, ac yn ei lyfrgell yno eglurodd i ni am ei fwriad i ymprydio hyd at angau pe na bai'r llywodraeth yn cadw at ei haddewid wreiddiol i sefydlu sianel deledu Gymraeg. Ymateb cynta Dafydd a finne oedd dadlau'n ffyrnig yn erbyn ei gynlluniau ond gan wybod ar yr un pryd am unplygrwydd Gwynfor ac nad oedd fawr o obaith newid ei feddwl. Gofynnodd i ni gadw'r gyfrinach gan mai dim ond â Rhiannon, ei wraig, a'r teulu agosa roedd e wedi rhannu'i fwriad.

Trefnwyd i ni fynd eto i'r Dalar Wen yn ystod yr wythnos ganlynol er mwyn trefnu'r holl fanylion ar gyfer cyfnod yr ympryd. Doedd neb i groesi gatiau Talar Wen ond Dafydd a finne a'r teulu. Bydden ni'n dau'n sefydlu canolfan yn neuadd pentre Llangadog ac oddi yno y bydden ni'n cyflwyno datganiadau dyddiol ar gyfer y wasg a'r cyfryngau. Fe drafododd Gwynfor gyda ni bob senario a oedd yn bosibl, a rhyfeddwn at fanylder ei baratoadau. Buan y sylweddolon ni ein bod yn rhan o'r hyn a allai fod yn un o'r prif ddigwyddiadau yn hanes cenedl y Cymry.

Ar 3 Mai 1980, rhannodd Gwynfor ei gyfrinach fawr â'r byd. Roedd yr ympryd i ddechrau ar 5 Hydref a bydde'n digwydd yn ei lyfrgell yn y Dalar Wen gyda chwe chyfrol Gandhi yn borthiant iddo. Wrth gwrs, fe achosodd y cyhoeddiad sioc a heidiodd gohebwyr papurau newydd a'r teledu o Ewrop a Gogledd America i Langadog i gwrdd â'r gŵr a oedd yn fodlon marw dros sianel deledu Gymraeg.

Tanio'r Genedl

Yn y cyfamser, roedd Gwynfor wedi gofyn i Dafydd a finne drefnu cynnal dau ar hugain o gyfarfodydd yng Nghymru a thri arall yn yr Alban rhwng 6 Medi a'r noson cyn dechrau ar ei ympryd ar 5 Hydref. Daeth dwy fil o bobol ynghyd i'r rali gynhyrfus honno a ddechreuodd y gyfres o gyfarfodydd ddydd Sadwrn, 6 Medi 1980, yng Nghaerdydd a'r nos Lun ganlynol daeth mil o bobol i Orielau McLellan yn Glasgow. Fe gynhaliwyd cyrddau ysgubol ar hyd a lled Cymru gyda Gwynfor yn adnewyddu ysbryd y cenedlaetholwyr ym mhob man. Ond, ddydd Mercher, 17 Medi, cyhoeddodd Nicholas Edwards, Ysgrifennydd Gwladol Cymru, y bydde Cymru yn cael y gwasanaeth Cymraeg yn ystod yr oriau brig ar y bedwaredd sianel ac y bydde bwrdd annibynnol i'w reoli gyda chyllid digonol wrth gefn. Ar noson y cyhoeddiad hwn roedden ni wedi trefnu cyfarfod yn Neuadd y Farchnad, Crymych, a dywedodd Gwynfor wrtha i yn ystod y dydd y bydde'n cyhoeddi'r noson honno na fydde'n dechrau ar ei ympryd. Fel hyn y disgrifiodd Rhys Evans y noson yn ei lyfr *Rhag Pob Brad*:

> Y noson honno yng Nghrymych, cyfarchwyd Gwynfor fel arwr ac, am bum munud gyfan, bu'r dorf luosog yn siantio'i enw... Disgrifiodd Gwynfor ei hun y fuddugoliaeth fel yr un fwyaf yn hanes yr iaith Gymraeg... Drannoeth, aeth ar daith o amgylch Cymru gan ddechrau ym Mhorthmadog cyn gorffen ym Melin-y-Wig, man geni J E Jones. Yno, dadorchuddiodd garreg er cof am ei hen gyfaill ac, ym mhobman yr âi, rhuthrai pobl ato i ddangos eu diolchgarwch.

Ond ymateb cynta Gwynfor oedd siom fod y llywodraeth wedi ildio fis yn rhy gynnar ac meddai, 'Pe gwelen ni bum wythnos arall o'r cynnwrf a'r deffroad hwnnw yng Nghymru, gwelid y Blaid, y dibynna dyfodol cenedlaethol yn llwyr arni, wedi ymsefydlu mewn safle di-syfl.' Es i ddim i'r cyfarfod hwnnw yng Nghrymych. Allwn i ddim goddef gweld y torfeydd yn clodfori Gwynfor am ei safiad a'i ddewrder a'r rhan fwya ohonyn nhw heb wneud hyd yn oed y safiad mwya pitw o ymuno yn yr ymgyrch ac o beidio â thalu am eu trwydded deledu. Allwn i ddim stumogi'r sefyllfa!

Wrth edrych yn ôl, roedd cael bod wrth ochr Gwynfor yn ystod yr ymgyrch honno i sicrhau sianel deledu Gymraeg a'i gynorthwyo gyda'i waith yn gyffredinol trwy'r saithdegau a'r wythdegau'n un o freintiau mawr fy mywyd. Ond cael cario'i arch ar ddydd ei angladd oedd y fraint fwya oll.

Dal Ati

Gydag ennill y bleidlais i sefydlu'r Cynulliad Cenedlaethol yng Nghaerdydd yn 1997 dyma fynd ati i geisio ennill etholaeth Gorllewin Caerfyrddin a De Penfro i'r Blaid. Ry'n ni wedi bod mor, mor agos at gipio'r sedd hon bob tro trwy ymgyrchu diflino ymgeiswyr fel Roy Llewellyn a John Dixon a Llŷr, fy mab. Profiad anarferol oedd cael bod yn gynrychiolydd etholiadol i Llŷr, ac oni bai'i fod wedi gorfod symud i ardal Rhuthun i fyw oherwydd gofynion ei swydd, y farn gyffredinol yw y bydde Llŷr wedi ennill y sedd hon bellach ac yn Aelod o'r Cynulliad.

Ond fe gredodd pawb fod John Dixon wedi'i hennill yn yr etholiad i'r Cynulliad yn 2008. Roedd papurau pleidleisio'r bythau wedi'u cyfrif i gyd a John wedi ennill o ychydig gannoedd. Yna, dyma un o'r swyddogion yn dod â bocs yn cynnwys y pleidleisiau post i'w cyfrif, ac fe aeth yr ymgeisydd Torïaidd ar y blaen ac ennill o 250 o bleidleisiau. Fe wnawn ni ennill y tro nesa.

Gweithwyr

Oes, mae gen i edmygedd mawr iawn o gymaint o unigolion a theuluoedd a fu mor weithgar a ffyddlon i fi wrth geisio hyrwyddo achos Plaid Cymru ar hyd y blynyddoedd. Beth a yrrodd y bobol hynny i ddod yn gyson i Bwyllgorau Etholaeth, i gynnal canghennau'r Blaid ac i godi arian yn ddiflino heb unrhyw fath o elw personol? Yn yr un modd, rwy'n diolch i'r rheiny sy'n gweithio mor ddiflino dros y pethe hefyd mewn gwahanol feysydd anwleidyddol gan mai'r un yw'n hymgyrch genedlaethol.

Ar y llaw arall mae gen i nifer dda o ffrindiau a galla i enwi unigolion a fu mor weithgar ac yn arweinwyr yn rhengoedd y Blaid yn lleol ond sy bellach wedi cilio, a chilio'n llwyr, er eu bod yn dal i gredu'n gryf yn yr achos. Rwy'n ei chael hi'n anodd i ddeall hyn. Ond, wedi'r cwbl, dyw pawb ddim fel D J Williams!

Gydag eraill mae'r ymroddiad diddiwedd yn parhau – hyd at angau. Nodaf ond tri o blith y cwmwl tystion. 'Y'ch chi'n falch bo chi byw?' oedd cyfarchiad cynta David Oswald Davies, cyn-reolwr banc o Rydaman, bob amser. Fe ysgrifennodd DO, y cawr arall hwn o Rydcymerau, ac o'r un achau â D J Williams, gannoedd ar gannoedd o lythyrau i'r wasg yn dadlau achos Plaid Cymru a chenedl y Cymry.

Un arall oedd y Parchedig Eric Grey, ficer Brechfa, a ymgyrchai'n gwbl agored dros Gwynfor a'r Blaid. Yn ôl yr hanes, fe oedd yr unig un a aeth at y bwcis yng Nghaerfyrddin yn ystod isetholiad 1966 a rhoi pum punt ar Gwynfor i ennill am bris o 20 am 1. Roedd canpunt yn arian mawr i'w ennill yr amser hwnnw. Perswadiodd Eric Grey fi i fod yn fodel i arddangos gwisgoedd dynion yn Sioe Ffasiynau Plaid Cymru yn Neuadd yr Eglwys, Brechfa, unwaith. Dyna'r unig dro i hynny ddigwydd ac ni ofynnwyd i fi gan neb arall wedyn i droedio'r llwyfan hwnnw!

A'r trydydd oedd fy nghyfaill annwyl a thawel ond tu hwnt o ffyddlon, Dewi Harris, Cilgant Myrddin, Caerfyrddin, a gymerodd at bob swydd y gofynnwyd iddo'i derbyn. Roedd Dewi yn un o'r rheiny y gallen i ddweud y bydde'r gangen wedi cau oni bai amdano, neu fydde neb wedi casglu tâl aelodaeth, neu fydde dim ffair Nadolig... coffa da amdano. Dewi a'i debyg a roddodd bopeth i helpu'r ymgyrch genedlaethol.

Y llynedd, ces i berswâd ar Bwyllgor Etholaeth Gorllewin Caerfyrddin a De Penfro i'm rhyddhau o fod yn ysgrifennydd yr etholaeth, y swydd a ddaliais am flynyddoedd maith yng Ngheredigion a hen etholaeth Caerfyrddin hefyd. Fy nod yn awr yw gweld ethol ymgeisydd Plaid Cymru i Senedd Cynulliad Cymru yn 2011 i gynrychioli etholaeth Gorllewin Caerfyrddin a De Penfro. Ydw, rwy'n dal ati. Ar ddydd fy mhen-blwydd yn saith deg fe dreuliais y prynhawn yn dosbarthu taflen John Dixon yn Nhalacharn, ac fe dderbyniais wobr Cyfraniad Arbennig Plaid Cymru yng nghynhadledd flynyddol y Blaid yn Aberystwyth ym Medi 2010.

Cyngor Tref Caerfyrddin

Ar ôl symud i Gaerfyrddin yn 1972 a chlywed gan Arwyn Davies, yr unig Bleidiwr ar Gyngor y Dref, pa mor wrth-Gymreig ac anobeithiol oedd agwedd cynghorwyr y dre, doedd dim amdani ond sefyll yr etholiad i'r Cyngor Tref yn 1978 yn Ward y Gogledd. Roedd angen chwe chynghorydd ar y ward Lafur draddodiadol galed hon. Fe lwyddais i ddod yn chweched gan guro Gwyn Tenby, un o'r hen Lafurwyr amlwg, o un bleidlais yn unig ar ôl ail a thrydydd cyfrif. A dyna gychwyn ar fy ngyrfa wleidyddol fel cynghorydd lleol, ac fel llawer aelod arall o'r Blaid yn gorfod diodde ymosodiadau digon milain sawl hen gynghorydd. Mae'n ffordd dda i fagu croen trwchus!

Er hynny, fe welson nhw'n dda i'm hethol yn Ddirprwy Faer o fewn dwy flynedd ac yna'n Faer yn 1981–2, ac ar ôl mwy na deng mlynedd ar hugain 'rwy yma o hyd!' ac wedi cael y fraint o fod yn Faer Tref Caerfyrddin dair gwaith ar ôl hynny sef yn 1990–1, 1999–2000 a 2003–4. Galla i ddweud mod i'n dal dwy record gan mai fi oedd y Pleidiwr cynta i ddal swydd Maer Tref Caerfyrddin ac mae bod yn Faer bedair gwaith yn record arall. Etholwyd mwy a mwy o Bleidwyr ar y Cyngor yn gyson ar hyd y blynyddoedd a bu Malcolm Jones, Kathleen Davies, Ioan Matthews, Llŷr, fy mab, Aled Williams ac Alan Speake yn feiri yn eu tro. Bydd y Parchedig Tom Defis yn Faer y flwyddyn nesaf. Gweithredu'n ôl yr hyn sy orau i dre Caerfyrddin yw'r flaenoriaeth bob amser, ond mae gan y Blaid fwyafrif ar Gyngor Tref Caerfyrddin ers pymtheng mlynedd a mwy bellach.

Cyngor Sir

Gan y byddwn yn cyrraedd oed ymddeol yn 2005 a'm bod yn gredwr cryf yn y theori o gadw i fynd dyma fy nghyfaill Jeff Thomas a finne'n penderfynu sefyll ar gyfer etholiadau Cyngor Sir Caerfyrddin yn 2004. Roedd Jeff newydd ymddeol ac, wrth gwrs, yn gadeirydd Clwb Pêl-droed Tref Caerfyrddin. Fe gafodd y ddau ohonon ni ein hethol dros Blaid Cymru i gynrychioli Ward y Gogledd yn nhref Caerfyrddin. Ie, yr union ardal y bues i'n canfasio ynddi gyda Hywel Heulyn Roberts yn 1959. Gareth O Jones, neu GO i'w ffrindiau, ysgrifennydd hynod weithgar Clwb Pêl-droed Tref Caerfyrddin, safodd gyda fi dros yr un ward yn 2008 ac fe enillodd y ddau ohonon ni'n rhwydd. Mae'n amlwg fod pethau wedi newid yn ddirfawr yn wleidyddol yn hen dre Caerfyrddin gan fod Plaid Cymru yn dal pedair o'r chwe sedd ar y Cyngor Sir a Llafur heb yr un. Fe enillodd Arwel Lloyd ei sedd e yn Ward y De a churo dau gyn-Faer, y naill yn Annibynnol a'r llall yn Llafur. Roedd gan Arwel fwy o fwyafrif nag oedd o bleidleisiau gan y ddau arall gyda'i gilydd. Cymro di-Gymraeg o'r Rhondda yw Alan Speake sy'n cynrychioli'r Blaid ar Ward y Gorllewin ar y Cyngor Sir. Bu Alan yn aelod o'r Welsh Guards ac yn byw tu allan i Gymru am flynyddoedd maith. Ond yn grwt ifanc yn y Rhondda bu'n dosbarthu taflenni'r Blaid gyda Ray Smith a Glyn James.

Arwain y Grŵp

Ar ôl cael fy ethol i'r Cyngor Sir yn 2004, ces fy newis yn is-arweinydd y grŵp o bymtheg o gynghorwyr Plaid Cymru ar Gyngor Sir Caerfyrddin. Er 2008 rwy'n arweinydd ar ddeg ar hugain o gynghorwyr Plaid Cymru ar y Cyngor Sir.

Siom fawr i fi yw gweld cyfeillion Annibynnol rwy'n eu hadnabod yn dda, a finne'n meddwl eu bod yn bobol resymol a theg eu barn, yn codi'u dwylo fel defaid ac yn cowtowio i bopeth a ddywed Meryl Gravell wrthyn nhw. Peidied neb â meddwl bod y fath beth ag aelod Annibynnol i'w gael bellach.

Fe ysgrifennodd Meryl Gravell erthygl yn y *Carmarthen Journal* dro'n ôl ac ystyriaf mai haerllugrwydd ar ei rhan oedd ysgrifennu'r geiriau hyn, ac rwy'n eu dyfynnu, 'Unfortunately in local government, people play politics and I'm not one for playing politics.' I fi mae hyn yn dweud y cyfan am arweinydd Cyngor Sir Caerfyrddin.

Er mod i'n arweinydd ar ganran fawr o'r cynghorwyr sir mae'r Cynghorydd Meryl Gravell, a hithau'n arweinydd y Cyngor, yn fy anwybyddu'n llwyr. Nid yw wedi siarad â fi erioed a phrin ei bod hi'n fy nghyfarch o gwbl. Nid fel hyn y bydd Plaid Cymru yn trin arweinwyr, pleidiau nac unigolion pan fyddwn ni yn y mwyafrif ar Gyngor Sir Caerfyrddin, galla i eich sicrhau o hynny.

Pwyllgor Cynllunio

Un o'r profiadau cynta ges i fel cynghorydd sir oedd mynd i Bwyllgor Cynllunio yn ôl yn 2004 pan wnaeth cwmni datblygwyr Simons gais am gael adeiladu canolfan siopa newydd ar safle'r hen fart yng nghanol tre Caerfyrddin. Roedd hwn yn ddatblygiad anferth gwerth £76 miliwn. Bydde'n effeithio'n drwm ar yr holl gartrefi o'i gwmpas a bydde maes parcio aml-lawr yn dal 900 o geir o fewn pymtheg llath i ugeiniau o dai, heb anghofio'r bwriad i gau un o briffyrdd y dre.

Fel aelod lleol, doedd dim amdani ond gofyn am ymweliad safle gan y Pwyllgor Cynllunio, er mwyn i fi gael cyfle i ddangos yr effaith andwyol a gâi'r ganolfan newydd ar y tai o gwmpas ac ar y gymuned yn gyffredinol yng nghanol y dre. Gwrthodwyd fy nghais gan aelodau'r Pwyllgor Cynllunio gydag aelodau Llanelli yn uchel eu cloch am eu bod nhw'n gyfarwydd ag ardal yr hen fart. Fe roddwyd caniatâd cynllunio yn y fan a'r lle i ddatblygiad anferth gwerth £76 miliwn heb hyd yn oed drwblu i fynd i weld y safle.

Yr eitem nesa ar yr agenda yn yr un cyfarfod o'r Pwyllgor Cynllunio y bore hwnnw oedd cais am gael codi ystafell ymolchi a thoiled yng nghefn tŷ mewn stryd yn yr Hendy, Pontarddulais. Fe wnaeth y cynghorydd lleol gais am ymweliad safle gan aelodau o'r pwyllgor cyn penderfynu, gan y gallai'r adeilad newydd effeithio ar y tŷ drws nesa. Caniatawyd yr ymweliad safle ar unwaith a threfnwyd i bymtheg aelod o'r pwyllgor ymweld â'r lle. A dyna pryd y sylweddolais ddyfnder tegwch a rhesymoldeb cynghorwyr, yn ogystal â safon democratiaeth mewn llywodraeth leol!

Canfasio

Does dim syniad gen i faint o dai rwy wedi cnocio eu drysau yn ystod pob math o ymgyrchoedd na nifer y taflenni rwy wedi'u rhoi trwy'r drysau ar hyd y blynyddoedd. Eto i gyd, o wneud hynny rwy wedi dod i adnabod ardaloedd eang yn dda iawn a dod i weld sut mae pobol yn byw, a gweld cyflwr eu cartrefi, sy'n agoriad llygad!

Pe bawn i'n cael yr hawl i ddeddfu ar fater tai, byddwn i'n mynnu bod pob twll llythyron ar bob drws yn union yr un fath ac o uchder diogel fel na allai unrhyw gi neidio a chnoi 'mysedd wrth i fi wthio taflen drwy'r drws. Roeddwn i'n canfasio yn Ffynnon-ddrain ger Caerfyrddin un tro ac fe stopiais y car wrth gât y clos ar fin y ffordd. Dyma gerdded at y ffermdy ac agor drws y portsh, ac i mewn â fi a chanu cloch drws y tŷ. Yn sydyn, gwelais i ddau Alsatian anferth yn rhedeg ar draws y clos ac yn anelu am y portsh. Doedd dim i'w wneud ond cau'r drws ar fy ôl gan adael y ddau gi i gyfarth a rhincian dannedd o'r tu allan. Beth pe na bai unrhyw un yn ateb y drws? Oedd rhywun gartre? Am faint y bydde rhaid i fi aros yno? Dyma ganu'r gloch eto, ac fe gefais ryddhad wrth glywed rhywun yn dod at y drws.

Gwraig ddigon anniben yr olwg oedd hi a heb fod yn berchen ar grib gwallt, ddywedwn i! Edrychodd ar y ddau Alsatian yn chwyrnu'r tu allan i'r portsh, ac yna arna i. 'You've been a very lucky man,' meddai hi'n dawel wrtha i cyn cau'r drws a mynd yn ôl i'r tŷ. Fe glywais i hi'n gweiddi ar y ddau gi wedyn o'r cefn ac fe redodd y rheiny i mewn i'r tŷ. Yna, daeth llais o ochr arall i'r drws, 'It's safe for you to leave now,' a bant â fi! Ar ôl cyrraedd y car, fe sylweddolais mod i heb egluro wrthi bwrpas fy ymweliad ac nad oeddwn i wedi rhoi taflen yr ymgeisydd iddi. Ond roeddwn i'n fyw ac yn iach! Ers y digwyddiad hwnnw, rwy'n tueddu i adael pob taflen ar y gât os oes unrhyw awgrym fod ci'n rhydd yn rhywle, a bydda i'n cynghori dosbarthwyr a chanfaswyr bob amser – 'Colli o un fôt neu beidio, peidiwch mentro lle mae cŵn!'

Ar ôl cael fy ethol yn gynghorydd daeth galwadau o bob cyfeiriad gan yr etholwyr. Mae'n ddigon rhwydd delio â galwad ffon neu e-bost, ond pan fydd rhywun yn galw yn y cartre, dyw hi ddim yn rhwydd i gael gwared arnyn nhw bob amser. Yn aml, yr un rhai sy'n tueddu i boeni. Bellach, mae gen i ateb i'r broblem honno wedi i fi gofio am John Evans, Jac y Gof, ein cynghorydd sir ni adre yn Nre-fach Felindre. Yn ôl Jac, fe fydde fe bob amser yn hongian ei got fawr yn y pasej a chyn mynd i ateb y drws bydde fe'n gwisgo'i got ac yna'n agor y drws. Pe bai rhywun yn sefyll yno na fydde fe'n dymuno rhoi o'i amser iddo bydde fe'n dweud, 'O, ma ddrwg 'da fi, rwy ar fy ffordd mas!' Ar y llaw arall, pe bai e'n berson y bydde fe'n dymuno ei weld bydde fe'n dweud, 'Dowch miwn, dim ond wedi cyrraedd getre ydw i.'

Llwyfan Caerfyrddin

AR Y DYDD SADWRN cyn cychwyn Eisteddfod Genedlaethol Hwlffordd yn 1972 symudodd Meinir a finne i fyw i dŷ teras Richmond House, 20, Richmond Terrace, Caerfyrddin, a thalu pum mil o bunnau am ein cartre newydd, arian mawr ar y pryd. Ychydig a feddylien ni y bydde John Davies yn ei lyfr *Cymru – y 100 lle i'w gweld cyn marw* a gyhoeddwyd yn 2009 yn dweud mai ein tŷ ni fydde un o'r mannau hynny. Dyma beth mae e'n ei ddweud wrth gyfeirio at Gaerfyrddin a'r Demetae wedi iddyn nhw dderbyn y drefn Rufeinig:

> Gan fod y setliad hwnnw wedi'i drefnu yn unol ag egwyddorion y Rhufeiniaid, gellir olrhain ei siâp ym mhatrwm strydoedd Caerfyrddin heddiw – y ffin ogleddol lle mae Teras Richmond, y ffin ddeheuol lle mae'r Rhodfa, a Heol y Prior yn cysylltu'r porth gorllewinol gyda'r porth dwyreiniol.

Mae croeso i unrhywun alw heibio pan fyddwch chi'n ymweld â'r rhan hanesyddol hon o dre Caerfyrddin!

Buon ni'n byw ar stad Maes Ceiro, Bow Street, ger Aberystwyth am y tair blynedd gynta ar ôl priodi a finne'n athro yn Ysgol Dinas ar y Waunfawr. Roedd hi'n stad newydd sbon wrth Gapel y Garn a'r rhan fwya ohonon ni'n Gymry Cymraeg. Mae Tegwyn a Beti Jones yn dal yno o hyd. Yn grwt bach dwy oed câi Llŷr, ein mab, ei adael gyda'n cymdogion sef Emyr, ei ffrind, a'i fam a'i dad yntau. Mae Emyr erbyn hyn yn bennaeth Ysgol Gynradd Penrhyn-coch ac roedd Bil a Mair yn ffrindiau da. Gan mod i'n arwain yr Eisteddfod yn

Hwlffordd yr wythnos y symudon ni i Gaerfyrddin, a Meinir yn delynores swyddogol, roedd cael gadael Llŷr yn eu gofal nhw am wythnos yn gymwynas werthfawr. A'r Sul canlynol dyma fwrw am Bow Street i nôl ein hannwyl epil. Ond och, y siom! Wnaeth Llŷr ddim sylw ohonon ni ond dal i chwarae gydag Emyr, a Meinir yn ei dagrau am fod ei chariad bach yn ymddwyn felly. Mor gyflym y gall plentyn bychan anghofio.

Richmond House

Gan fod ein cartre newydd, Richmond House, wedi'i beintio'n oren llachar, y ddwy dasg gynta a gyflawnwyd yng Nghaerfyrddin oedd newid enw a newid lliw'r tŷ. Fe aeth y Richmond House yn Llaindelyn a'r oren llachar yn llwyd cynnes. Enw ffermdy ym Mryn Iwan yn Sir Gaerfyrddin yw Llaindelyn, sef cartre teulu'r Hughesiaid tan bumdegau'r ganrif ddiwetha. Yno y magwyd fy nhad-cu, Jonathan Hughes, a gan fod telyn yn ein cartre roedd yr enw'n un mor addas.

Ar ben draw'r stryd, lle'r arferai'r hen dderwen sefyll, mae'r arwydd 'Waundew/Richmond Terrace', a dyma fynd ati i ddefnyddio'r enw Cymraeg o'r cychwyn. Ry'n ni wedi bod yn byw yma nawr ers 38 mlynedd ac yma y magwyd Llŷr a Meleri, y plant. Mae'n lle cyfleus dros ben ac o fewn dau gan llath i ganol y dre ac mor agos i'r ysgolion, ac yn agosach byth i Gapel y Priordy.

Ysgol Bro Myrddin

A finne newydd fod yn rhan o'r ymgyrch lwyddiannus i sefydlu Ysgol Gyfun Ddwyieithog Penweddig i ogledd Ceredigion, er gwaetha gwrthwynebiad agored Elystan Morgan a'i ddilynwyr, dyma gyrraedd Caerfyrddin a gweld ymgyrch debyg wedi methu. Yng Nghaerfyrddin o ganol y chwedegau ymlaen bu ymgyrchu diflino i sicrhau addysg uwchradd Gymraeg. Er i Ifan Dalis Davies, Islwyn Ffowc Elis,

R Maldwyn Jones ac eraill ymgyrchu'n galed, gwrthododd Cyngor Sir Caerfyrddin sefydlu'r ysgol serch profi'r galw.

Mae Cenwyn Rees wedi cofnodi sut yr ailgodwyd ymgyrch newydd yn 1974 yng Nghaerfyrddin yn y llyfr *Gorau Arf* sy'n rhoi hanes sefydlu ysgolion Cymraeg yn y cyfnod 1939–2000. A finne'n ffres o fod yng nghanol ennill brwydr Aberystwyth, es ati i alw cyfarfod tra oedd pawb yng ngwres paratoi ar gyfer Eisteddfod Bro Myrddin 1974. Dewiswyd Cenwyn Rees yn gadeirydd a'r anfarwol Gareth Matthews yn ysgrifennydd gyda Maldwyn Jones, Malcolm Jones, Gwyn Davies, Gwyneth Evans a finne'n rhan o'r pwyllgor ymgyrchu. Bu'n frwydr galed a galla i dystio mai Gareth Matthews a lwyddodd i fynd â'r maen i'r wal ar ein rhan. Trwy wrthod pob gwrthwynebiad a dadl negyddol a daflwyd aton ni o gyfeiriadau annisgwyl iawn, a chyda'i drylwyredd diflino, galla i ddweud bod Ysgol Bro Myrddin yn gofeb barhaol a theilwng i Gareth Matthews yn fwy na neb arall.

Ym Medi 1978 fe agorwyd yr ysgol yn adeiladau Ysgol Ramadeg y Frenhines Elisabeth gyferbyn â'n tŷ ni. Allwn i ddim credu fy lwc! Wrth edrych allan trwy ddrws y ffrynt yr hyn a welwn oedd Ysgol Bro Myrddin, ac o edrych allan trwy ddrws y cefn maes pêl-droed tîm y dre. Roeddwn yn fy seithfed nef!

Rwy'n cofio codi'n gynnar ar y bore hwnnw ym Medi 1978 a chroesi'r ffordd a mynd i sefyll wrth gât yr ysgol i weld y plant cynta'n croesi'r trothwy. Mae pawb o bryd i'w gilydd yn teimlo rhyw foddhad wrth ennill ambell ymgyrch. Y bore hwnnw oedd un o'r rheiny i fi.

Bellach rwy wedi bod yn un o lywodraethwyr Ysgol Bro Myrddin yn ddi-fwlch ers pum mlynedd ar hugain a mwy ac yn gadeirydd y corff lawer tro, ac mae'r profiad o gael cefnogi a hyrwyddo addysg Gymraeg wedi bod yn bleser pur yng nghwmni Gareth Evans, y pennaeth cynta, yna'r cerddor Eric Jones ac yn awr Dorian Williams.

Yn 1996 codwyd ysgol newydd sbon ar y safle presennol

rhwng Pibwr-lwyd a Chroesyceiliog yn ymyl y dre. Ysgol Gyfun Gymraeg Bro Myrddin yw ei henw bellach a'r niferoedd yn agosáu at fil o ddisgyblion. Ond, os mai Gareth Matthews a argyhoeddodd Adran Addysg Sir Dyfed i sefydlu'r ysgol yn y lle cynta, fy nghyfaill John James (John Tŷ Llwyd, Felin-gwm) a'i perswadiodd i adeiladu'r ysgol newydd. Fel cadeirydd y llywodraethwyr ar y pryd, poenydiodd John y Cyngor bron yn ddyddiol, ac i John Tŷ Llwyd mae'r diolch penna am yr adeilad presennol. Teg nodi cyfraniad dau John arall hefyd yn hanes sefydlu ac adeiladu'r ysgol newydd, sef y ddau gyfarwyddwr addysg – John Phillips a John Ellis. Llwyddon nhw i argyhoeddi'r Cyngor o'r angen am ysgol Gymraeg i fro Myrddin a doedd hynny ddim yn waith hawdd.

Ar hyn o bryd rwy'n cydweithio â'r mudiad Rhieni dros Addysg Gymraeg (RhAG) i ymgyrchu am ysgol uwchradd Gymraeg i ardal Tywi ac Aman yn yr hen Ddinefwr. Dyw'r weinyddiaeth Annibynnol a Llafur ar Gyngor Sir Caerfyrddin ddim am sefydlu ysgol gyfun Gymraeg fel rhan o'u cynllun ad-drefnu addysg uwchradd yn y sir, ac yn anffodus nid yw'r swyddogion am wneud hynny chwaith gan gynnwys cyn-bennaeth ysgol gyfun Gymraeg yn y sir. A dyma ni yn 2010, bron ddeugain mlynedd yn ddiweddarach, yn ymgyrchu am yr un hawliau, a'r Cymry Cymraeg yn ein plith ar y Cyngor yn gwrthod. Rhag cywilydd iddyn nhw. Ond fe enillwn ni'r dydd yn y pen draw!

Ysgol y Dderwen

Am ddeng mlynedd ar hugain rwy wedi bod yn un o lywodraethwyr Ysgol y Dderwen – ysgol gynradd Gymraeg y dre. Fe soniais eisoes am y prifathro, John Phillips (Phillips Bach), a drefnai'i ysgol o gabanau tyllog ar wahanol lefelau nes cael ysgol newydd ar yr un safle ym Medi 1984. Ar gyfer yr agoriad hwnnw yr ysgrifennais y llyfr *O'r Fesen, Derwen a Dyf*, sef hanes Ysgol Gymraeg Caerfyrddin 1955–1985. Rwy'n dal wrthi fel llywodraethwr, a fi yw'r unig un mae'n siŵr a welodd yr ysgol o dan ofal John Phillips, Berwyn Jenkins a Huw Watkins, y pennaeth presennol. O safbwynt y Dderwen, braf nodi i ni gael adeilad newydd modern arall yn 2010.

Anaml iawn y bydda i'n colli cyfarfod y llywodraethwyr na digwyddiadau sy'n ymwneud â'r ddwy ysgol hon a dw i ddim wedi codi ceiniog goch o gostau na threuliau o unrhyw fath erioed, fel pob llywodraethwr arall. Mae'n ddiddorol holi pam mae pobl yn barod i roi o'u hamser ac i wasanaethu a bod mor deyrngar? A chyda chanlyniadau arolwg Estyn yn 2010 yn rhoi'r radd ucha ymhob un o'r saith maes i Ysgol y Dderwen ac i Ysgol Bro Myrddin, rwy'n cael rhyw foddhad mewnol wrth feddwl bod fy ychydig gyfraniad innau i gynnal y safonau gorau mewn addysg Gymraeg yng Nghaerfyrddin yn werth yr ymdrech. Mae'r awdur Emyr Hywel yn dangos yn ei lyfr *Y Cawr o Rydcymerau* y tân diflino oedd yng nghyfansoddiad ac yng nghalon D J Williams. Allai DJ ddim deall pam fod hyd yn oed ei ffrind gorau, Waldo, ddim wrthi ddydd a nos yn brwydro dros faterion cenedlaetholgar.

Cofiaf y diweddar Geraint Davies, Trefdraeth, yn adrodd amdano'n mynd i nôl DJ i ginio Nadolig atyn nhw fel teulu. Ymhen dim ar ôl cinio, mynnodd DJ fod Geraint yn mynd ag e adre i Abergwaun.

'Arhoswch gyda ni am y prynhawn ac fe gewch chi fynd adre ar ôl te,' meddai Geraint.

'Na, dim o gwbl,' oedd ateb DJ. 'Ma rhaid i fi ysgrifennu llythyr i'r *Western Telegraph* a ma rhaid i fi orffen erthygl i'r *Ddraig Goch*.'

Cymaint oedd y tân a'r dyhead dros ei genedl fel na allai ganiatáu hyd yn oed i ddydd Nadolig rwystro'i genhadaeth.

Eisteddfod Bro Myrddin

Ches i ddim bod yn rhan o'r paratoadau ar gyfer Eisteddfod Genedlaethol Bro Myrddin yn 1974 o gwbl am fod fy ngwleidyddiaeth yn rhy amlwg, mae'n debyg. Roedd y sefydliad yn llawer mwy sensitif yr adeg honno i liw gwleidyddol person. Mae'r ffaith mai Elfyn Llwyd oedd Cadeirydd Pwyllgor Gwaith Eisteddfod y Bala yn 2009 yn profi cymaint mae pethau wedi newid.

Chafodd Meinir ddim mynd i'r Eisteddfod honno yn 1974, na chymryd rhan mewn unrhyw achlysur yn ystod yr wythnos. Ond roedd rheswm da am hynny gan mai ar y dydd Llun canlynol yn Ysbyty Glangwili y ganwyd Meleri, ac fe gafwyd parti mawr yn Llaindelyn gan fod Morfudd a Bronwen, chwiorydd Meinir, a'u teuluoedd i gyd wedi aros ar ôl y steddfod nes i'r babi gyrraedd.

Gefeillio

Fe wnaeth Meinir a finne daflu'n hunain i fywyd cymdeithasol tre Caerfyrddin yn gynnar ar ôl cyrraedd, ac erbyn diwedd y saithdegau roedd Gareth Matthews wrthi'n datblygu'r cysylltiadau rhwng ardaloedd yn Llydaw a Chymru, a Gareth yn fwy na neb a ailgyneuodd y fflam o gyfeillgarwch rhyngon ni fel cenedl a'n cyd-Geltiaid.

Adeg Eisteddfod Genedlaethol fwdlyd yr Urdd yng Nghastellnewydd Emlyn yn 1981 fe drefnodd Gareth fod Dirprwy Faer Lesneven, Yann Iestyn, a'i wraig Malou yn galw gyda fi ym Mharlwr y Maer yng Nghaerfyrddin. Plannwyd hedyn y gefeillio rhwng y ddwy dre yn y fan a'r lle ac fe aeth dirprwyaeth o dri llond car drosodd i Lesneven yn ystod wythnos gynta Ionawr 1982. Taith fythgofiadwy fu honno am sawl rheswm. Yn gynta, gorfod i fi godi pasport am y tro cynta yn fy mywyd a finne'n ddwy a deugain oed! Rhaid cyfadde na fuodd ysbryd crwydro yn rhan o'm bod erioed, er i Meinir gael perswâd arna i lawer tro ers hynny i ymweld â rhannau diddorol o'r byd – gan gynnwys Patagonia. Yr ymweliad â'r Wladfa yn 2005 oedd un o bleserau penna fy mywyd yng nghwmni criw bendigedig o ffrindiau o dan arweiniad Tito ac Anne Marie.

Beth bynnag, fe gafodd y tri llond car gryn drafferth i gyrraedd Plymouth ar y nos Wener oherwydd yr eira ond fe lwyddwyd i ddal y cwch i Rosko. Rhyw hanner awr dda yw ein gefeilldref Lesneven o'r porthladd hwnnw yng ngogledd-orllewin Llydaw. Ar ôl penwythnos dymunol a chroesawgar dros ben yng nghwmni'r Llydawyr, dyma groesi'n ôl ar y nos Lun i Plymouth a darganfod bod lluwchfeydd eira o Gernyw i Gymru. Mae pawb yn cofio eira mawr Ionawr 1982. Ac yno mewn gwesty bach ar yr Hoe y tu ôl i gerflun Syr Francis Drake yn Plymouth y buon ni tan y dydd Gwener.

Un o'r cymeriadau mwya hoffus a phoblogaidd ar y teledu ar y pryd oedd Basil Brush, y pyped o lwynog bach hoffus a'i gynffon hir. Credai Llŷr a Meleri mod i'n chwerthin yn uchel yn union yr un fath ag e! A ninnau'n gaeth yn Plymouth, doedd dim amdani ond chwilio am ryw fath o adloniant gyda'r nos – rhywle y gallen ni gerdded yno, wrth gwrs. Awgrymodd perchennog y gwesty fod pantomeim yn y theatr a oedd o fewn pum can llath i'r gwesty, ac mai Basil Brush oedd y seren. Soniais wrth Gareth Matthews a Malcolm Jones am fy chwerthiniad Basil Brushaidd a bant â'r deuddeg ohonon ni trwy'r lluwchfeydd yn gwmni llon i fwynhau noson o gampau'r hen Fasil!

Ar ôl prynu'n tocynnau fe gawson ni'n tywys i eistedd yn y canol yn y rhes flaen yn union o dan y llwyfan ac o flaen y gerddorfa. Fedren ni ddim llai na sylwi nad oedd yr un cwrcyn arall yno, ond ar y dot am hanner awr wedi saith dyma'r gerddorfa'n ei tharo hi a'r goleuadau'n gostwng. Allen ni ddim credu – roedden nhw'n mynd i berfformio yn y theatr eang hon, a dim ond ni'n deuddeg yn bresennol. Dyma oedd 'the show must go on' yng ngwir ystyr y geiriau, ac er i fi geisio ymateb i stranciau Basil Brush trwy chwerthin yn uchel er mwyn gweld beth fydde'i ymateb, fe'm siomwyd gan na wnaeth e sylw o'r ffaith mod i'n chwerthin yn debyg iddo!

Pob clod i'r cast am weithio mor galed a bod mor broffesiynol gan mai dim ond ni oedd yno i ymateb i'r ymadroddion pantomeimaidd arferol fel 'Oh yes, he is!' neu 'Oh no, he isn't!' Ar hanner amser, fedrwn i ddim llai na chwerthin eto. Wedi i'r goleuadau godi, pwy oedd yn sefyll yn ein hymyl ond merch yr hufen iâ a'r popcorn. Dyna ddiffiniad perffaith o wasanaeth ar ei orau.

Fe fydd llawer o'm cenhedlaeth i'n cofio gwrando ar y rhaglen ddifyr *Much Binding in the Marsh* ar y radio. Roedd hi'n rhaglen lawn hiwmor gyda Richard Murdoch a Kenneth Horne yn brif ddigrifwyr. Ac yntau'n hen ŵr musgrell erbyn hyn, roedd gan Richard Murdoch ran fechan yn y pantomeim hwn. Roeddwn i'n tosturio wrtho o'i weld yn llusgo'i hun yn araf o gwmpas y llwyfan. Mae rhai pobol yn ei chael hi'n anodd i roi'r gorau iddi, ac roedd Richard Murdoch druan yn enghraifft dda o hynny.

Yn Ebrill 1982 fe wnes i fel Maer a Chadeirydd Pwyllgor Gefeillio Caerfyrddin a Lesneven lofnodi'r siarter o gyfeillgarwch rhwng y ddwy dre. Mae'r ymweliadau blynyddol yn dal i fod yn boblogaidd ac mae Meinir a finne'n dal yn rhan o'r gweithgaredd.

As Pontes

Roeddwn i'n Faer y Dref hefyd ar yr ymweliad cynta ag As Pontes yng Ngalisia, Sbaen. Roedd Lesneven ac As Pontes eisoes wedi'u gefeillio, ac felly, hyd y gwn i, dyma'r tair tre gynta mewn gwledydd gwahanol i drefeillio. Aethon ni i As Pontes ar gyfer y seremoni efeillio yno yn 2003 a chael croeso tywysogaidd a phrofi perthynas iach â Phlaid Genedlaethol Galisia. Nhw oedd yn rheoli'r Cyngor ac yn hyrwyddo'r gefeillio. Yn ddiweddar, enillodd y Blaid Gomiwnyddol fwyafrif ar Gyngor Tref As Pontes a daeth y gefeillio i ben. Mae'n ymddangos nad oes diddordeb ganddyn nhw mewn cynnal perthynas o'r fath.

Ras y Maer

Pan oeddwn i'n grwt, roedd cael dod i Gaerfyrddin bob Llun y Pasg yn achlysur pwysig gan fod rasys beics wedi eu cynnal ar y trac beicio ym Mharc y Dref ers ei agor yn 1900. Mae'r Cyngor Tref wedi adnewyddu'r trac beicio'n ddiweddar ac mae'r clwb beicio lleol gyda'r clwb mwya llewyrchus yng Nghymru. Ond, ar ôl dod yn ôl i Gaerfyrddin yn 1972, fedrwn i ddim llai na sylwi nad oedd dim yn digwydd yn y dre adeg y Pasg, a dyma fynd ati i feddwl pa ddigwyddiad a allai dynnu'r torfeydd unwaith eto i'r dre.

Roedd rhedeg a loncian i gadw'n heini'n bethau poblogaidd iawn yn nechrau'r wythdegau a pheth digon cyffredin oedd gweld pobol o bob oed wrthi'n tuchan a cholli chwys o gwmpas y wlad. Dyma gysylltu â'r Dr Hedydd Davies a'i wraig Eiddwen, ac yntau'n un o'r rhedwyr rhyngwladol gorau a welodd Cymru, gan awgrymu iddo tybed a allen ni drefnu math o Ras Hwyl Fawr trwy strydoedd y dre dros y Pasg. Oedd gobaith gweld cannoedd ar gannoedd o blant a phobl o bob oed yn rhedeg trwy'r dre gyda channoedd o wylwyr yn eu cefnogi?

Aeth Dr Hedydd ati o ddifri i drefnu'r digwyddiad bob Llun y Pasg am y chwarter canrif nesa. Bydde'r rhedwyr yn casglu noddwyr a'r holl arian yn mynd tuag at brosiectau penodol yn yr ysbytai lleol yn flynyddol. Ydy, mae Ras y Maer wedi'i chynnal yng Nghaerfyrddin bob Llun y Pasg yn ddi-fwlch er 1982 a bydd pob ras yn dechrau ac yn gorffen yn y Clos Mawr yng nghanol y dre. Codwyd mwy na £150,000 at achosion da ar hyd y blynyddoedd. Yn nechrau'r nawdegau gwelwyd hyd at ddwy fil o redwyr yn cymryd rhan bob blwyddyn.

Un o 'nghyfrifoldebau i fydde trefnu i bob rhedwr dderbyn ei fedal ar ruban a'i rhoi am ei wddf ar ddiwedd pob ras. Bydden ni'n archebu rhyw bymtheg cant ar gyfer y digwyddiad gan gwmni o Birmingham a rheiny'n cyrraedd mewn chwe bocs mawr ac ar bob rhuban y geiriau 'Ras Maer Caerfyrddin' a'r flwyddyn dan sylw ynghyd ag arfbais y dre. Cofiaf am un flwyddyn yn arbennig, a finne'n helpu'r Maer a'r Faeres i roi'r fedal a'r rhuban o amgylch gyddfau'r rhedwyr, dyma un rhiant yn dod ata i a gofyn, 'Beth yw enw'r dre hon?' 'Caerfyrddin,' oedd fy ateb i gwestiwn mor dwp! Yna, dangosodd i fi'r hyn a argraffwyd ar bob rhuban, sef 'Merthyr Tydfil Charity Race'. Roedd y cwmni o Birmingham wedi anfon medalau a rhubanau Merthyr aton ni a'n rhai ninnau i Ferthyr, a neb ohonon ni wedi sylwi. Byth ers hynny rwy'n agor y bocsys i gyd cyn dydd y ras – rhag ofn! O leia gall rhai cannoedd o redwyr ddweud eu bod wedi rhedeg ym Merthyr unwaith gan fod y fedal a'r rhuban sy ganddyn nhw'n dyst o hynny!

Braf gweld bod y rasys bob Llun y Pasg yn dal yn boblogaidd a bod Sulwyn Thomas, a phwy yn well, yn dal i sylwebu a chyhoeddi dros yr uchelseinyddion yng nghanol y dre. Bu Mike Walters yn ei gynorthwyo ar hyd y blynyddoedd a bellach rwy i'n cael y fraint o fod wrth ei ochr. Mae'r ddamcaniaeth fod llawer iawn o'r gwylwyr sy'n dod i ganol y dre yn flynyddol yn dod i wrando ar Sulwyn yn ogystal â gwylio'r rhedwyr yn hollol wir! Fel y dywedodd un fenyw wrtha i eleni, 'Wi'n joio grondo ar Sulwyn.' Ac fy ateb innau oedd, 'Pwy sy ddim?!'

Band

Wrth wrando ar fandiau'r gwahanol drefi a phentrefi ar hyd a lled Cymru yn cystadlu yn y Genedlaethol, fedrwn i ddim llai na theimlo'n siomedig nad oedd band o unrhyw fath gyda ni yn nhref Caerfyrddin, a finne'n ymwybodol o'r holl dalent offerynnol sydd yma. Wel, beth am fynd ati i sefydlu un?! A dyna wnes i yn 1996. Er i fi alw nifer o gerddorion ynghyd y flwyddyn cyn hynny i ddau gyfarfod, methwyd â dod â'r maen i'r wal. Yn y trydydd cyfarfod, serch hynny, fe gawson ni ddigon i fynd ati o'r diwedd i sefydlu Band Caerfyrddin gyda'r amryddawn Alun Williams, un o'r athrawon cerdd peripatetig, yn arweinydd. Trefnwyd y cyngerdd cynta cyn diwedd 1996 a chefais y fraint o fod yn gyflwynydd ar y noson agoriadol honno ac yn Llywydd Anrhydeddus y band maes o law.

Mabwysiadodd y band yr enw ffurfiol Band Chwyth Symffonig Caerfyrddin, ac mae'n cymryd rhan amlwg yn holl ddigwyddiadau'r dre gan gynnal cyngherddau'n gyson. Yn y flwyddyn 2000 cymerodd John Morgan, yr arweinydd presennol, yr awenau fel cyfarwyddwr cerdd. Mae John yn brofiadol iawn ac wedi ennill gwobrau lawer fel trwmpedwr dawnus. Mae hyd at 70 o gerddorion lleol yn dod ynghyd i ymarfer bob nos Sul ar hyn o bryd yng Ngholeg Prifysgol y Drindod Dewi Sant. Fe gawson ni gyngerdd mawreddog yn y Lyric i ddathlu'r pen-blwydd yn ddeg oed a chaf foddhad o weld bod y band yn chwarae rhan mor bwysig bellach ym mywyd ein tre.

Gŵyl Myrddin

Tua chanol yr wythdegau dyma fynd ati i geisio sefydlu gŵyl gelfyddydol Gymreig ac Eingl-Gymreig i'r dre. Fe ddaeth nifer dda o garedigion y celfyddydau ynghyd i gynnal yr ŵyl gynta honno yn 1986. Rhaid cyfadde nad oeddwn i'n adnabod hanner y bobol a ddaeth yn aelodau'r pwyllgor hwnnw, ac un diwrnod, fel cadeirydd pwyllgor yr ŵyl, dyma fi'n ffonio un ohonyn nhw a oedd yn byw yn yr Hen Efail, Bwlchnewydd, er mwyn trafod y rhaglen. Ei wraig atebodd y ffôn, a phan ofynnais am gael siarad â'i gŵr dywedodd wrtha i 'i fod e'n brysur yn peintio tu allan ond fe âi hi i'w nôl e. Pan ddaeth e at y ffôn, fy nghwestiwn ysgafn cynta i iddo oedd,

'I hear that you are busy painting. What part of the house are you painting?'

'Oh, no!' meddai fe. 'I'm painting the landscape. We have a wonderful view from the front of the house!'

Wps! Roeddwn i wedi dangos f'anwybodaeth anfaddeuol, gan mai arlunydd proffesiynol oedd fy nghyfaill a dyna pam roedd e ar bwyllgor ein gŵyl gelfyddydol!

Cyhoeddwyd y cylchgrawn *Mesen* i gydredeg â'r holl weithgareddau amrywiol am ddeng niwrnod yn y dre. Siom o'r mwya oedd gweld ymateb pobol ddiwylliedig y dre i ymddangosiadau gan rai o'n cerddorion a'n hartistiaid gorau ac, er i'r ŵyl barhau am sawl blwyddyn, rhyw fynd a dod fu'i hanes hyd heddiw. Erbyn hyn mae Cymdeithas Celfyddydau Caerfyrddin yn paratoi rhaglenni amrywiol ac uchelgeisiol trwy gydol y flwyddyn ac mae'r niferoedd sy'n mynychu'n ddigon derbyniol.

Ar ôl tipyn o gydweithio gyda Bwrdd yr Iaith a'r Cyngor Sir fe ddaethon ni i ben â sefydlu Menter Iaith Bro Myrddin yn y flwyddyn 2000, ac fel ei chadeirydd cynta teimlad braf oedd cael llywio'r lansiad swyddogol gan Cynog Dafis, Aelod o'r Cynulliad ar y pryd. Iwan Evans oedd ei Swyddog Maes cynta ac fe wnaeth Iwan waith arloesol wrth sefydlu'r fenter ac ehangu'r defnydd o'r Gymraeg mewn cymaint o feysydd newydd.

Canolfan Hamdden

Yn ystod y pumdegau a'r chwedegau fe gollodd sawl un ei fywyd yn nofio yn yr afon Tywi yn ystod yr haf, ac ar ôl i Gwynfor Evans gael ei ethol yn Aelod Seneddol eto yn 1974 gofynnodd i fi drefnu cyfarfod cyhoeddus ar ei ran i drafod yr angen am bwll nofio a chanolfan chwaraeon i Gaerfyrddin. Daeth torf fawr ynghyd i'r cyfarfod ac o dan gadeiryddiaeth Gwynfor fe ddewiswyd Pwyllgor Ymgyrchu llwyddiannus iawn. Fe etholwyd Henry Wilkins, gŵr busnes amlwg yn y dre, yn gadeirydd a finne'n ysgrifennydd. Daeth cefnogaeth o bob cyfeiriad ac fe drefnwyd cyfarfodydd a dirprwyaethau gerbron Cyngor Sir Dyfed, Cyngor Dosbarth Caerfyrddin a Chyngor Tref Caerfyrddin. Fe gynhaliwyd digwyddiadau o bob math ac fe gasglwyd mwy nag ugain mil i'r gronfa. Llwyddwyd i argyhoeddi'r tri chyngor i fod yn rhan o'r datblygiad ar y safle yn Nhre Ioan rhwng ysgolion cyfun Cambria a Maridinum gyda phwll nofio o faint cystadleuol ynghyd â phwll llai i blant yn ogystal â neuadd chwaraeon enfawr ac ystafelloedd pwrpasol eraill. Agorwyd Canolfan Hamdden Caerfyrddin yn 1982.

Ers hynny fe ddatblygwyd ar yr un safle feysydd pêl-droed a hoci synthetig bob-tywydd gyda llifoleuadau, trac athletau o safon ryngwladol ac eisteddle a chyrtiau tennis awyr-agored. Yn 2009 a 2010 gwariwyd dros ddwy filiwn i wella'r holl adnoddau ac erbyn hyn mae'n un o'r canolfannau hamdden gorau yn ne Cymru. Fe fues i ar Bwyllgor Rheoli'r Ganolfan o'r dechrau a bellach mae Cyngor Sir Caerfyrddin yn rheoli ac yn cynnal yr holl ganolfannau hamdden yn y sir.

Aelwyd yr Urdd

Roedd Sulwyn a Glenys Thomas wedi bod wrthi am flynyddoedd maith yn gofalu am yr Aelwyd yn y dre a neb wedi gweld yn dda i barhau â'r gwaith caled o gynnal yr Aelwyd bob nos Wener. Fe welodd llawer ohonon ni nad oedd Cymry ifanc Cymraeg y dre yn cael y cyfle i ddod ynghyd yn enw'r Urdd ac i gystadlu ac ymuno yn yr holl weithgareddau. Gyda help Gareth O Jones ac eraill yng nghanol yr wythdegau, llwyddwyd i ailsefydlu Aelwyd Myrddin a bu hi'n llewyrchus iawn am gyfnod maith arall ac yn cystadlu'n gyson yn y Genedlaethol.

Fel Adran Ffynnon-ddrain mae'n cyfarfod a chystadlu nawr ers llawer blwyddyn gyda nifer o wirfoddolwyr ffyddlon yn ei harwain. Unwaith eto, ni allaf lai nag edmygu a gwerthfawrogi'r unigolion hynny sy'n rhoi o'u hamser a'u doniau yn gwbl wirfoddol i gynnal ein clybiau Ffermwyr Ifanc ac adrannau ac aelwydydd yr Urdd. Diolch i ugeiniau fel Mansel ac Eirlys Phillips am eu cyfraniad clodwiw yma yn Sir Gaerfyrddin i'r pethau gorau sy'n perthyn i ni fel cenedl.

Neuadd San Pedr

O'r holl lwyfannau rwy wedi ymddangos arnyn nhw, mae'n siŵr mai ar lwyfan Neuadd San Pedr yng nghanol tre Caerfyrddin rwy wedi ymddangos amla, a hynny fel arweinydd pob math o nosweithiau, mewn dramâu, sgetsys, caneuon ysgafn, corau a chyfarfodydd pwysig yn ymwneud â'r dre. Yn y neuadd hon cynhelir pob math o ddigwyddiadau, o giniawau i ddawnsfeydd ac o arddangosfeydd i gynadleddau.

Ond, fel aelod o Barti Dawns Aelwyd Aberystwyth, o dan hyfforddiant Gwenant Davies (Gillespie wedyn), y gwnes i fy ymddangosiad cynta ar lwyfan Neuadd San Pedr, ac mae yna reswm da pam rwy'n cofio hynny. Yr achlysur oedd cyngerdd mawreddog cyhoeddi Eisteddfod Genedlaethol yr Urdd Caerfyrddin yn 1965 yn dilyn gorymdeithio trwy'r dre yn ystod y prynhawn. Yn y cyfnod hwnnw, Parti Dawns Aelwyd Aberystwyth oedd Dawnswyr Talog ein cyfnod ni – cyfnod Glyn T Jones a Lona ei wraig. Dyna'r cyfnod y gallwn wneud y 'tobi' am amser hir a heb unrhyw drafferth!

Gwahoddwyd ni felly i berfformio yn y cyngerdd cyhoeddi yn Neuadd San Pedr. Fe fydd gwybodusion y byd dawnsio gwerin yn gwybod nad yw 'Rali Twm Siôn' gyda'r hawsa o'r dawnsfeydd gan fod cymaint o droi a phlethu'n ôl ac ymlaen drwyddi, ac ar ôl rhyw funud o droi a throsi ac ambell sgrech i godi hwyl wrth berfformio'r ddawns ar y llwyfan fe aeth hi'n gawl potsh a ninnau'r dawnswyr ar draws ein gilydd i gyd ar y llwyfan. Fe ddaeth y cyfan i stop, a doedd dim amdani ond ailddechrau. Ond, o fewn hanner munud aeth hi'n draed moch unwaith eto, a'r gynulleidfa yn eu dyblau'n chwerthin a Twm Siôn druan wedi methu cynnal ei rali! Roedd perfformiad parti dawns poblogaidd Aelwyd Aberystwyth yn fflop llwyr ac fe fethodd Gwenant ddehongli ar bwy roedd y bai am y cawlach. Yr unig gysur sy gen i wrth edrych yn ôl ar y digwyddiad anffodus hwnnw yw ei fod e'n siŵr o fod wedi digwydd rywbryd i Ddawnswyr Talog hefyd!

Theatr y Lyric yw'r ganolfan berfformio arall yn y dre, sy ar ei newydd wedd ar ôl i'r Cyngor Sir wario mwy na miliwn ar wella'r cyfleusterau'n ddiweddar. Er i fi fyw yma yng Nghaerfyrddin ers bron i ddeugain mlynedd bellach ac er cymryd rhan ym mhob math o ddigwyddiadau ar hyd a lled y dre, dw i erioed wedi ymddangos ar lwyfan Theatr y Lyric – dim un waith, a nawr rwy'n sylweddoli hynny. Beth tybed mae hynny'n ei ddweud amdana i? Fe fydd rhaid i fi feddwl am hynny!

Cyfraniad Meinir

Mae cyfraniad Meinir, fy ngwraig, i fywyd cerddorol a diwylliannol y dre wedi bod yn ddiflino ers i ni symud i fyw yma yn 1972. Cyn i ni briodi yng Nghapel Salem, Cyffylliog ger Rhuthun, yn 1969, roedd yr enw Meinir Lloyd eisoes yn adnabyddus ar lwyfannau Cymru, mewn eisteddfodau neu gyngherddau yn ogystal ag ar y teledu a'r radio.

Ar aelwyd ddiwylliedig Maesaleg, Cyffylliog, y magwyd Meinir, yr ieuengaf o bedwar o blant Trefor a Ceinwen Lloyd. Roedd Morfudd (Morfudd Maesaleg) a Bronwen, ei chwiorydd, a Geraint, ei brawd, i gyd yn gerddorion naturiol ac fe'i codwyd hi yn sŵn y delyn, y piano a'r gitâr ar yr aelwyd. Fe ddaeth doniau cerddorol a chanu Meinir i'r amlwg yn gynnar iawn o dan hyfforddiant Anti Kit, Haulfryn, a Mrs Bryn Williams, mam Bethan Bryn.

Yn ei hunangofiant *Pwyso ar y Giât*, mae ei hathro cerdd dant, Aled Lloyd Davies, yn sôn am ei doniau cerddorol a hithau'n ddisgybl yn Ysgol Brynhyfryd, Rhuthun. Do, enillodd hi bob math o wobrau yn yr Eisteddfodau Cenedlaethol a chael cyfle i gymryd y prif rannau yn operâu Gilbert a Sullivan yn yr ysgol o dan arweiniad Elwyn Jones, yr athro Cerdd. Ond, yn y chwedegau, wrth i ganu ysgafn a phop sgubo trwy Gymru fe ddaeth llais a pherfformiadau Meinir Lloyd ar ein llwyfannau ac ar raglenni radio a theledu'n beth cyfarwydd iawn, a chyhoeddodd sawl record yn sgil hynny. Fe fydd llawer yn cofio amdani fel telynores a chantores yn y nosweithiau canoloesol yng Nghastell Rhuthun, ac yno y cwrddon ni a finne'n athro ar y pryd yn Ysgol Dinas, Aberystwyth.

Teg dweud mai math o anialwch cerdd dant oedd ardal Caerfyrddin tan i Elinor Pearce ddod i fyw i Landdarog a sefydlu Parti Merched Myrddin ac i Meinir symud i'r dre i fyw. Fe aeth hi ati ar unwaith i osod a hyfforddi unawdwyr, deuawdwyr a phartïon o bob oed i gystadlu ac i gymryd rhan mewn cyngherddau ac i ymddangos ar y teledu. Fe gyflwynodd hi gerdd dant yn yr ysgolion lleol a'u cael i gystadlu ac ennill yn yr Eisteddfodau Cenedlaethol – llawer ohonynt erbyn hyn yn gantorion enwog.

Dyna pryd y dechreuodd Meinir ddysgu'r delyn i fyfyrwyr Coleg y Drindod hefyd gan fynd ati i hyfforddi unigolion a sefydlu partïon. Dyma gyfnod Cefin a Rhian Roberts a doniau amlwg eraill, a llwyddwyd i gipio'r darian i'r Aelwyd ucha ei marciau a chipio'r wobr gynta yn yr holl gystadlaethau cerdd dant oed aelwydydd yn Eisteddfod Genedlaethol yr Urdd Porthaethwy yn 1976. Erbyn 1979 roedd Meinir wedi bod o gymorth i sicrhau bod Adran Tref Caerfyrddin yn cipio'r darian i'r Adran ucha ei marciau yn Eisteddfod Genedlaethol yr Urdd Maesteg. Roedd ennill y darian hon wedi rhoi pleser ychwanegol iddi gan mai tarian goffa Anti Marian, gwraig Yncl William, brawd ei thad, oedd hi. Anti Marian sefydlodd Aelwyd gynta yr Urdd yn y Treuddyn, Sir y Fflint, yn 1922 ac mae ei merched, y Dr Rhiannon Lloyd, y Rhyl, a Gwenda Lloyd, Deganwy, yn gyfnitherod i Meinir.

Yn ogystal, sefydlodd Meinir barti bechgyn Bois y Dderwen ac fe fuon nhw'n canu a chystadlu o dan ei harweiniad yn ystod y saithdegau a'r wythdegau. Yna, yn niwedd yr wythdegau sefydlodd y côr merched Côr Telynau Tywi a bu wrthi'n eu hyfforddi a'u harwain am dair blynedd ar ddeg. Roedd Côr Telynau Tywi yn un enghraifft o ddwsinau o gorau fyddai'n cystadlu'n gyson yn ein gwyliau cenedlaethol yn ogystal â chymryd rhan a chynnal cyngherddau ar hyd a lled y wlad gan godi miloedd o bunnau at achosion da.

Oni ddylen ni hefyd werthfawrogi cyfraniad arweinyddion a chyfeilyddion y partïon a'r corau hynny? Mae eu hymrwymiad a'u ffyddlondeb i'w hedmygu'n fawr. Fe fydde Côr Telynau Tywi yn cyflwyno rhaglenni amrywiol bob amser – caneuon ysgafn, caneuon gwerin a cherdd dant, a'r cyfan wedi'i drefnu'n gerddorol a'i osod i'r gwahanol leisiau gan Meinir.

Oes, mae ganddi ddawn gerddorol fawr ac mae'r tŷ yn llawn o gannoedd o osodiadau cerdd dant a threfniadau o alawon gwerin a chaneuon gwreiddiol o bob math, ac mae'n dal i hyfforddi plant a phobl ifanc. Fy nghyfraniad i yn hyn o beth yw ateb y drws i bawb yn eu tro wrth iddyn nhw ddod un ar ôl y llall i ymarfer. Does dim rhyfedd ein bod ni'n gorfod newid carped yr ystafell ffrynt yn amlach na'r un arall! Digwyddodd hyn ers bron i ddeugain mlynedd ac mae'r holl wasanaeth hwnnw wedi bod yn wirfoddol.

Dyna i chi'r holl blant a phobl ifanc y bu Meinir yn eu hyfforddi yn 2010 ar gyfer eisteddfodau cylch a sir yr Urdd. Er hynny, diddorol yw sylwi ar y gwahanol werthfawrogiad ac ymateb y rhieni i'r hyfforddiant hwnnw. Galwodd un mam â thusw o flodau mawr yn ei hapusrwydd yn syth ar ôl clywed bod ei merch fach wedi llwyddo mewn rhagbrawf i gael llwyfan yn yr eisteddfod gylch. A phan aeth hi drwodd i'r eisteddfod sir fe fuodd yr un fam mor hael ei gwerthfawrogiad. Ond mae'r dull o werthfawrogi'n amrywio! Mae yna fam arall sy'n dod â dau becyn o Jammie Dodgers gyda hi i'r ymarfer bob tro a'u rhoi i Meinir mewn gwerthfawrogiad. Felly, os byddwch chi'n galw yn ein tŷ ni, rwy'n ofni mai Jammie Dodgers gewch chi gyda'ch te neu goffi – mae llond cwpwrdd ohonyn nhw gyda ni! Ond ar y llaw arall, ar ôl sawl wythnos o ymarfer, dim ond ar ddiwedd yr ymarfer ola un y llwyddodd un fam i ddweud diolch yn fawr – a dim arall. Braint, yn ei golwg hi, oedd bod Meinir wedi cael hyfforddi'i mab!

Meinir oedd ysgrifenyddes yr Ŵyl Gerdd Dant yng Nghaerfyrddin yn 1979 a finne'n gadeirydd y pwyllgor trefnu, a phleser i ni'n dau oedd cael bod, ynghyd â Norah Isaac, yn Llywyddion Anrhydeddus yr ŵyl pan ddaeth hi i Gaerfyrddin eto yn y flwyddyn 2001. Fe gafodd Meinir yr anrhydedd o fod yn un o Lywyddion Anrhydeddus Eisteddfod Genedlaethol yr Urdd Sir Gâr yn 2007 a hynny'n gydnabyddiaeth am ei chyfraniad maith yn hyrwyddo cerdd dant a chanu'n gyffredinol yn y fro.

Bu'n delynores swyddogol a beirniad yn yr Eisteddfodau Cenedlaethol a'r Ŵyl Gerdd Dant ers degawdau ac mae'n dal i gyfeilio yn eisteddfodau cylch a sir yr Urdd hefyd. Tan yn gymharol ddiweddar bu Meinir yn cynrychioli Cymru ac yn perfformio gyda'r delyn ar ran y Bwrdd Croeso laweroedd o weithiau yn nifer o brif ddinasoedd Ewrop yn ogystal â'r Unol Daleithiau, Japan, Tsieina, Canada a rhai o wledydd Affrica. Mae hi wedi bod yn Nigeria dair gwaith. Ers y saithdegau mae'n un o'r pedair organyddes sy gyda ni yng Nghapel y Priordy ac mae'n dal i helpu gyda gweithgareddau cerddorol y capel, boed i'r plant neu'r oedolion.

Yn ystod haf 2010 cynhaliwyd cyfarfodydd blynyddol Undeb yr Annibynwyr yma yng Nghaerfyrddin o dan nawdd Cyfundeb Gorllewin Caerfyrddin. Fe berfformiwyd y ddrama gerdd *Ynys yr Addewid*, y geiriau gan Nan Lewis a'r gerddoriaeth gan Meinir, a hithau hefyd oedd cyfarwyddwr cerdd y ddau berfformiad yn Theatr y Lyric. Fe gafwyd cyflwyniadau ysgubol a fydd yn dal yn fyw yn y cof yn hir. Roedd y caneuon a ganwyd gan unigolion a'r côr yn wirioneddol hyfryd a mawr fu'r ganmoliaeth, gan ddangos dawn Meinir fel cyfansoddwraig.

O safbwynt Plaid Cymru, hi yw ysgrifennydd aelodaeth cangen Caerfyrddin a phrif drefnydd codi arian etholaeth Gorllewin Caerfyrddin a De Penfro. Mae'n llwyddo i godi mil o bunnau'r flwyddyn drwy drefnu'r raffl Nadolig yn unig ac fe dalwyd costau sawl etholiad trwy ymdrechion codi arian Meinir.

Gwobrau

Bob rhyw bum mlynedd bydd Cymdeithas Ddinesig Caerfyrddin yn cyflwyno Gwobr Goffa Dr John a Dr Margaret Evans i bersonau sydd yn eu barn nhw wedi gwneud cyfraniad arbennig a chyson er lles tref Caerfyrddin. I Meinir a finne, roedd cael derbyn y wobr honno yn 2003 fel cydnabyddiaeth a diolch am ein cyfraniad i'r bywyd academaidd, diwylliannol a gofal dinesig hwnnw yn anrhydedd ry'n ni'n dau yn ei werthfawrogi'n fawr iawn.

Ac ym Mehefin 2010 derbyniais anrhydedd arall, y tro hwn gan aelodau Clwb Rotari Caerfyrddin. Cyflwynwyd i mi eu Gwobr Gymunedol Arbennig fel arwydd o'u gwerthfawrogiad o'm cyfraniad i fywyd tref Caerfyrddin ar hyd y blynyddoedd. Ni fedra i lai na diolch i'r gymdeithas honno, cymdeithas na fues i erioed yn aelod ohoni.

Llwyfan y Drindod

MAE'N WIR DWEUD BOD Coleg y Drindod, Caerfyrddin, wedi chwarae rhan bwysig yn fy mywyd, a hynny am gyfnodau hir. Ar ôl bod yn fyfyriwr yno a dilyn cwrs pellach yn Adran Addysg Coleg y Brifysgol, Aberystwyth, yn y chwedegau cynnar, ac ar ôl dod yn ôl i Gaerfyrddin i weithio i Gwynfor Evans ac yna'n athro bro gyda Chyngor Sir Dyfed, fe gefais fy mhenodi'n Warden y Ganolfan Athrawon yng Ngholeg y Drindod yn 1982, ac ar staff y coleg y bues i wedyn nes ymddeol yn 2005.

Canolfan Athrawon

Sefydlwyd y Ganolfan Athrawon ar y cyd gan Adran Addysg Cyngor Sir Dyfed a Choleg y Drindod i gynnig gwasanaeth a chefnogaeth addysgol i athrawon yn yr ysgolion ynghyd â darpar athrawon dan hyfforddiant yn y coleg. Roedd gan Adran Addysg Cyngor Sir Dyfed ganolfannau athrawon yng ngofal Vaughan Evans yn Felin-fach, Morlais Owen ym Mhontyberem a John Harry yn Johnston, Hwlffordd.

Roedd pob canolfan yn llawn o adnoddau dysgu amrywiol ac yn y canolfannau hyn y cynhaliwyd yr holl gyrsiau hyfforddiant mewn swydd. Cofiaf yn dda am y cyfnod pan wnaethon ni yn y canolfannau gyflwyno dyfais newydd a alwyd yn 'gyfrifiadur' ar gyfer cynorthwyo'r athrawon gyda'u haddysgu. Bydde angen llwytho'r cyfrifiadur yn gynta trwy ddefnyddio tâp casét a hynny'n cymryd amser hir. Yn aml bydde angen rhoi ail a thrydydd cynnig arni i lwytho felly bydde'r athrawon yn rhoi'r ffidil yn y to'n fynych gan fod y broses mor drafferthus.

Ond fe symudodd y dechnoleg yn ei blaen yn gyflym iawn ac erbyn diwedd fy ngyrfa roedd addysg gyfrifiadurol wedi cymryd drosodd a'n dysgu a'n haddysgu'n dibynnu'n llwyr, bron, ar y dechnoleg hon. Gallaf ddweud i fi fod yn rhan o'r hen ddull traddodiadol o ddysgu ac addysgu ac o orfod creu adnoddau o bob math i gynorthwyo athrawon ac yna'n rhan o'r trawsnewid syfrdanol i'r byrddau gwyn rhyngweithiol a'r rhaglenni cyfrifiadurol diddiwedd. Fe fyddwn i'n aml yn tynnu coes y myfyrwyr trwy ddweud wrthyn nhw, 'Dy'ch chi'n gwybod dim amdani! Wyddoch chi, pan ddechreues i ddysgu dim ond bwrdd du a llyfr ysgrifennu a llyfr darllen oedd gen i... mae addysgu plant yn waith mor rhwydd erbyn hyn!'

Arolygu

Fe sefydlodd Adran Addysg y Cyngor Sir dimau i arolygu ysgolion yng nghyfnod y canolfannau athrawon, a gorfod i ni fynd ati i baratoi'n hunain i fod yn arolygwyr cofrestredig ac i fod yn aelodau o'r tîm arolygu yn Nyfed. Galla i ddweud mai'r cwrs hyfforddiant dwys hwnnw i fod yn Arolygwr Ei Mawrhydi oedd y dasg fwya heriol i'r corff a'r meddwl i fi ymgymryd â hi erioed. Roedd y gwaith paratoi ymlaen llaw'n fanwl tu hwnt a'r wythnos drom honno o ymarferion a phrofion o naw y bore tan naw yr hwyr, a'r paratoi ar gyfer y bore wedyn yn brawf creulon ar allu, amynedd, stamina a phob synnwyr arall. Fe ddes i drwyddi a chael fy hun yn aelod o dîm arolygu'r Cyngor Sir. O edrych yn ôl, rhaid i fi gyfadde mai hwn oedd y cyfnod mwya diflas i fi 'i dreulio ym myd addysg.

Mae arolygu ysgol yn waith sy'n hawlio pob dawn a medr sy'n perthyn i berson ac mae gen i barch mawr at arolygwyr sy'n cyflawni gwaith mor bwysig a diduedd, ond cythrel o anodd – ac amhoblogaidd! Efallai mod i'n gymeriad llawer rhy sensitif i gyflawni'r fath dasg gan wybod wrth ymweld ag ysgolion fod pawb yn ein goddef a heb fod yn falch o'n gweld! Roeddwn i'n teimlo bob amser fod pawb yn neis-neis a thu hwnt o foneddigaidd i fi wrth arolygu. Roedd bod yno am ychydig o ddiwrnodau a dweud fy marn ac yna mynd oddi yno mor annheg. Mae'n rhaid bod sustem well a thecach! Roedd y gwaith arolygu yn ychwanegol at waith y Ganolfan Athrawon yng Ngholeg y Drindod a'r pwysau'n annioddefol weithiau.

Canolfan Adnoddau Addysgu

Gydag ad-drefnu llywodraeth leol fe gymerodd y coleg y Ganolfan Athrawon drosodd yn llwyr a'i galw'n Ganolfan Adnoddau Addysgu. Adeiladwyd llyfrgell newydd sbon ac fe leolwyd y ganolfan newydd yn yr hen lyfrgell gyferbyn â chapel y coleg. Gan mai coleg eglwysig oedd Coleg y Drindod trefnwyd bod Canolfan Addysg Grefyddol yno hefyd ac fe ddaeth honno o dan fy ngofal maes o law. O'r diwedd fe newidiwyd y gair 'Warden' i 'Bennaeth y Ganolfan Adnoddau Addysgu'. Mae'r gair 'warden' yn gallu bod yn gamarweiniol weithiau gan mai warden a ddefnyddir am bennaeth neu brifathro sefydliad, fel Coleg Llanymddyfri er enghraifft. Oherwydd hynny, galla i ymfalchïo i fi fod yn brifathro Coleg y Drindod am un noson.

Fe ddaeth rhyw gant o ddisgyblion Ysgol Gymraeg Glantaf i'r coleg dros y Pasg un flwyddyn i gymryd rhan mewn llawer o weithgareddau allgyrsiol, ac fe ges i wahoddiad i ymuno â nhw yn y noson ola a'r disgyblion a'r athrawon yn cynnal noson lawen anffurfiol yn Theatr Halliwell. Ar ddiwedd yr hwyl gwahoddwyd fi i'r llwyfan i dderbyn rhodd o fowlen wydr hyfryd a diolchodd aelod o'r staff i fi fel 'Warden' y coleg am y croeso a'r amser da a gawsai ei ddisgyblion. Mae'n debyg ei fod e wedi gweld y gair 'Warden' ar ddrws fy swyddfa yn ymyl capel y coleg. Iddyn nhw, fi oedd prifathro Coleg y Drindod, a pham dylwn i ddweud yn wahanol? A wnes i ddim! Y dilema nesa oedd beth i'w wneud â'r fowlen wydr? A ddyliwn i ei chadw a pheidio â dweud gair wrth neb? Neu fynd â hi at y prifathro iawn, Clive Jones-Davies? A dyna wnes i'r bore Llun canlynol, sef mynd â'r fowlen at Clive ac adrodd yr hanes sut y bues i'n bennaeth Coleg y Drindod am un noson!

Ymarfer Dysgu

Os bu'r hyfforddiant a'r gwaith o fod yn arolygwr ysgolion yn dipyn o dreth arna i, rhaid cyfadde iddo fod yn gyfnod o hyfforddiant mewn swydd ardderchog, a phan ddaeth yr arolygu i ben ymunais â thîm ymarfer dysgu'r coleg. Bues i'n cydweithio â Vaughan Salisbury a'r myfyrwyr ôl-radd Addysg Grefyddol, ac yna â Hywel Evans, Siôn Hughes ac Alun Charles (y coleg), yn rhan o hyfforddiant myfyrwyr y sector cynradd.

Roedd cael paratoi myfyrwyr ar gyfer ymarfer dysgu a bod yn rhan o'r Adran Addysg maes o law yn fwynhad pur. Roeddwn wrth fy modd yn darlithio ac yn ymweld â'r myfyrwyr yn yr ysgolion ar draws gorllewin Cymru fel rhan o'u hyfforddiant. Mor braf oedd cael cydweithio â chenedlaethau o fyfyrwyr ymroddgar a dawnus ac yn eu plith nifer dda o Wyddelod. Bydde'r rhan fwya ohonyn nhw'n gweithio'n rhan-amser yn y dre er mwyn helpu i gynnal eu hunain yn y coleg, ond fydden nhw byth yn esgeuluso'u gwaith o baratoi gwersi gan eu cyflwyno'n raenus yn y dosbarth.

Ond doedden nhw ddim i gyd yn berffaith, chwaith. Fe es i i ymweld ag un Gwyddel bach ar ddiwedd wythnos gynta ei ymarfer dysgu mewn ysgol yn ymyl Pen-y-bont ar Ogwr. Ar ôl eistedd yng nghefn ei ddosbarth ac yntau wedi dechrau ar ei wers, allwn i ddim llai na sylwi'i fod e'n cnoi gwm fel yr andros wrth gyflwyno'i wers. Wedi iddo orffen ei gyflwyniad, es i ato'n syth ac awgrymu na ddylai gnoi gwm o gwbl yn yr ysgol ac yn enwedig yn y dosbarth. 'I've been chewing since last Monday, sir, and no-one has told me any different,' meddai e wrtha i mewn syndod. Gorfod i fi egluro iddo fod synnwyr cyffredin yn un o hanfodion pennaf pob athro. A beth wnaeth e ond llyncu'r gwm yn y fan a'r lle!

Y wers ryfeddaf a welodd Mansel Thomas, cyd-aelod o staff yr adran, oedd gwers ymarfer corff allan ar iard yr ysgol. Roedd y disgyblion wedi newid i'w dillad priodol sef crysau-T a siorts a sgidiau ysgafn ac, er ei bod hi'n fore sych, roedd hi'n eithaf oer. Ond yr hyn a welodd Mansel oedd ei fyfyriwr mewn cot fawr drwchus a chap gwlân ar ei ben yn eistedd mewn cadair ar ganol yr iard ac yn gweiddi'i gyfarwyddiadau ar y plant!

Gorfod i Alun Charles a finne alw un fyfyrwraig i'r swyddfa ar ôl yr ysgol un noson am nad oedd hi'n paratoi'i gwersi ymlaen llaw yn ôl gofynion y cwrs. Ar ôl sgwrsio â hi a phwysleisio pwysigrwydd ysgrifennu a pharatoi gwersi ymlaen llaw dyma ddweud wrthi,

'Nawr, ewch i'ch ystafell i baratoi'ch gwersi ar gyfer yfory a bydd un ohonon ni'n dod i'r ysgol i wrando arnoch chi yn y prynhawn.'

'Alla i ddim. 'Sda fi ddim amser!' oedd ei hateb.

'Be chi'n feddwl – "dim amser"?' holodd Alun.

'O, ma parti mawr Ann Summers 'da fi heno yn yr Undeb. Fi sy wedi'i drefnu fe a fi sy'n ei redeg e. Fi yw'r *agent* lleol a ddwa i byth i ben â pharatoi gwersi erbyn bore fory!'

Yn fy niniweidrwydd fe holais innau wedyn,

'Beth yw parti Ann Summers?'

'O, dillad isa merched,' meddai hi, 'a ma dros gant yn dod heno i 'ngweld i'n eu harddangos a bydda i'n eu gwerthu nhw wedyn.'

Y dasg nesa oedd ei chynghori nad dysgu oedd y swydd ar ei chyfer a gofyn iddi adael y cwrs. Mae hi bellach yn ddarlledwraig ar y radio, ond wn i ddim a yw hi'n dal i gynnal partïon Ann Summers!

Rwy'n cofio un o'r merched ar staff y Drindod yn dod nôl un tro ar ôl bod yn gwrando ar fyfyrwraig yn cyflwyno gwers Fathemateg yn Saesneg. Roedd safon sillafu'r fyfyrwraig fach yn wan a dweud y lleiaf ac wrth son am ddwy geiniog fe ysgrifennodd 'two penis' ar y bwrdd du.

Adran Addysg

Ymhen amser fe ddaeth y Ganolfan Adnoddau Addysgu o dan adain y llyfrgell yn y coleg ac fe ymunais innau â staff yr Adran Addysg, ac yno y bues i nes ymddeol yn 2005. A do, fe es i bob cam nes mod i'n chwe deg a phump oed. Ymddeol yn gynnar! Beth yw hwnnw?

Fe wnes i fwynhau'n fawr iawn y pum mlynedd ola yn rhan o'r Adran Addysg yng Ngholeg y Drindod. Roeddwn i wrth fy modd yn ceisio mabwysiadu dulliau Norah Isaac o danio diddordeb myfyrwyr yn y pethe a'r iaith Gymraeg. Brwydr galed yw honno a thipyn anoddach yn ein dyddiau ni, yn enwedig i gael y myfyrwyr i deimlo'u cyfrifoldeb ieithyddol a phwysigrwydd siarad Cymraeg cywir a graenus, a'r cyfrifoldeb pellach o drosglwyddo iaith dda i genedlaethau o ddisgyblion yn eu gofal.

Byddwn i'n aml yn rhannu fy ngofidiau ynglŷn â safon iaith y Cymry Cymraeg yn yr ystafell staff. Yr unig gysur a gawn oedd bod darlithwyr yr Adran Saesneg yn achwyn am safonau iaith y myfyrwyr Saesneg hefyd. Ond doedd hynny fawr o gysur mewn gwirionedd.

Staff

Y Parchedig Vernon Davies oedd prifathro dros dro Coleg y Drindod pan es i'n ôl yno'n aelod o'r staff yn 1982. Roedd dyfodol y sefydliad ar y pryd yn ansicr iawn, ac wedi bod felly am gryn amser, ond fe benderfynwyd penodi prifathro newydd ym mherson Clive Jones-Davies, un a fagwyd ym Mhontyberem a chanddo brofiad eang ym myd addysg. Fe aeth e ati'n ddiymdroi i ailadeiladu'r adrannau ac ailwampio'r lle gan ddenu myfyrwyr o bell ac agos a chreu unwaith eto goleg hyfyw a deniadol. Bydd llawer yn meddwl am Goleg y Drindod fel coleg hyfforddi athrawon yn unig, a choleg felly fuodd e ers ei sefydlu yn 1848, ond bellach roedd angen ei ehangu a'i ddatblygu yn un a allai gynnig pob math o gyrsiau gradd. A dyna oedd cenadwri fawr Clive Jones-Davies. Fe lwyddodd i adfywio'r lle gyda chymorth cydweithwyr fel Malcolm Jones, Bryan Roberts, Eira Phillips ac eraill i gyflawni'i weledigaeth.

Coffa da am sawl aelod o staff Coleg y Drindod, ac yn eu plith yr anfarwol John Japheth a fu farw'n sydyn yn 2010. Roedd John yn gyfathrebwr heb ei ail gyda'r myfyrwyr, a hwythau'n meddwl y byd ohono. Ond roedd y pethau mwyaf rhyfedd yn digwydd i John, y math o bethau na fyddai'n digwydd i neb arall!

Dyna ichi'r tro pan gollodd John ei wats aur ar y ffordd adre ar y trên o Lundain. Doedd e ddim wedi gweld ei heisiau nes cyrraedd yn ôl i'w ystafell yn y coleg ac yntau'n warden ar un o'r hosteli ar y pryd. Teimlai'n eitha trist o'i cholli gan iddo ei chael, os cofiaf yn iawn, gan ei gydweithwyr pan orffennodd e weithio i'r Urdd.

Beth bynnag, mewn rhyw fis ar ôl hynny a hithau'n hwyr y nos dyma rai o'r myfyrwyr yn dod at John a dweud wrtho eu bod nhw'n mynd lawr i siop tsips Llangrannog gyferbyn â'r Ceffyl Du yn y dre i nôl tsips, a gofyn a hoffe fe iddyn nhw ddod â phecyn o tsips yn ôl iddo.

'Iawn,' medde John, 'dwy sosej a tsips 'te.'

Mewn dim o amser fe ddaeth y bois â'r tsips yn ôl iddo wedi eu lapio mewn papur newydd i'w cadw'n dwym.

Agorodd John yr hen bapur newyddion oedd o gwmpas y pecyn tsips a dechreuodd fwyta. Fedre fe ddim llai na sylwi mai hen gopi o'r *Evening Post* oedd o gwmpas y tsips a dechreuodd ddarllen y rhan ohono yn ymyl y tsips wrth fwyta. Sylwodd ar y golofn 'Lost and Found' ac er mawr syndod iddo gwelodd yr hysbyseb hon: 'Found on the London to Fishguard train one gold wristwatch. Claim by telephone Swansea 666417.'

Er ei bod hi'n hwyr y nos, fe ffoniodd John y rhif yn y fan a'r lle a chael mai ei wats aur e oedd hi a'i chael yn ôl yn saff. Ie, dim ond i John Japheth fydde pethe fel yna'n digwydd!

Hyd yn oed yn y dyddiau hynny fe gynhaliai prifathro'r

Drindod gyfarfodydd uno â Choleg Dewi Sant, Llanbedr Pont Steffan, ac fe fues i'n bresennol mewn nifer ohonynt. Ond gwrthod y syniad yn llwyr wnaeth staff Coleg Llambed. Bellach mae'r uniad wedi digwydd, a Choleg Prifysgol y Drindod Dewi Sant wedi ei sefydlu yn 2010, a'r person a fu'n bennaf cyfrifol am hynny yw'r Is-Ganghellor presennol, Dr Medwin Hughes. Dr Medwin a ddilynodd Clive Jones-Davies fel prifathro a chyda'i frwdfrydedd heintus yntau fe addasodd y Drindod ar gyfer gofynion addysgol yr unfed ganrif ar hugain a chyflawni'r weledigaeth fawr o greu prifysgol newydd i orllewin Cymru – Prifysgol y Drindod Dewi Sant.

Anrhydedd

Rwy'n dra dyledus i Goleg y Drindod am roi bywoliaeth dda i fi am bron chwarter canrif. Rwy'n gobeithio mod innau mewn gwahanol ffyrdd wedi gwasanaethu'r lle, nid yn unig fel aelod o'r staff ond trwy weithgarwch allgyrsiol hefyd y tu allan i oriau gwaith arferol. Yn ystod y cyfnod, cefais i'r anrhydedd o gyflwyno Gwynfor Evans, T Llew Jones a Cynog Dafis i dderbyn Cymrodoriaeth y Drindod am eu cyfraniadau clodwiw i fywyd ein cenedl. Roedd cael gwneud hynny'n wir fraint, ac ychydig a feddyliais y bydde'r coleg yn gweld yn dda i gyflwyno'i Chymrodoriaeth i finne hefyd yn 2007. Er nad yw derbyn anrhydeddau yn gofidio fawr ddim arna i, mae cael bod yn Gymrawd y coleg a fu'n rhan annatod o'm bywyd yn rhywbeth a drysoraf weddill fy mywyd.

Y Llwyfan Presennol

A FINNE AR FIN ymddeol ar ôl tair blynedd ar hugain ar staff Coleg y Drindod a'r dyhead o hyrwyddo egwyddorion cenedlaethol Cymru yn dal yn gryf, doedd dim amdani ond parhau i weithio o gwmpas y filltir sgwâr yma yng Nghaerfyrddin a sefyll yn yr etholiad ar gyfer Cyngor Sir Caerfyrddin. Wedi'r cwbl, mae angen rhywbeth i'w wneud ar ôl ymddeol hyd yn oed!

Cyngor Sir

Etholwyd fy nghyfaill Jeff Thomas a finne i gynrychioli Ward y Gogledd tref Caerfyrddin yn 2004 ac roedd pymtheg cynghorydd Plaid Cymru ar y Cyngor. Er i'r Blaid a'r aelodau Annibynnol fod mewn clymblaid tan hynny fe drodd Meryl Gravell, arweinydd y Cyngor, i ffurfio clymblaid gyda Llafur gan anwybyddu'n llwyr aelodau'r Blaid a fu'n cydweithio'n agos â hi ers pedair blynedd.

Fe fues i'n ddirprwy arweinydd grŵp cynghorwyr y Blaid ar y Cyngor gan ddod yn arweinydd ar ôl i Neil Baker symud i weithio i ynys Canna yn yr Alban. Yna, ar gyfer etholiadau 2008 dyma fynd ati i drefnu ymgeiswyr i sefyll dros y blaid mewn trigain o wardiau ar draws y sir ac ennill deg sedd ar hugain a dod o fewn hanner cant o bleidleisiau i gipio dwsin arall. Chwalwyd y Blaid Lafur yn nhrefi Llanelli a Chaerfyrddin gan ostwng eu cynrychiolaeth i un ar ddeg o gynghorwyr yn unig. Felly rown i'n arweinydd ar grŵp o ddeg ar hugain o gynghorwyr y Blaid, sef 42% o aelodaeth y Cyngor i gyd.

Y peth naturiol, wedyn, gan fod rhan fwya'r cynghorwyr yn perthyn i Blaid Cymru, oedd mynd i siarad â Meryl Gravell ac arweinydd y grŵp Annibynnol er mwyn gweld beth oedd orau i'w wneud er lles etholwyr Sir Gaerfyrddin. Anwybyddwyd pob cais am unrhyw drafodaeth. Roedd y grŵp Annibynnol a'r grŵp Llafur wedi trefnu eisoes i gadw'r Blaid allan o bopeth, ac felly mae hi wedi bod ers hynny ar Gyngor Sir Caerfyrddin. Enghraifft dda o hyn oedd cyfarfod blynyddol y Cyngor ym Mai 2009. Roedd angen ethol 32 o gynghorwyr yn gadeiryddion ac is-gadeiryddion ar y gwahanol bwyllgorau. Rhannwyd nhw i gyd rhwng y cynghorwyr Annibynnol a Llafur. I fi, dyma enghraifft o ddemocratiaeth leol ar ei gwaetha!

Mas i Siarad

Er i fi roi'r gorau i arwain nosweithiau llawen a chyngherddau ac ati'n swyddogol ar y noson Unwaith Eto i godi arian i Eisteddfod Genedlaethol yr Urdd Sir Gâr yn 2007, rhaid cyfadde mod i wedi ufuddhau i ambell gais ers hynny. Allwn i ddim gwrthod y gwahoddiad i gyflwyno'r cyngerdd coffa i Jac Davies (Jac a Wil) yn Neuadd Pontyberem. Llywydd y noson honno oedd yr anfarwol Hywel Teifi Edwards a 'mraint wrth ei gyflwyno oedd nodi'n dyled fel cenedl iddo am ei gyfraniad. Manteisiais ar y cyfle i restru'r cyfraniadau hynny tra oedd Hywel yn sefyll yn fy ymyl ar y llwyfan ac yntau'n mwmian o dan ei anadl wrth i fi 'i gyflwyno, 'Gad hi fan'na nawr. Paca'i lan nawr, Griffis. Fi sy fod siarad y diawl... nid ti!' A'r noson honno, yn ôl ei arfer, fe draddododd Hywel anerchiad ysgubol. Heb os, Hywel Teifi oedd un o gyfathrebwyr disgleiriaf ein cyfnod ni. Coffa da amdano a diolch am gael ei adnabod.

Fel ugeiniau o gyfeillion eraill rwy wrth fy modd yn mynd o gwmpas i siarad ac i ddifyrru gwahanol gymdeithasau, a bydd fy nghyfaill Sulwyn Thomas a finne'n cymharu'n gyson y profiadau a gawson ni mewn ambell festri neu gylch cinio. Mae Sulwyn yn enghraifft ragorol o'r nifer sy'n rhoi o'u dawn a'u hamser i siarad a diddanu cynulleidfaoedd ym mhob rhan o'r wlad. Pryd bynnag y bydda i'n clywed enw lle yng Nghymru, bydda i'n aml yn meddwl a fues i yno'n arwain neu feirniadu neu siarad rywbryd a, rhan amla, fe fyddaf i'n gallu cofio'r cysylltiad. Dro arall fe fydda i'n dweud 'Sa i wedi bod yn cymryd rhan yn y lle 'na erio'd.' Ond nid dyna'n union a ddigwyddodd yn Nhreorci ym Medi 2009.

Fe ddaeth galwad ffôn gan Cennard Davies, y gŵr rwy'n ei edmygu'n fawr am ei wasanaeth diflino gyda'r pethe yng Nghwm Rhondda, yn gofyn i fi ddod i agor tymor y gaeaf yn y Gymdeithas Gymraeg yn festri Capel Hermon. 'Ond rwy wedi bod gyda chi o'r bla'n, sawl blwyddyn yn ôl,' oedd fy ymateb. Roeddwn i'n cofio hynny'n dda gan mai hwnnw oedd yr unig dro i fi fod yn Nhreorci erioed. 'Na, sa i'n credu,' oedd ateb Cennard. A phwy all wrthod Cennard! Dyma fe wedyn yn mynd ati i egluro i fi sut i gyrraedd Capel Hermon. Doedd dim angen iddo am mod i'n gwybod y ffordd a'i fod yn ymyl y clwb rygbi. Heb os, roeddwn i wedi bod gyda nhw o'r blaen! Fe gyrhaeddais i festri Capel Hermon yn ddidrafferth ac fe ddaeth torf dda ynghyd. Wrth agor y sgwrs dyma fi'n gofyn iddyn nhw, 'Pwy ohonoch chi sy'n cofio mod i wedi bod yma gyda chi o'r bla'n ychydig o flynyddoedd yn ôl?' Siomwyd fi'n fawr! Wnaeth neb ymateb! A dyna fi wedi fy rhoi yn fy lle a finne'n credu mod i'n cael hwyl dda arni ym mhob man!

Ond y noson honno yn Nhreorci ym Medi 2009 oedd un o'r nosweithiau gorau i fi gael ymateb gan gynulleidfa erioed, ac os nad y'ch chi'n credu hynny, gofynnwch i Cennard neu Geraint Davies. Do, fe gafwyd noson anfarwol ac wrth wneud y diolchiadau fe ddywedodd Cennard, 'Gobeithio y cawn ni dy gwmni di eto'r flwyddyn nesa.'

Fe fues i gyda sawl cylch cinio yn ystod gaeaf 2009–10

a chyda Hoelion Wyth Banc Siôn Cwilt, Cinio Blynyddol Sioe Llandeilo, Cymdeithas Bro Preseli, Probus a Rotari Caerfyrddin a Chymdeithasau Diwylliedig Capeli Heol Awst, Caerfyrddin, a'r Tabernacl, Hendy-gwyn, adeg Gŵyl Ddewi, a beirniadu eisteddfod neu ddwy. Fe gofia i am Eisteddfod y Trallwng, Pontsenni, yn arbennig am ddawn Glyn Powell. Mae Glyn yn arweinydd campus ac yn cadw pethe i fynd mewn dull mor naturiol a hynod o ddifyr. Mae e'n un o'r arweinwyr eisteddfod gorau i fi ddod ar ei draws.

Roedd cael mynd yn ôl i Glosygraig i'm hen gapel i annerch Noson Cymdeithas y Beiblau yng Ngŵyl y Capeli lleol yn ardal Dre-fach Felindre, pe na bai ond am yr atgofion, yn foddhad. A chyda llaw, fedra i ddim cofio sawl cangen o Ferched y Wawr y bues i gyda nhw eleni, ond un y Tymbl oedd y ddiwetha beth bynnag ac fe ges i noson hwyliog iawn yn eu cwmni a hynny wedi i mi agor y noson trwy ddweud, 'Fel arfer fe fydda i'n gofyn i'r rhai mwya salw yn eich plith chi i ddod i eistedd yn y tu blaen. Ond heno, rwy'n sylwi bo chi yma'n barod!'

Pur anaml y bydda i'n teimlo'n nerfus bellach wrth ymddangos yn gyhoeddus. Dw i ddim yn un sy'n colli cwsg o gwbl gan mod i'n paratoi ymhell ymlaen llaw a mynd dros gynnwys fy nghyflwyniad yn drylwyr. Peidied neb â meddwl mai yn fyrfyfyr y bydda i'n siarad, beth bynnag yw'r achlysur.

Teyrngedau

Doeddwn i erioed wedi cyflwyno teyrnged mewn gwasanaeth angladdol tan y llynedd a'r flwyddyn cynt. Gwnes hynny'r tro cynta mewn gwasanaeth yn Amlosgfa Parc Gwyn ar gais y teulu i gofio am Mary Davies a fu farw'n gant a chwech oed ac a fu'n byw drws nesa i fi yn 4, Llysnewydd, Dre-fach Felindre am flynyddoedd lawer. Roedd hwnnw'n brofiad anodd a theimladwy iawn. Fedra i ddim llai nag edmygu ein gweinidogion sy'n gorfod gwneud hyn yn gyson gan ofalu bod pob gair a ffaith yn eu lle a phob brawddeg yn un gywir a phriodol. Mae gan y Parchedig Ddoethur Desmond Davies, Caerfyrddin, y ddawn fawr o gyfuno teyrnged a phregeth mewn gwasanaeth angladdol. Mae'i bregeth angladdol yng nghynhebrwng Margaret ac yna Gareth Matthews a sawl un arall yn dal yn fyw yn fy nghof.

Ond fe ges i drafferth i baratoi a chyflwyno fy nheyrnged i 'nghyfaill agos Gwynfor Jones yn Ionawr 2009. Roedd Briallen, ei weddw, am i fi gyflwyno coffâd iddo yn ei wasanaeth coffa yng Nghapel Bethel, Dre-fach, lle bu'n ddiacon ac ysgrifennydd am flynyddoedd maith. Hon oedd yr her fwya anodd i fi'i chyflawni'n gyhoeddus erioed. Cefais i drafferth i baratoi'r sylwadau oherwydd agosatrwydd ein cyfeillgarwch. Felly, doedd dim amdani ond eu teipio a darllen y nodiadau drosodd a throsodd a cheisio goresgyn y teimladau a'r atgofion personol, er mor anodd oedd hynny. Erbyn prynhawn Sul y gwasanaeth roeddwn i'n ffyddiog y gallwn i fynd trwyddi. Roeddwn i wedi seilio fy nghoffâd o fywyd Gwynfor ar y tair 'c' – cyfaill, cymeriad, Cymro – achos dyna oedd e i bawb.

Arweiniwyd y gwasanaeth gan ei weinidog, y Parchedig Gareth Morris, ac ar gais y teulu byddai cyn-weinidog Capel Bethel, y Parchedig Wyn Vittle, yn cyflwyno'i deyrnged yntau hefyd. Roeddwn i'n eistedd yng nghadair fy niweddar ffrind yn y sêt fawr ac wedi'i chael hi'n anodd i gadw'r dagrau draw, a phan aeth Wyn i'r pulpud a dechrau ar ei deyrnged teimlais ryw chwys oer yn llifo trwy 'nghorff i gyd wrth i fi glywed ei gyn-weinidog yn cyfeirio at fy niweddar gyfaill fel gŵr y tair 'c' – cyfaill, cymeriad, Cymro. Allwn i ddim credu'r peth – yr union eiriau roeddwn i wedi seilio fy nheyrnged innau arnyn nhw. Fe frwydrais i geisio gwrando arno cyn esgyn i'r pulpud, ac fe dreuliais beth amser yn egluro'r cyd-ddigwyddiad rhyfedd a'r ffaith ein bod ni'n dau wedi nodi'r un tair 'c' yn gwbl ar wahân ac yn hollol ddiarwybod i'n gilydd. Wnes i ddim dilyn y nodiadau oedd o'm blaen i ac fe gefais i ryw nerth newydd o rywle i gyflwyno fy nheyrnged i un a fydde bob amser yn fy nghyfarch gyda'r geiriau, 'Shwt wyt ti'r hen ffrind?' Ac wrth i fi lefaru geiriau ola fy nheyrnged, 'Ffarwel, fy hen ffrind,' allwn i ddim atal y dagrau. Hwn oedd un o brofiadau mwya dirdynnol fy mywyd.

Dal i Fynd

Yn gynharach eleni fe gyrhaeddais oed yr addewid, a chredwch chi fi neu beidio dw i ddim yn defnyddio sbectol ac rwy'n medru darllen y llyfr ffôn yn ddidrafferth. Mae Meinir a finne'n canmol ein lwc o safbwynt ein hiechyd hefyd, heb fod y naill na'r llall ohonon ni wedi gorfod treulio'r un noson mewn ysbyty yn ystod ein deugain mlynedd o fywyd priodasol, ac eithrio adeg geni'r plant wrth gwrs. Does gen i ddim cof o orfod gofalu am Meinir yn dost yn ei gwely o gwbl, na hithau finnau. Bydd y ddau ohonon ni'n mynd at Dr Ruth Williams, ein meddyg teulu, i gael ein MOT blynyddol bob hydref, a braf yw cael ei chlywed yn dweud, 'Tasa pawb 'run fath â chi'ch dau, baswn i allan o waith!' a hynny yn acen gyfoethog Llanfair Talhaearn lle cafodd ei magu.

Rwy'n dal i olygu'r papur bro, *Cwlwm*, yn fy nhro ac yn ei gludo i nifer o ddosbarthwyr yn fisol. Rwy'n dal i ysgrifennu i'r golofn Gymraeg yn y *Carmarthen Journal* ac yn fisol i'r *Carmarthenshire Life*. Rwy'n cyfrannu yn ôl y galw i raglen swyddogol gêmau pêl-droed clwb Caerfyrddin. Mae bod yn yr hwyl i ysgrifennu a chyfansoddi yng nghanol prysurdeb bywyd yn gofyn am gryn ddisgyblaeth, a'r tueddiad o'n safbwynt i beth bynnag yw rhoi blaenoriaeth i bopeth arall.

Mae gen i syniad a chynllun da, fe greda i, ar gyfer comedi arall, ond heb yr amser i fynd ati i'w hysgrifennu, er mod i am ymateb i geisiadau a ddaw gan gwmnïau a gwyliau dramâu lleol. Rwy wedi addo i Margaret Roberts, trefnydd

Gŵyl Ddramâu Flynyddol Capel Bethania, Rhuthun, mai hi gaiff y copi cynta o'r gomedi newydd ar ôl i fi orffen ysgrifennu'r llyfr hwn!

Mae cadwraeth yn agos iawn at fy nghalon a dyna pam rwy'n aelod o Gymdeithas Ddinesig Caerfyrddin sy'n cwrdd yn fisol ac yn gwneud gwaith pwysig yn diogelu ein hynafiaeth, achos, wedi'r cwbl, Caerfyrddin yw'r dre hyna yng Nghymru. Mae cael bod ynghlwm wrth drefniadau'r gefeillio rhwng Caerfyrddin a Lesneven yn Llydaw, a chadw mewn cysylltiad trwy ymweliadau cyson, yn rhywbeth i edrych ymlaen ato o hyd. Rwy'n dal yn llywodraethwr ar y ddwy ysgol Gymraeg leol ac yn gynghorydd ar y Cyngor Tref yn ogystal â'r Cyngor Sir, ac yng nghanol brwydr arall i geisio sicrhau addysg uwchradd Gymraeg ym mro Dinefwr. Onid gwir y geiriau – 'Yr unig addysg ddwyieithog yng Nghymru heddiw yw addysg Gymraeg'?

Byddaf yn ceisio mynychu Capel y Priordy ddwywaith ar y Sul a chefnogi'r holl weithgarwch sy'n digwydd yno. Mae'r arweiniad ysbrydol a chymdeithasol a gawn gan ein gweinidog, y Parchedig Beti-Wyn James, mor gyfoethog, ac mae gweld llond y lle o blant yn y capel ac yna'r festri ar fore Sul yn falm i'r enaid. Rwy'n dal yn un o gefnogwyr brwd Cylch yr Iaith ac wedi bod yn chwarae rhan fechan yn ei weithgarwch o dan arweiniad Emyr Llew, Elfed Roberts, Ieuan Wyn, Merêd ac eraill. Fe gymerodd Cylch yr Iaith ran flaenllaw a di-ildio yn y frwydr i sicrhau'r Coleg Ffederal Cymraeg. Bu hon yn fuddugoliaeth fawr, a bydd rhaid parhau â'r ymgyrch yn erbyn troi S4C a Radio Cymru yn sianelau dwyieithog a llawn bratiaith. Mae safon nifer o'r rhaglenni'n siomedig iawn o ran cynnwys ac o ran glendid iaith ac mae'n ymddangos i fi mai dim ond Cylch yr Iaith sy'n barod i arwain y frwydr yn erbyn hynny.

Fydda i byth, braidd, yn colli cyfarfodydd cangen Plaid Cymru yn y dre na'r Pwyllgor Etholaeth misol, ac rwy'n trefnu'r Ffair Nadolig ar Sadwrn cynta Rhagfyr ers deng mlynedd ar hugain a mwy. Rwy'n dal ar Gyngor Cenedlaethol y Blaid ac yn mynychu'i chynadleddau yn y gwanwyn a'r hydref. Fe fues i ynghlwm wrth ymgyrch John Dixon yn ystod Etholiad Cyffredinol 2010, ond bellach mae'n rhaid i fi gydnabod, er mor anodd yw hynny, nad yw cyflymder fy nghanfasio a dosbarthu'r taflenni o ddrws i ddrws yr hyn oedd e! Mae John Dixon yn un o arweinwyr disglair y Blaid ac yn un o'r cadeiryddion gorau a welodd y mudiad. Fe ddaeth e mor agos at fod yn Aelod o'r Cynulliad (250 o bleidleisiau'n brin) ac mae'r sefydliad hwnnw dipyn tlotach heb ei gyfraniad. Ar y llaw arall, mae'i gyngor a'i gymorth i fi fel arweinydd grŵp cynghorwyr Plaid Cymru ar y Cyngor Sir yn amhrisiadwy.

Ambell Fordaith

Mae Meinir yn cael gwahoddiadau ers blynyddoedd gan gwmnïau sy'n trefnu gwahanol fordeithiau i sefydlu côr o'r teithwyr a threfnu ymarferion dyddiol ar y daith, ac yna cyflwyno cyngerdd o'r holl ddarnau a ddysgwyd ym mhrif neuadd y llong i'r gweddill. Yn ystod y blynyddoedd diwetha rwy i wedi manteisio ar y cyfleoedd hyn i gario bagiau Meinir a chael canu yn y côr, ac wrth gwrs i fod yn *compere* trwy'r iaith fain a chydag ychydig o acen Oxbridge a Threlech yn gymysg! Oni bai am y teithiau hyn, fyddwn i byth wedi cael y cyfle i weld llefydd fel Rhufain a Barcelona, a Gwlad yr Haul Ganol Nos a Norwy. Ond y gorau oll oedd mynd o Los Angeles i Mecsico ac Acapulco a thrwy Gamlas Panama i Miami a'r Bahamas a Bermiwda, ac ar ddiwrnod ola ond un y daith a ninnau'n anelu'n ôl am Southampton, roedd paratoadau mawr ar droed ar fwrdd y llong i ddathlu pen-blwydd y frenhines yn bedwar ugain oed.

Fe gyhoeddwyd y bydde digwyddiadau o bob math trwy gydol y dydd a chyda'r hwyr ac y bydden nhw'n addurno'r llong yn las, gwyn a choch ac yn y blaen ac yn y blaen. Rhybuddiais i Meinir y bydden ni'n dau'n dost ar y dydd hwnnw, ac yn rhyfedd iawn fe ddaeth hynny'n wir er rhyddhad mawr i ni. Ond roedd pawb arall yn dost hefyd gan i'r gwynt a'r tonnau godi'n uchel y noson cynt, ac fe barhaodd y rhyferthwy drwy'r dydd wedyn gan ostegu ryw ychydig erbyn naw o'r gloch yr hwyr. Dyna'r storm waetha i fi fod ynddi erioed a phawb o'r teithwyr wedi'u rhybuddio i aros yn eu hystafelloedd. Ni chwifiwyd yr un Jac yr Undeb ac fe fethwyd yn llwyr â chynnal y dathliad lleia gan fod pawb yn hwdu fflat owt ac yn gweddïo am dir sych a heb unrhyw chwant i fwyta'r sosej rôl leia o'r wledd a oedd wedi'i chynllunio ar ein cyfer. Allwn i ddim llai na chytuno â'r farn gyffredinol amser brecwast y bore wedyn wrth i bawb ddyfynnu Arthur Picton o *C'mon Midffîld*, 'Trist iawn, feri sad!'

Yr Wyrion a'r Teulu

Fel pob tad-cu a nain gwerth eu halen, ry'n ni'n meddwl y byd o'r wyrion, ac yn cael cwmni Iestyn Rhys, Steffan Llwyd ac Ifan Gwern, plant Meleri'r ferch a Michael ei gŵr, yn aml iawn gan eu bod yn byw yma yng Nghaerfyrddin. Mae'r pleser o edrych ar eu holau a chyflawni'r amrywiol ddyletswyddau, fel pob nain a thad-cu arall trwy Gymru gyfan, yn cyfoethogi ein bywydau. Ac yna, mae cael mynd i fyny i ardal Pentrecelyn ger Rhuthun at Llŷr, ein mab, a Delyth, ei wraig, a chael chwarae gyda Bedwyr Clwyd, Osian Gwyn ac Anest Mair yn llenwi cwpan ein boddhad. Mae gweld yr wyrion a siarad amdanyn nhw'n waith pleserus iawn!

Ar y wal yng nghyntedd ein cartre yma yng Nghaerfyrddin mae dau drysor yn hongian bellach. Y cynta yw llun diweddar o'r teulu i gyd – y deuddeg ohonon ni gyda'n gilydd, ac mae e'n llun da. Buon ni yn stiwdio fy nghyfaill o ffotograffydd, Arwel Davies, yn cael ei dynnu, ac fe gawson ni hwyl. Fe gyflawnodd Arwel wyrth, ac mae'n cyfaddef hynny ei hun, gan iddo lwyddo i'n cael ni i gyd i edrych a gwenu arno ar yr un pryd. Roedd Arwel mor falch o'i lun fel y gofynnodd am ein caniatâd i'w osod yn ffenest ei stiwdio yn Heol Las, Caerfyrddin, am gyfnod, a syndod i fi yw sylweddoli faint o bobol sy'n mynd yno'n unswydd i edrych ar eu lluniau!

Yn ymyl y llun o'r teulu yn y cyntedd mae sampler mawr o waith ffrind i ni ac un y mae Meinir a finne'n ei hedmygu'n fawr. Mae cyfraniad Enid Jones i fywyd Cymraeg ardal Caerfyrddin wedi bod yn aruthrol ar hyd y blynyddoedd, a hi a luniodd y sampler. Mae'n un lliwgar sy'n adrodd hanes ein teulu ni trwy luniau ac enwau a ffeithiau perthnasol, a'r cyfan wedi'i bwytho mor feistrolgar ganddi. Wrth enw Meinir fe bwythodd y cwpled

> I hon ei Duw yw cerdd dant
> Mae'i halaw yn llawn moliant.

Ac o dan fy enw innau'r llinell

> Her ei oes yw Cymru Rydd.

Dyma'r ddau drysor cynta a welwch os digwydd i chi alw yn ein tŷ ni. Mae'r ddau'n dweud y cyfan, bron, amdanom.

Y Dyfodol

Yr her nesa yn awr fydd sicrhau mwyafrif o gynghorwyr Plaid Cymru ar Gyngor Sir Caerfyrddin ar ôl yr etholiad yn 2012. Ry'n ni eisoes wedi dechrau ar y gwaith o sicrhau ymgeiswyr ym mhob ward trwy'r sir. Dim ond i ni ennill wyth arall at y nifer presennol o gynghorwyr Plaid Cymru ac fe fyddwn ni yn y mwyafrif. Hon yw'r nod wleidyddol rwy wedi'i gosod i fi fy hunan am y ddwy flynedd nesa, ac rwy'n ffyddiog y galla i ei chyflawni gyda chefnogaeth a help parod nifer fawr o gyfeillion da. Ac os llwyddwn, bydda i'n teimlo bod y fesen a blannodd Gwynfor Evans ar Gyngor Sir Caerfyrddin dros hanner can mlynedd yn ôl wedi tyfu'n dderwen hardd. Fedra i ddim llai na gweld y wên hawddgar honno ar ei wyneb wrth i ni gyflawni hynny.

Doer

Wrth gyflwyno'i werthfawrogiad o Gwynfor Evans yn y Gymanfa Cofio Gwynfor yng Nghapel Heol Awst, Caerfyrddin, ar nos Sul, 19 Mehefin 2005, fe ddywedodd yr Athro Geraint H Jenkins, Aberystwyth, 'Fe sefydlwyd yr achos hwn yn Heol Awst gan Stephen Hughes, "Apostol Shir Gâr", y gŵr cynta i gyfieithu gwaith mawr John Bunyan, *Taith y Pererin*, i'r Gymraeg. Yn ôl John Bunyan, fe ofynnir un cwestiwn i chi wrth borth y nefoedd: "Were you doers or talkers only?" *Doer*, gweithiwr oedd Gwynfor. O'i golli, mae dyletswydd arnon ninnau i weithredu.'

Ac wrth edrych yn ôl ar y bywyd llawn rwy wedi'i dreulio hyd yn hyn, rwy'n mawr obeithio mai *doer* oeddwn i ac nid *talker only*.

Cerdd i Gyfarch Peter Hughes Griffiths

Un o fil, cywir ei farn
Ceidwad y meddwl cadarn.
Un dewr, a'i dafod arian
Yn ein tir yn cynnau tân.
Un dynol a di-weniaith,
Yn daer dros ei wlad a'i iaith.
Un â dawn creu daioni
A rhoi'n hael yn ein bro ni.
Un sy'n rhoi a rhoi yn rhydd
O'i dalent, gwir ardalydd.
Un gweddaidd yn gyhoeddus,
'Run ei liw, gartre'n ei lys.
Un ydyw â stamp gweledydd,

A'i ddawn yw gweld golau ddydd.
Un a'i gân drwy'r gwyll yn gwau
A'i lantarn yw'i dalentau.
Un poeth ym mrwydr y Pethe,
Un o fil ydyw efe.

T Gwynn Jones, Abergwaun

Pan ymddeolais, gwelodd y Prifardd Tudur Dylan Jones yn dda i ysgrifennu'r englyn hwn i fi:

Peter

Ni chei orffen eleni – yn y gwaith
i'r gad ni therfyni,
ni allwn weld dy golli
a ninnau dy eisiau di.

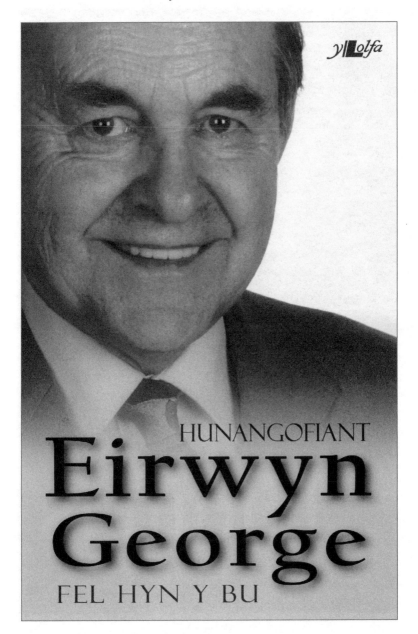

Bydoedd

Ned Thomas

Cofiant Cyfnod

£9.95

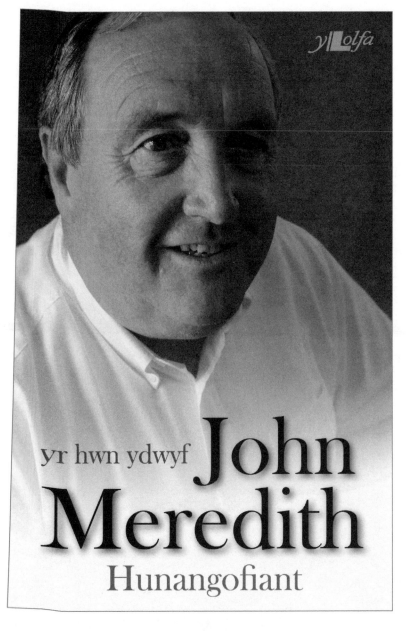

yr hwn ydwyf John
Meredith
Hunangofiant

£7.95

Am restr gyflawn o lyfrau'r Lolfa, mynnwch
gopi o'n catalog newydd, rhad
neu hwyliwch i mewn i'n gwefan

www.ylolfa.com

lle gallwch archebu llyfrau ar lein.

y**L**olfa

TALYBONT CEREDIGION CYMRU SY24 5HE
ebost ylolfa@ylolfa.com
gwefan www.ylolfa.com
ffôn 01970 832 304
ffacs 832 782